4

Visions capitales

PARTI PRIS

Cet ouvrage est édité à l'occasion de l'exposition
présentée au musée du Louvre, Hall Napoléon,
par le département des Arts graphiques,
du 27 avril au 27 juillet 1998.

Julia Kristeva

Visions capitales

 Réunion
des Musées
Nationaux

La présentation de l'exposition a été conçue par Christophe Clément
et réalisée, sous sa direction,
par le Service des travaux muséographiques du musée du Louvre.
La restauration des dessins a été assurée par André Le Prat.

Le département des Arts graphiques tient à exprimer sa profonde gratitude
aux responsables des collections suivantes pour leurs prêts généreux :
Musée Granet, Aix-en-Provence
Musée de Picardie, Amiens
Musée de l'Avallonnais, Avallon
Hessisches Landesmuseum, Darmstadt
Jean-Claude Lamant, maire de Laon
Bibliothèque nationale de France, Paris
Maison de Victor Hugo, Paris
Musée Antoine Bourdelle, Paris
Musée Carnavalet, Paris
Musée national d'Art moderne, Centre Georges-Pompidou, Paris
Musée d'Art moderne de la Ville de Paris
Musée de l'Homme, Paris
Musée du Louvre, département des Peintures, département des Sculptures, Paris
Musée Picasso, Paris
Musée de la Préfecture de Police, Paris
Collection particulière, Vienne

Les organisateurs de l'exposition remercient tout particulièrement
Mitsu Aoki, Varena Forcione, Michela Mason, Anna Sermonti, Martha L. Sesin ;
Laurence Lhinarès, dont les recherches éclairées dans les collections du Louvre
ont puissamment favorisé le choix des œuvres exposées, ainsi qu'Emmanuelle Gueneau,
Clara Pujos et Chloé Théault, pour leur contribution remarquable à la coordination du catalogue.

A Jean Galard, Philippe-Alain Michaud et Pierre Coural,
est due la plus vive reconnaissance pour leur précieuse contribution.

Que tous ceux qui ont par ailleurs favorisé cette exposition de leur assistance éclairée
soient ici vivement remerciés : Sabrina Abdourahmany, Christine André, Joëlle Ballet-Ducret,
Christine Barthe, Agnès de la Beaumelle, Malika Berri, Lizzie Boubli, Michel Caille,
Patrick Cyrille, Anne Giroux, Véronique Goarin, Ulla Britt Gohansson, Clarine Guillou,
Pierrette Jean-Richard, Brigitte Léal, Catherine Legrand, Annie Madec, Jean-François Méjanès,
Betty Mons, Gilda Piersanti, Richard Renia, Catherine Scheck,
ainsi que les Services de documentation du département des Arts graphiques
et du département des Peintures du musée du Louvre, de la Bibliothèque nationale de France,
de la Bibliothèque Byzantine, du Musée national d'Art moderne, de la Maison de Victor Hugo,
des Archives de la Préfecture de Police, de la Maison européenne de la Photographie,
le Service culturel et l'Auditorium du Louvre,
et le Service photographique de la Réunion des musées nationaux.

Les membres du Service des travaux muséographiques, Bruno Alet, Joël Courtemanche,
Clio Karageorghis, Marielle Pic, ainsi que Daniel Bibrac, Nicole Chanchorle, Gérard Fabre, Anne Gautier,
Nathalie Jacoby, Didier Joaquim, Eric Journée, Alain Lebas, Alexis Lemoine, Michel Née, Eric Persyn,
Frédéric Poincelet, Béatrice Tambafendouno, Eric Valton, Stéphanie de Vomécourt,
et l'atelier de montage des dessins du Louvre, Norbert Pradel, Dominique Boizot, Philippe Sirop,
ont voué à cette exposition leurs talents multiples.

A ceux qui ont assuré la publication du présent ouvrage,
Laurence Posselle, responsable de sa coordination,
Jean-Pierre et Guillaume Rosier, qui en ont réalisé la mise en page,
ainsi qu'à Philippe Bernier et Gilles Gratté, est due la plus extrême gratitude.

Sommaire

6   Avant-propos
        Françoise Viatte

7   L'alibi ?
        Régis Michel

        Julia Kristeva
11   *Visions capitales*

12   *Du dessin, ou la vitesse de la pensée*

19   *Le crâne : culte et art*

35   *Qui est Méduse ?*

45   *La vraie image : une sainte face*

57   *Une digression : économie, figure, visage*

71   *La figure idéale ou une prophétie en acte : saint Jean-Baptiste*

81   *Décollations*

101   *De la guillotine à l'abolition de la peine de mort*

111   *Pouvoirs de l'horreur*

141   *Le visage et l'expérience des limites*

155   Catalogue des œuvres exposées

179   Bibliographie

185   Expositions

188   Index

Avant-propos

Les expositions laissent percevoir une partie du travail effectué dans le musée. Toutefois, elles n'en représentent pas l'essentiel et ne livrent en tout cas que le résultat, souvent provisoire, d'une recherche antérieure. Mais il se trouve que ces événements retiennent mieux l'attention que tout autre forme d'activité, en raison, sans doute, de leur brièveté – quelques semaines –, de leur caractère sélectif – petit espace, œuvres rares –, mais surtout en raison de l'engagement qu'ils supposent. Une exposition entend séduire, ou du moins convaincre et retenir. Une exposition vaut par sa qualité critique, par la force de son interrogation. Les réactions qu'elle suscite sont différentes de celles qu'entraîne une visite dans les collections permanentes. Aussi l'appréciation du public est-elle plus facile à saisir car il est lui-même sollicité par la confrontation proposée. Bref, toute exposition est un *Parti pris*. La suite que le département a engagée il y a dix ans pose délibérément cette question du discours subjectif sur l'art, mêlant les genres et les époques tout en laissant la part belle au dessin et à l'estampe. Les *Parti pris* sont conçus, Régis Michel le rappelle ici, comme des espaces de liberté interprétative. Ils ne sont pas rupture mais ouverture et réclament le droit à la différence. Le public qu'ils ont su attirer est sensible à leur singularité mais surtout à la qualité du regard qui leur est offert. Ces expositions ne s'opposent pas à celles que le département organise en parallèle. Elles participent de la même rigueur et de la même jubilation. En laissant *carte blanche* à leurs invités, elles les convient à ajuster leurs commentaires aux œuvres qu'ils découvrent avec nous. Le musée, surtout s'il est très grand, permet la *chasse au trésor*. Le dessin, dans l'infini de ses possibilités, s'y prête mieux que tout autre.

L'œuvre de Julia Kristeva est assez notoire, en France comme à l'étranger, pour que sa présentation soit un exercice inutile. Outre la réflexion qu'elle propose sur le langage et la littérature, la psychanalyse et l'anthropologie, cette œuvre fait une large part à l'art, aux images, jusque dans son travail de fiction. Tel est le cas de son dernier roman, *Possessions*. L'approche de Julia Kristeva ne relève pas d'une enquête historique, mais d'une méditation profonde dont la nature est parfaitement résumée par le titre du premier ouvrage où s'épanouissait l'analyse des œuvres d'art : *Pouvoirs de l'horreur*. Ce *Parti pris*, le cinquième de cette suite d'expositions, doit beaucoup à cette expérience de l'image, qui relève toujours, chez Kristeva, de la catégorie du tragique. Le thème qu'elle a choisi l'atteste. Il s'est nourri – à la faveur d'une enquête conduite sur près de deux ans, dans laquelle le département des Arts graphiques s'est largement impliqué – par une sélection d'œuvres de toute nature traitant d'un même thème : la décollation. Aussi cruel qu'actuel, il cristallise au mieux les recherches de l'interprète, dont l'argumentaire, qui conduit à la question de la représentation – sacrée, profane – du visage humain, emporte l'adhésion par l'étendue des sources et la force des idées.

C'est une femme qui s'engage, pour la première fois, dans la série de ces expositions, et c'est bien une voix de femme que l'on entend dans les pages qui suivent. La raison d'être du cycle est d'accuser la différence des discours. Ainsi ne s'étonnera-t-on pas que ce texte soit précisément une interrogation constante – une interrogation latente – à travers les thèmes bibliques ou mythologiques, sur l'identité féminine, telle que la propose l'art occidental. Dans ce parcours analytique, où Freud est la référence majeure, la figure féminine – et la figure humaine tout court – sont évoquées dans la complexité infinie qui s'attache à ce que l'on veut montrer et à ce que l'on entend dissimuler.

Françoise Viatte

L'alibi ?

« Aujourd'hui, la barbarie esthétique réalise la menace qui pèse sur les créations de l'esprit depuis qu'elles ont été réunies et neutralisées en tant que culture. Parler de culture a toujours été contraire à la culture. »
Marx Horkheimer et Theodor W. Adorno[1].

Sourire dentifrice

Dans un texte majeur, qu'on ne cite plus guère (signe indubitable de son importance), Horkheimer et Adorno définissent la culture de masse par sa vocation *publicitaire*, où les œuvres d'art se réduisent à des slogans politiques, aussi accessibles à tous que des jardins publics[2] : c'est l'idéal de la propagande façon Goebbels, la forme suprême de l'art pour l'art, ou pour mieux dire, de l'art pour… *rien*[3]. Car dans cette production industrielle de camelote médiatique, la valeur des biens culturels cesse d'être une valeur d'usage pour devenir une valeur d'*échange*[4] – une valeur sociale –, qui n'a plus guère de valeur en soi : plus de valeur du tout. C'est quelque chose qui hésite entre l'artefact, le supplément et le fétiche. Quelque chose qui serait loin du sens, de la jouissance et de l'expérience. Dans cette esthétique totalitaire de la réification (aussi bien parle-t-on de *chose* culturelle), l'individu n'est plus un sujet, pas même un consommateur, à peine un simulacre[5] : il devient à son tour un produit culturel entièrement soumis, dans son comportement social, aux *mêmes* normes que les œuvres, qui sont des normes abstraites (canons, modèles, codes). Soit le triomphe des dents blanches au sourire dentifrice. Toute espèce d'attitude *critique* s'abolit à la faveur douteuse de ce monde illusoire où l'art et le divertissement se mêlent dans un processus continu d'aliénation collective[6]. S'amuser ne signifie pas seulement qu'on ne *pense à rien* (qu'on oublie sa condition). Mais aussi qu'on *acquiesce* au boniment du vendeur, à la manipulation du client, bref, qu'on renonce à son identité[7]. Le vrai caractère de l'industrie culturelle (la *Kulturindustrie*) est moins le triomphe de la *technique*, laquelle favorise la reproduction de l'œuvre en la privant de son aura (voir Benjamin), que le délire de la *rationalité*, qui exalte son abstraction, en supprimant sa différence. La logique de l'art se borne désormais à celle de la marchandise : standardisation, schématisation, répétition[8]. La culture de masse n'est en définitive qu'une fabrique de *stéréotypes*, qui promeut l'imitation la plus servile dans le moment même où elle promet l'innovation la plus factice. Elle est le *contraire* de la culture et le négatif du style. La neutralisation des consciences et l'administration de l'art. La violence libérale et la barbarie esthétique[9].

Loi d'airain

Il y a longtemps déjà que les musées sont *entrés* dans l'ère mécanique de l'industrie culturelle. Et l'analyse n'a rien perdu de sa pertinence. Elle est même plus *actuelle* que jamais. On est tenté de croire que la fin du siècle a résolu d'illustrer ces thèses pessimistes avec un soin renouvelé. Car la culture de masse a sur l'institution des effets dévastateurs. Tout se passe comme si la rénovation des murs était en proportion *inverse* de celle des idées. Sous l'éclat des cimaises et la pompe des lambris, c'est le même scénario qui se répète à satiété : c'est le même idiome qui sévit partout comme un *espéranto* savant. Ce langage répressif, où s'ébattent amplement les mythes angulaires de l'idéologie *bourgeoise* – celle du XIXᵉ siècle : l'artiste comme sujet (maître), l'œuvre comme causalité (linéaire) et l'histoire comme origine (archéologique) –, n'admet aucune dissonance, aucune dissidence, aucune différence : il est devenu le parler *naturel* (certains diraient la langue de bois) de l'institution. En adoptant l'histoire de l'art pour vulgate *universelle* – cette universalité s'entend bien sûr d'une classe ou d'une caste –, les musées se condamnent eux-mêmes au prêche autoritaire de valeurs répétitives. A la loi d'airain de l'industrie culturelle : le triomphe de l'*identique*. Aussi portent-ils dans ce processus imprévu de réduction du sens (de stérilisation des œuvres) une responsabilité *manifeste*. On attendrait d'eux qu'ils fussent avant toute chose des lieux de liberté, de diversité, d'altérité. Mais on regrette de dire que ce n'est pas le cas. Le discours même de l'histoire, qui est, dans sa forme obsolète, laquelle ignore le *linguistic turn*, un discours de vérité, leur interdit le pluralisme. Et les contraintes hiérarchiques de l'administration, qui n'est pas vraiment faite pour gérer les productions de l'intellect, leur imposent le carcan de l'uniformité. Par où l'on rejoint (voir Althusser) le rôle *idéologique* des appareils d'Etat. L'industrie culturelle prend ici le tour fâcheux du *dressage* des esprits que brocardait Nietzsche. Les grandes expositions, qui sont, pour la plupart, des monographies, se rivent au paradigme intangible de la biographie murale, ou *vasarisme* de cimaise. Et les enjeux économiques, dont le poids ne cesse de s'accroître, poussent au développement rentable d'un idéal publicitaire qui change les artistes exposés en hommes-

sandwich. Il ne s'agit nullement de stimuler l'œil du spectateur. Mais bien du contraire : de domestiquer son regard. Avec l'assistance d'un credo moniste qui verrouillerait la glose des œuvres. Les musées deviennent alors un dispositif crucial dans la standardisation d'un savoir préfixe : d'une culture *en miettes*.

Ligne générale

Depuis leur création, voilà près de dix ans, les *Parti pris* du Louvre n'ont eu qu'un objectif : créer dans le musée lui-même – au cœur de l'institution (qui est le cœur du système) – un espace *critique*. Une zone de franchise. Un lieu de rupture. Avec la logique uniforme de la culture industrielle. Avec le monopole fâcheux d'un langage réducteur, qui est l'histoire de l'art. Mais pour que le discours fût *autre*, il fallait par hypothèse qu'il vînt du dehors. Qu'il fût extérieur à la discipline. Il fallait aussi qu'il relevât d'une épistémologie subversive, d'une entreprise (anti-)conceptuelle aux pratiques iconoclastes – d'aucuns diraient *déconstructrices* : le travail postmoderne de l'interprétation. D'où le choix d'une ligne, ou d'un *parti*, pour reprendre le titre de la série (titre moins poncif qu'il n'y paraît). Avec ses relents eisensteiniens d'octobre soviétique – *électroscope* eût dit par litote le pudique Aragon – et ses illusions militantes de printemps soixante-huitard, la notion de ligne, qui est toujours *générale*, exhale sans doute le fumet nostalgique des cadavres exquis (tendance Rosi, pas Breton). Mais on aurait tort de s'arrêter à ces connotations discrètes d'un passé révolu. Car tout vaut mieux que l'espèce de nébuleux *patchwork* – d'énigmatique *puzzle* – à quoi se résument trop souvent, sous prétexte d'éclectisme, des programmes d'exposition qui ne vont nulle part. Or si l'on excepte Peter Greenaway, plus créateur que penseur, plus cinéaste qu'exégète, plus visuel que littéraire, la ligne a suivi le cours, parfois sinueux, de ce qu'on nomme en vrac aux Etats-Unis la pensée française (*French thought*), issue du (néo-)structuralisme des années soixante et de sa révolution copernicienne. Le trait commun, s'il en fut, de ces expositions, c'est d'avoir su conjurer, dans leur effort assidu de conscience critique, le plus insidieux des *spectres*, au sens où l'entend Derrida, dans un traité d'exorcisme aux vertus cathartiques (le spectre, c'est le corps du délit – le corps… de l'esprit)[10] : le spectre du *sujet*. Cette créature étrange de la vieille métaphysique ne cesse de hanter les salles d'exposition qui sont plus que d'autres les lieux privilégiés de ses *rites* favoris, le culte de l'auteur, la religion de l'œuvre, la mantique de l'intention, la mystique du sens (unique) et autres exercices dévots d'une *empathie* macératoire, où la sublimation fait bon ménage avec le fétichisme.

Marge cannibale

Mais suffit-il de répudier les fantômes pour apprivoiser les ténèbres ? On n'en jurerait point. Le cycle des *Parti pris* visait à produire des expositions différentes. Mais cette différence est soigneusement confinée dans un espace restreint qui est marginal : dans la *marge* de l'institution. Faut-il y insister ? Cette marge est carcérale, si ce n'est cannibale. Elle tient du cordon sanitaire et de la cloison étanche. Le contrôle panoptique du musée – son appétence vorace à l'ingestion facile – s'y déploie sans effort : la *répétition* de l'entreprise tourne à la *reproduction* du modèle qui tend à la *récupération* du discours. Que reste-t-il de l'ambition primitive au terme singulier de ce processus phagocytaire ? Une anthologie de textes séminaux, qui ont, à l'étranger surtout, une influence perdurable. C'est beaucoup. Et c'est peu. Car on est en droit de se demander si ces expositions parviennent à leurs *fins* (susciter le débat, modifier les pratiques, ouvrir les mentalités). Telle est la force du système – sa puissance d'inertie – qu'on en doute un peu. Leur efficacité *performative* (on ne parle pas de leur portée intellectuelle) est manifestement réduite. Dans le dispositif monolithique du discours sur l'art, elles ne réussissent jusqu'ici à introduire aucune *faille* : ni débat ni ouverture. Les médias, qui se pâment d'extase aux commémorations les plus académiques, n'ont qu'une indulgence amusée pour ces divertissements jugés *mineurs*. Le public ne condescend qu'aux fastes mythiques des *patronymes* illustres, figures tutélaires d'un Panthéon béat où la révérence rituelle prime la jouissance visuelle, sinon l'aventure existentielle. La scolastique enfin ne réagit à ce langage dissonant que sur le mode panique du *déni* freudien qui consiste à refuser d'en voir la différence pour préserver l'intégrité d'un monde exclusivement régi par la loi du même. Il se pourrait bien que, loin de favoriser la transformation (légère) de leur environnement, ces expositions ne fussent qu'un *alibi* : la caution libérale d'un système qui ne l'est point. Qui se refuse à l'être. Qui n'offre aucun espoir de le devenir. D'où cette question *stratégique* : faut-il persévérer ? Ou changer de formule ? Ou mettre fin à l'expérience ? Quel est donc l'avenir de cette illusion ?

Transe négative

On mesure la vitalité – la *vie* – d'une discipline aux débats qu'elle suscite. De ce point de vue l'histoire de l'art est en France une discipline moribonde. Depuis trente ans qu'elle s'efforce d'exister sans y parvenir vraiment, de quel débat *sérieux* peut-elle exciper ? Aucun. Toutes les grandes interrogations qui n'ont cessé de parcourir les *autres* disciplines (le rôle de l'inconscient, le travail du langage, la nature du sens, le rapport au monde, la représentation des sexes, l'émergence du corps, le statut de l'idéologie, la place du politique, etc) lui sont demeurées fanatiquement étrangères. C'est peu de dire qu'elle ne les connaît pas. Il faut ajouter qu'elle les *ignore* en vertu d'on ne sait quelle immunité conceptuelle que lui vaudrait la teneur iconique – la nature visuelle – de son matériau. Cette rare constance dans l'art d'être sourd, aveugle et muet, n'a souffert jusqu'ici qu'une *seule* exception, qui est récente : la mauvaise querelle sur l'art contemporain. On y verra le symptôme patent d'une faillite intellectuelle. Car ce réquisitoire sans nuances contre les formes nouvelles – *extra*-picturales – de l'art (la nouveauté ne date pourtant pas d'hier) se borne à reproduire le plaidoyer récurrent de l'ultra-conservatisme pour une esthétique introuvable du retour à l'ordre où triompherait ce qu'on appellera faute de mieux l'*idéologie de la peinture* : raison, métier, tradition, figure, forme, norme (ce sont tous les fantômes de l'idéalisme qui resurgissent au détour de cette agression funeste). Dans un livre incisif, dont la justesse est obvie, Philippe Dagen n'a pas manqué de souligner les aspects ténébreux de cette *dérive* droitière, qui charrie plus ou moins consciemment les thèmes chers au vichysme ontologique de la société française[11]. Mais il importe d'y insister : une collusion si fâcheuse est littéralement *programmée* par les concepts régressifs de la discipline. L'histoire de l'art est inapte à la démocratie du sens. Elle joue la vérité contre la dissémination, la généalogie contre la différence, et la peinture contre le corps : l'art de la représentation contre le théâtre des pulsions. Aussi ne s'étonnera-t-on guère qu'elle soit aujourd'hui saisie d'une transe négative qu'on peut qualifier de franche *réaction*. Ce discours dévoyé s'inscrit dans la poussée menaçante d'un poujadisme culturel qui corrobore à la lettre le *leitmotiv* sulfureux d'Horkheimer et Adorno : les deux termes sont… synonymes. Il y avait eu l'absurde offensive *contre* l'Etat culturel au nom de nostalgies libérales d'un autre âge (la Troisième République), dont pas un argument ne résiste à l'examen. Il y a toujours l'hostilité latente *contre* la pensée freudienne au nom d'un positivisme impudent, qui se manifeste, en France comme aux Etats-Unis, par des phases rémittentes de prurit sectaire. Il y a enfin l'imposture sokalienne *contre* la pensée française (voir ci-dessus), au nom d'un scientisme avoué qui invoque tour à tour la raison des Lumières et le culte des faits pour justifier la mauvaise foi de ses attaques partisanes (son incompréhension totale de la postmodernité abruptement réduite à la fausse philosophie d'un relativisme… *imaginaire*)[12]. On savait que les fins de siècle ont une inclination marquée pour les travers de l'obscurantisme. Qui dit mieux ?

Double égide

A ces menées concurrentes, d'inspiration rétrograde, l'*ample* méditation de Julia Kristeva est une réponse éclatante. Ce parcours épique de l'imagerie – de l'imaginaire – occidentale revendique sans équivoque une double égide : Freud et Bataille. Et rarement l'un et l'autre ont paru plus *contemporains*. La notion de sacré n'a rien d'inédit. Son usage extensif dans un musée qui est par excellence un lieu *sacral* – temple ou sanctuaire – est un paradoxe aventureux. On aurait pu craindre, entre l'espace et le texte, une osmose *ambiguë* qui eût fini par grever le discours d'une métaphysique pondéreuse. Il n'en est rien. Le travail du concept est ici d'une rigueur exemplaire qui ne laisse *aucune* part au

retour du refoulé. Nul doute qu'il ne fallût une longue analyse pour rendre une justice minimale à l'extrême richesse de ces exégèses. Mais c'est l'*ambition* du projet qui fascine avant tout le lecteur ébloui par l'ampleur des références et la variété du savoir. Cet ouvrage est une fresque : cette exposition vaut panorama. Il s'agit tout bonnement de montrer comment l'art d'Occident produit une entité singulière : la *figure*, dans tous les sens d'un terme polymorphe, voire inexhaustible. D'où le dialogue saisissant du profane et du religieux, qui associe la Méduse et la Sainte Face dans un procès de production multiséculaire. Il en résulte un déplacement substantiel – un profond *décentrement* – de la perspective esthétique. Le dispositif *figural* de la peinture moderne, avec ses corollaires normatifs, le canon de l'idéal et le code de l'expression, n'est plus que la conséquence ultime, fût-elle directe, d'une très *longue* odyssée : un avatar narratif, une péripétie formelle. On ne saurait mieux remettre l'histoire de l'art à sa place légitime, qui est le discours de l'anthropologie. Si ce texte majeur est un texte *politique*, ce n'est pas seulement qu'il se réfère à l'actualité la plus sombre (les têtes coupées des femmes algériennes, les têtes voilées des femmes iraniennes). C'est plus encore qu'il substitue un langage critique à un langage dogmatique. Reste à savoir ce qu'en devient l'*écho* dans les hauts murs de l'institution : dans la mécanique délétère de l'industrie culturelle. Subversion ? Résistance ? Alibi ?

Régis Michel

1. M. Horkheimer et Th. Adorno, « La production industrielle des biens culturels. Raison et mystification des masses » (*Kulturindustrie,* 1944) dans *La dialectique de la raison. Fragments philosophiques*, trad. fr. Eliane Kaufholz, Paris, 1974, rééd. 1994, p. 140.

2. *Ibid.*, p. 168.

3. « La publicité devient l'art par excellence avec lequel Goebbels l'avait déjà identifiée, l'art pour l'art, la publicité pour elle-même, pure représentation du pouvoir social » (*ibid.*, p. 171-172).

4. *Ibid.*, p. 167.

5. *Ibid.*, p. 163.

6. *Ibid.*, p. 144 *sq.*

7. *Ibid.*, p. 153.

8. *Ibid.*, p. 165

9. *Ibid.*, p. 140.

10. J. Derrida, *Spectres de Marx,* Paris, p. 216.

11. Ph. Dagen, *La haine de l'art,* Paris, 1997.

12. A. Sokal et J. Bricmont, *Impostures intellectuelles,* Paris, 1997.

A ma mère

Sommes-nous fatalement des esclaves de l'image ? Ce n'est pas sûr, répondent les philosophes, par métier incertains, l'image est potentiellement un espace de liberté : elle anéantit la contrainte de l'objet-modèle et lui substitue l'envol de la pensée, le vagabondage de l'imagination. J'ajoute, et c'est mon parti pris, que l'image est peut-être le seul lien qui nous reste avec le sacré : avec l'*épouvante* que provoquent la mort et le sacrifice, avec la *sérénité* qui découle du pacte d'identification entre sacrifié et sacrifiants, et avec la *joie de la représentation* indissociable du sacrifice, sa seule traversée possible. Les pages qui suivent essaieront de montrer que certaines images et certains regards peuvent encore offrir aux humains que nous sommes, toujours davantage absorbés par la technique, une expérience du sacré. Quelles images ? Quel regard ? Quel sacré ?

Les histoires que vont nous révéler les têtes coupées dont il sera question ici sont cruelles. A travers elles, une humanité possédée par la pulsion de mort et terrorisée par le meurtre avoue, en définitive, qu'elle est arrivée à une découverte fragile et bouleversante : la seule résurrection possible serait… la représentation. Les décollations exposées en sont la preuve. Je vous invite à cheminer de leur violence à leur raffinement, pour vous laisser conclure, en fin de parcours, qu'avec ou sans décapitation, toute vision n'est autre qu'une transsubstantiation capitale.

Du dessin, ou la vitesse de la pensée

Nulle distance entre la pensée et la main : leur unité instantanée saisit et retrace, dans les corps visibles, l'intériorité la plus concentrée. Nul tâtonnement : l'esprit de l'artiste, identifié au geste, taille l'étendue, découpe ombres et lumières, et, sur l'extériorité plane d'un support, tel le papier, fait surgir le volume d'une intention, d'un jugement, d'un goût. Par la seule justesse des traits, de leur placement, de leur mouvement, de leur accumulation noire, de leur espacement en clarté. Le dessin m'a toujours semblé la preuve d'une concentration maximale, par laquelle l'intelligence la plus subjective, l'abstraction la plus aiguë donnent à voir un dehors soudain sensible à l'artiste, et pourtant si intimement associé au spectateur qu'il s'impose comme une évidence aussi absolue que singulière. Opérant avec des moyens ténus – traits et vides –, le dessin associe non seulement la contemplation à l'action, mais aussi et surtout le dessinateur à celui qui regarde, dans la certitude fulgurante qu'ensemble ils créent le visible. Le dessin : indice majeur d'une humanité subtilement conquérante du dehors et de l'autre qu'on appelle un talent.

Peut-être cette perception du dessin me vient-elle de ce que la première personne de ma connaissance qui en ait été capable est ma mère. Un visage, un paysage, un animal, une fleur, un objet revivaient à l'improviste sous son crayon, d'une précision d'autant plus surprenante qu'elle lui était naturelle : sans se forcer, sans y penser, l'air de rien, ma mère dessinait comme d'autres respirent ou brodent. Ce don lui paraissait à elle-même banal, elle n'en tirait aucune fierté, jamais il ne lui serait venu à l'esprit de se prendre pour une artiste, « cela » allait de soi. Avec l'âge, je réalisai combien ce naturel la distinguait des autres, la rendait supérieure aux autres. Et pour commencer, à moi-même, qui parvenais tant bien que mal à peindre un tableau, à force de couleurs et de coups de pinceau, mais ne réussissais jamais à inscrire l'instant des êtres, dans cette ellipse spontanée où conception et exécution ne font qu'un, et qui confère cette grâce concise à l'art graphique.

Un dessin reste gravé dans ma mémoire, qui m'a été donné avec nonchalance mais comme une élection, ainsi que seuls savent le faire les êtres doués et les mères. C'était un de ces hivers blancs et froids qui congèlent les Balkans et réunissent les familles autour des poêles à charbon. Penchée sur la plaque rougeoyante, je réchauffais mes joues glacées et mes doigts gourds en écoutant distraitement une émission de radio destinée aux enfants : « Quel est le moyen de transport le plus rapide au monde ? Envoyez-nous votre réponse, avec le dessin correspondant, sur carte postale, à l'adresse suivante… » « Je sais, c'est l'avion », s'empressa de répondre ma jeune sœur. « Pas du tout, la fusée », avançai-je, contente d'avoir le dernier mot. « Je dirais plutôt que c'est la pensée », compléta maman. Je ne pouvais que m'incliner, non sans essayer une coutumière insolence : « Peut-être, mais on ne peut pas dessiner une pensée, c'est invisible. » « Tu vas voir. » J'ai encore devant les yeux la carte qu'elle dessina en mon nom et qui me valut le premier prix du jeu radiophonique. Un grand bonhomme de neige est en train de fondre dans la partie gauche, la tête tombante, comme tranchée par l'invisible guillotine du soleil. A droite, le globe terrestre sur son orbite interstellaire propose ses étendues imaginaires à des voyages immobiles.

En fait, ce dessin n'avait rien d'exceptionnel. Certes, à la parcimonie du croquis, à la vacuité du corps inconsistant, à la tête coupée, il conjuguait une idée ingénieuse : seule la vitesse de la pensée dépasse la vitesse des corps, qu'ils soient cosmiques, humains ou produits par la technique humaine. Mais à mes yeux d'enfant, il révélait subitement cette vitesse de la pensée que je louais dans la réponse suggérée par ma mère. Le dessin la laissait *voir* aussi bien dans la concision de son concept (un corps périssable se transcende et se transfère par la puissance du raisonnement) que par la rapidité enjouée du contour (sans tomber dans la caricature, le tracé nerveux et plein d'esprit trahissait la mélancolie de notre condition mortelle, en même temps que l'ironie triomphante d'une intimité qui réfléchit).

Ce dessin dont ma mère ne se souvient plus guère me revient par intermittence ; tout récemment encore, j'ai cru me reconnaître dans l'histoire d'une femme décapitée[1]. Je sais que sous ses traits sont nouées mes angoisses de mort : mon corps est aussi passager que ce bonhomme de neige qui commence par perdre la tête avant de s'effacer dans une flaque d'eau. Et une de ces certitudes que les mères, parfois, nous transmettent : la seule incarnation crédible ne serait-elle pas celle de la pensée, qui sait dessiner les êtres parce qu'elle est apte à saisir les vecteurs de sa propre vitesse ? A les saisir dans le sensible, au-delà du sensible, en tranchant dans le sensible.

C'est à ce pauvre dessin que je reviens aujourd'hui, où je prends le parti de rassembler quelques visions capitales et de faire apparaître la force du dessin, à la frontière du visible et de l'invisible.

Pour introduire à ce parti pris, je dirais d'abord que ce dessin de ma mère, qui n'existe désormais que dans ma seule mémoire, m'apparaît après coup dans le droit fil des icônes byzantines. De même que l'icône n'est pas une image qui représente un objet ressemblant, mais une inscription qui invite à contempler, par-delà son empreinte brun doré, une insistance dérobée, ainsi le tracé du bonhomme de neige pensant la terre dans son voyage céleste *évoquait* le pouvoir de la pensée plutôt qu'il ne le donnait à voir. Graphe au carrefour de l'invisible, le dessin de ma mère s'adresse à l'imagination et au cœur : spectatrice conquise, j'y adhère et je le prolonge, comme la foi du croyant participe de l'icône qu'il embrasse plus qu'il ne la regarde. Un autre statut de l'image se laisse ici déchiffrer, que nous avons aujourd'hui perdu, pour le meilleur et pour le pire, dans l'univers dit « du spectacle ».

Mes yeux ne quittent pas cette tête tranchée. Je le veux bien, c'est mon symptôme. Dépression, obsession de la mort, aveu de détresse féminine et humaine, pulsion castratrice ? J'accepte toutes ces hypothèses, humaines, trop humaines. Je pars d'elles pour imaginer un moment capital dans l'histoire du visible. Un moment où l'être humain ne s'est pas contenté de

---

1. *Cf.* mon roman *Possessions*, Paris, Fayard, 1996.

copier le monde environnant, mais où, par une nouvelle et intime vision de sa propre capacité visionnaire, par un retour supplémentaire sur son aptitude à représenter et à penser, il a voulu faire apparaître cette intimité subjective elle-même : cette sensibilité interne, cette spiritualité, cette affection réfléchie, économie d'angoisse et de plaisir, son âme. Cette palpation de l'invisible l'a confronté, sans doute, à l'invisible fondamental qu'est la mort : à la disparition de notre forme charnelle et de ses parties les plus saillantes que sont la tête, les membres et les organes sexuels, prototypes de la vitalité. Fallait-il, pour représenter l'invisible (l'angoisse de la mort, ainsi que la jouissance qui triomphe d'elle dans la pensée), commencer par représenter la perte du visible (la perte de l'enveloppe corporelle, de la tête vigile, du sexe érigé) ? Si la vision de notre intimité pensante est bien la vision capitale que l'humanité a produite d'elle-même, ne doit-elle pas se construire en transitant précisément par une obsession de la tête comme symbole du vivant pensant ? Par un culte de la tête morte, fixant l'effroi du sexe et de l'au-delà ? Par un rituel du crâne, de la décollation, de la décapitation qui serait la condition préalable à la représentation de ce qui nous permet de tenir tête au néant, et qui n'est autre que la faculté de représenter, la vie de l'esprit, l'expérience psychique comme capacité de représentations plurielles ?

J'entends déjà les objections d'une nature désinvolte et performante, française et moderne. Ne serais-je pas un peu trop introvertie, endeuillée, morbide ? La vie psychique n'est-elle pas commandée par la jouissance autant que par la mort ? Ce parti pris n'est-il pas, en somme, partisan ?

Je ne répondrai pas à mes objecteurs imaginaires que je suis prête à nuancer mes propositions et à équilibrer mes arguments – un peu de Thanatos, beaucoup d'Eros. Je n'en ferai rien, sinon il n'y aurait plus de « parti pris ». De surcroît, un argument joue en ma faveur, qui ne manquera pas de se révéler fondamental, du moins je l'espère, car il n'est pas spéculatif mais clinique. Le voici.

Avant qu'il ne commence à parler, le tout petit enfant devient irrémédiablement triste. Cet état passager, qui a été désigné comme une « position dépressive », correspond à l'expérience d'un deuil précoce et constitutif : il transforme le bébé auto-érotique qui jouit de son corps morcelé, des mamelons de sa mère, d'un chiffon ou d'une poupée, en être parlant. Comment ? Jusque-là, le futur parlant émettait des vocalises qui n'étaient que les « équivalents » de ses besoins et de sa dépendance du corps maternel : je qualifie ces équivalents de « sémiotiques » (du grec *semeion* : marque distinctive, trace, indice, signe précurseur, preuve, signe gravé ou écrit, empreinte, figuration). A partir d'une certaine maturation neuropsychique et de soins parentaux bénéfiques, le nourrisson devient capable de supporter l'absence de sa mère : la séparation et le manque le font souffrir, il se convainc qu'il n'aura pas tout, qu'il n'est pas tout, qu'on l'a laissé tomber, qu'il est seul. De ce premier deuil, certains ne se remettent pas : si maman est comme morte, ne dois-je pas à mon tour mourir à moi-même, mourir à la pensée, ni manger ni parler ? La plupart, toutefois, remplacent le visage absent, aussi aimé que redouté, source de joie et d'effroi par… une représentation. J'ai perdu maman ? Non, je l'hallucine : je vois son image, puis je la nomme. De mes gazouillis qui étaient son équivalent sémiotique, je fabrique à présent des mots-signes : le signe n'est-il pas, précisément, ce qui symbolise l'objet en l'absence de l'objet ? Ce qui représente arbitrairement ou par convention son référent perdu[2].

La tristesse du futur parlant est, en somme, un bon augure : elle signifie qu'il ne peut désormais compter que sur lui-même, que le deuil de l'autre le plonge dans un désarroi indélébile, mais qu'il n'est pas impossible de compenser ce décollement… en prenant sur soi. En se concentrant sur sa propre capacité à représenter, en investissant les représentations dont il est capable, *ses* représentations de cet autre qui l'a laissé tomber, qui meurt pour lui tout en le faisant mourir. La phase dépressive effectue ainsi un déplacement de l'auto-érotisme sexuel à un auto-érotisme de pensée : le deuil conditionne la sublimation. A-t-on bien pris la mesure de ce que nos langues, dites maternelles, sont de la sorte doublées de deuil et de mélancolie ? Que nous parlons au-delà de la dépression comme d'autres dansent au-dessus d'un volcan ? Un corps me quitte : sa chaleur tactile, sa musique qui flatte mon oreille, la vue que me donnent sa tête et son visage sont perdues. A cette disparition capitale je substitue une vision capitale : mes hallucinations et mes mots. L'imagination, le langage, par-delà la dépression : une incarnation ? Celle qui me fait vivre, à condition que je continue à représenter, sans cesse, jamais assez, indéfiniment, mais quoi ? Un corps qui m'a quitté(e) ? une tête perdue ?

Hans Baldung Grien et Jean-Baptiste Greuze visionnent des têtes coupées. Quel que soit le prétexte de ces décollations – apprendre la technique des maîtres classiques ? acquérir de la virtuosité ? apprivoiser des fantasmes secrets ? –, ce sont tout de même des grappes de membres tranchés qui s'accumulent sur le papier. Le trait nerveux de Baldung, la pesanteur psychologique de Greuze résorbant, pour finir, la violence de ces morcellements dans le souci de traquer une vérité capitale, inséparable de la main qui s'entête. Les enfants de Dürer ont les crânes enflés. De très légers coups de pinceau, parallèles ou croisés, distillent une ombre déjà expressionniste sur leurs volumes d'hydrocéphales. Mais je parierais que ces garçons tristes hallucinent d'autres crânes absents, la tête perdue de leur mère, ses visages multiples et fuyants. On a pu rapprocher ces *Trois têtes d'enfants* de la série des enfants pleurant réalisée en 1521, mais également de deux tableaux de Dürer, *La Fête des couronnes de roses* (1506) et la *Vierge au serin* (1506). Avant de créer sa grave *Melencolia* (1514), Dürer glorifie ici la mère de Dieu en s'inspirant du maître vénitien Giovanni Bellini. L'estampille de l'auteur des *Sacre Conversazioni* n'apparaît pas seulement dans la présence d'un bel ange musicien aux pieds de la Madone aux roses. Dürer s'est imprégné aussi de la tristesse byzantine des Vierges, des anges et des petits Jésus belliniens, que le fils de Jacopo à la mère inconnue s'est plu à pérenniser dans ses chefs-d'œuvre. Il les a rendus plus graves sous l'influence du *Rosenkranzbild* allemand. Le rosaire, invention dominicaine, alternait des dizaines de « Je vous salue Marie » avec un seul « Notre Père », conjuguant ainsi le « mystère joyeux » de la naissance et le « mystère douloureux » de la Passion. Pas d'alternance chez Dürer. Ces têtes d'enfants sont des surimpressions de grains rouges de passion sur les grains blancs de Marie : toute la noire mélancolie du « mystère douloureux » inscrite d'emblée dans les roses blanches du « mystère joyeux ».

2. *Cf.* H. Segal, « Note on symbol formation », in *International Journal of Psycho-Analysis*, vol. XXXVII, part. 6, trad. fr. in *Revue française de psychanalyse*, t. XXXIV, n° 4, juillet 1970, p. 685-696. *Cf.* aussi J. Kristeva, *La Révolution du langage poétique*, Paris, Le Seuil, 1974, chap. A.1., « Sémiotique et symbolique ».

1 Hans Baldung, *Etudes de têtes*, Paris, musée du Louvre.

2 Jean-Baptiste Greuze (?), *Etudes de têtes d'après l'antique*, Paris, musée du Louvre.

3 Albrecht Dürer, *Trois têtes d'enfants*, Paris, Bibliothèque nationale de France.

Le voyage auquel je vous invite est, vous l'aurez compris, en grande partie imaginaire. Les coupeurs de têtes ne hantent plus nos régions, sauf dans les Balkans, et encore, en temps de crises graves, mais c'est une autre histoire. Les seuls corps décapités qu'il nous arrive de croiser sont ceux de statues étêtées par le temps, et qu'un autre temps nous propose d'admirer dans des musées. Dioné et Aphrodite, aimées de Phidias, ont bien perdu leur tête, mais c'est en quittant le fronton du Parthénon pour aller s'abriter dans une salle caverneuse du British Museum. Quant à la Victoire de Samothrace, autre décapitée, elle ne s'envolera jamais du Louvre : comment volerait-on, sans tête ? Je leur préfère cette *Tête de chevalier* (fig. 1) : massive mais délicate et douce, aux lèvres surveillées, aux pommettes saillantes, au nez cassé. Ce gisant idéal serait celui d'un certain Jean de Seignelay, seigneur de Beaumont, mort en 1296 ou 1298. Il sortit des mains des maîtres de l'atelier bourguignon à Mussy-sur-Seine, fut enterré à l'abbaye des Prémontrés de Saint-Marien, et mutilé par les calvinistes en 1567.

Ainsi va la guillotine de l'histoire, qui n'épargne ni les hommes ni les œuvres.

Fig. 1. Anonyme de Bourgogne,
Tête de chevalier, Paris, musée du Louvre.

Le crâne : culte et art

Mais revenons à la tête : crâne et visage.

L'art est-il issu de la métamorphose des dieux, comme le pense Malraux, ou bien anticipe-t-il les rituels religieux dont il fait partie, en élaborant les mêmes pouvoirs et les mêmes vertus ? Les artefacts produits par l'« art » depuis la préhistoire confirmeraient plutôt la seconde hypothèse[3]. Bien des effigies, avant l'invention des dieux, ou parallèlement à elle, avaient le pouvoir de protéger les hommes préhistoriques du monde des esprits et de la nuit. « Œuvre » plutôt que « travail », l'activité archaïque de nos ancêtres dont résultaient ces objets avait pour but extravagant de les soustraire aux yeux des humains. Le paradoxe n'est que pour nous. Tournées vers les morts, destinées aux morts, ces créations devaient leur être restituées : renvoyées à l'invisible, elles étaient en ce sens et littéralement « sacrifiées ». Mais, en mettant en acte le sacrifice, elles s'imprégnaient de la puissance à laquelle on sacrifiait, puissance de vie et de mort. Et même lorsqu'elle était exposée, l'œuvre sacrée n'était pas destinée à être goûtée par les yeux des vivants, comme il est de mise dans la culture désormais muséiforme de notre modernité[4]. Quand il leur arrivait de prendre place dans le monde du paraître, les artefacts inventés par les hommes continuaient à intercéder auprès des pouvoirs invisibles, pour transposer leurs vertus aux vivants. Telle était leur logique sacrée.

Dans cette archéologie proto-artistique, une place particulière revient au culte du crâne : support matériel du rite d'invocation et de propitiation des morts. Toutefois, en nous aventurant dans ces régions archaïques où la science le dispute à la fable, où l'ADN détrône tous les jours des hypothèses certes hasardeuses mais qu'on croyait tenables, nous ne chercherons à rivaliser ni avec l'érudition des anthropologues ni avec la technique des généticiens. Mais en lisant sélectivement les uns et les autres, en projetant nos expériences et nos désirs, peut-être pourrons-nous nous avancer dans cette nuit où pointent des questions aussi intemporelles que modernes : quel est le pouvoir de la représentation ? L'image succombe-t-elle à la violence de la mise à mort, ou bien a-t-elle la grâce de la moduler ? De quelle alchimie du sacrifice se constitue cet espace sacré, qui n'est peut-être rien d'autre que notre intimité aux prises avec nos passions et avec notre finitude ? Comment cette intimité est-elle advenue ?

Le culte des crânes apparaît dès les débuts de l'humanité, puisque la décapitation *post mortem* est déjà attestée chez les anthropiens du paléolithique inférieur (deux millions d'années à 100 000 ans avant J.-C.) et chez les paléanthropiens du paléolithique moyen

3. Nous suivons ici J. Clair, *Méduse. Contribution à une anthropologie des arts du visuel*, Paris, Gallimard, coll. Connaissance de l'Inconscient, 1989, p. 28 *sq.*

4. *Cf.* Kr. Pomian, *Collectionneurs, amateurs et curieux, Paris, Venise : XVIᵉ-XVIIᵉ siècles*, Paris, Gallimard, coll. Bibl. des Histoires, 1987, p. 30 *sq.*, cité par J. Clair, *op. cit.*

(100 000 à 35 000 ans avant J.-C.). Pendant la même période, la tête est également un objet privilégié du cannibalisme rituel ou alimentaire. Des crânes dont le cerveau a été vidé par élargissement du trou occipital sont exposés en manière de sépulture au centre d'un cercle de pierre. Certains d'entre eux sont ornés; d'autres ont subi des manipulations sur le vivant (déformations et trépanations), à moins qu'ils n'aient été remplacés par des figurations constituant de véritables chefs-d'œuvre[5].

Le plus vieux crâne humain connu actuellement en Europe, de plus de 300 000 ans, date du début de la glaciation rissienne. Il fut trouvé en 1971 dans la grotte de La Caune de l'Arago, à Tautavel (Pyrénées-Orientales). Sans aucune décoration, il fut cependant « travaillé » : décharné avant d'être abandonné, la partie postérieure ayant été retirée (fig. 2).

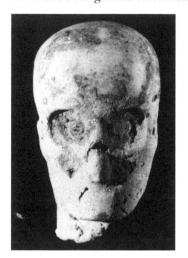

Fig. 2. *Moulage du crâne de Tautavel*, Marseille, collection H. Gastaut.

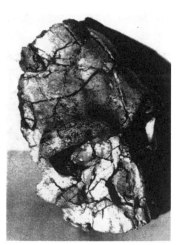

Fig. 3. *Crâne de jeune femme surmodelé en plâtre*, Damas, Musée national.

Dès le paléolithique supérieur (environ 35 000-9 000 ans avant J.-C.), les cultes se multiplient et se précisent : on façonne les crânes en coupes à boire, on les expose sur une dalle. Au cours du mésolithique (environ 10 000-6 000 ans avant J.-C.), on trouve pour la première fois des crânes amassés dans des fosses et baignés dans l'ocre rouge. Mais c'est seulement pendant le néolithique (7 000-4 000 ans avant J.-C. suivant les régions), avec la sédentarisation qu'entraînent l'agriculture et la domestication des animaux, qu'apparaissent, dans la vallée du Jourdain, les premiers véritables objets d'art faits à partir de crânes. « Les habitants de Jéricho II, écrit Henri Gastaut, à l'abri des remparts de leur ville, 6 000 ans avant Jésus-Christ, conservaient sous le plancher de leurs maisons circulaires des crânes dont la face était surmodelée en plâtre et les yeux constitués par une coquille incrustée[6]. » Bien avant la découverte de la poterie, les populations de la vallée du Jourdain ne traitaient le gypse que pour embellir le crâne de leurs morts. Une vingtaine de ces pièces, dont le *Crâne de jeune femme surmodelé en plâtre* (fig. 3), ont été découvertes en Palestine et sont actuellement conservées dans les musées de Londres, Jérusalem, Amman et Damas.

A des époques différentes, et dans diverses parties du monde, Egypte, Nouvelle-Guinée, Mexique, Pérou, Japon, dans le bouddhisme tantrique, au Tibet, en Indonésie, etc., les pratiques de déformation, de surmodelage et enfin de

5. *Cf.* H. Gastaut, *Le Crâne, objet de culte, objet d'art*, exposition et catalogue, Marseille, musée Cantini, 13 mars-15 mai 1972. Nous lui sommes redevable des pages qui suivent.

6. *Ibid.*, p. 6.

reproduction décorative des crânes semblent convergentes, sinon identiques, et plaident en faveur de réelles constantes anthropologiques.

D'abord, les ancêtres de notre espèce procèdent à un traitement préférentiel de la tête des morts, séparée des autres parties du squelette. Ils pratiquent facilement des déformations crâniennes sur des êtres jeunes dont la tête est malléable et les sutures des os crâniens encore béantes. Des vestiges de ces manipulations datant de 8 000 ans avant J.-C. sont visibles en Asie Mineure et en Egypte, et datant de 2 000 ans en Crète, à Chypre (*Nefertiti*, célébrée par les sculpteurs égyptiens, se distingue par l'élongation du haut de son crâne) et en France, dans la région toulousaine. Vus de face, les aplatissements produisent un effet d'élargissement : il en résulte des « macrocéphales », sujets porteurs de signes distinctifs et correspondant à un idéal de beauté ou dispensateurs de protection magique contre les maladies. Chose remarquable, on constate que ces déformations et embellissements sont pratiqués surtout, mais pas absolument, sur des crânes de *femmes* : pour conjurer le pouvoir de fécondité des femmes ? pour les atteindre dans leur puissance, les « castrer » ? ou au contraire pour célébrer cette puissance, pour la mettre en valeur, la majorer ? Les surmodelages apparaissent en tout cas comme des prototypes de la sculpture utilisant et survalorisant le volume naturel de l'organe capital.

Crânes-trophées ou crânes d'ancêtres ?

Les décapitations archaïques s'appliquaient plus couramment aux ennemis, mais la frontière demeure imprécise entre la chasse aux têtes et les holocaustes humains offerts pour apaiser un dieu terrible ; certains anthropologues soutiennent l'incompatibilité des deux hypothèses. Les grands sacrifices humains sont souvent accompagnés de cannibalisme : on consomme le cerveau des victimes pour en assimiler la puissance. Cette pratique, dite d'exocannibalisme, est considérée comme probable chez l'australopithèque préhumain, et généralement admise chez les archanthropiens (sinanthropes de Chou Koutien), et surtout chez les prénéanderthaliens (homme de Tautavel) et les néanderthaliens. Si l'on s'en tient à l'*Homo sapiens*, on trouve des preuves de cannibalisme dans les cultures céramiques de la région du Don et au nord de l'Europe. Le repas cannibalique est supposé transmettre aux communiants la force du mort, les faire bénéficier de la puissance de l'ennemi et assurer, par-delà le mort, la perpétuation de la substance vitale. Manger la cervelle de l'autre et ouvrager son crâne participent d'une même logique de transition entre visible et invisible, vie et mort, et témoignent d'une religiosité dont la sauvagerie peut nous choquer, mais dont la complexité atteste la présence d'une authentique inquiétude psychique chez les premiers hommes. C'est *l'intimité humaine qui se met en place* à travers ces pratiques barbares ; une intimité qui mélange la peur de l'autre et de l'au-delà avec le désir d'identification, de pouvoir et de durée sur le semblable, et avec lui. L'intense proprioception de la tête dressée dans la station debout, assimilée à l'excitation pénienne dans l'érection, ne pouvait que valoriser l'organe capital. Il devenait indispensable de se l'approprier : à la fois oralement, par la pulsion primaire de dévoration, et de manière artisanale, par la décoration des têtes sacrifiées devenues ainsi prototypes de l'art intimiste.

Quant au cannibalisme pratiqué sur les membres du même groupe, ou endocannibalisme, il a existé dans l'Antiquité en Europe : Hérodote le signale encore chez les Scythes, qui mangeaient la chair de leurs morts au cours d'un festin funéraire. Il diffère cependant de l'exocannibalisme en ce que seules des parcelles de chair de parents, de la poudre de leurs os calcinés, des liquides de la putréfaction de leurs corps sont consommés. Entre ces deux extrêmes, se pratique aussi la mise à mort du parent, sans attendre sa mort naturelle. Il s'agit toujours de s'approprier la force du mort, son pouvoir désormais invisible, dont, cependant, la cervelle comme le crâne demeurent les témoins apparents.

Freud, qui s'est penché à son tour sur ces pratiques archaïques, a souligné l'implacable logique du repas totémique, et plus particulièrement de la dévoration de l'ancêtre par les frères de la horde primitive[7]. Diverses populations étudiées aujourd'hui par les ethnologues ainsi que par les spécialistes de la préhistoire consomment un animal, le « totem », considéré comme un membre du clan, dans le but de raffermir et l'identité matérielle des liens claniques et les liens avec la divinité. Freud interprète ainsi le repas totémique : l'interdiction du meurtre a déjà eu lieu, mais la collectivité s'autorise à représenter, dans des circonstances particulières, un meurtre fondamental qui a dû se produire réellement. Son hypothèse nous ramène au paléolithique inférieur : le repas totémique, plus tardif, ne fait que déplacer et célébrer le meurtre et la dévoration réels du père de la horde primitive évoqués par Darwin. Manger le père-tyran qui possède arbitrairement toutes les femmes et tous les pouvoirs aurait été, nous dit Freud en substance, le seul moyen d'intérioriser sa puissance : non pas de la supprimer mais de la perpétuer en la modifiant, de la dérober au père pour l'exercer collectivement à sa place. Manger le père, son cerveau, sa tête, son corps entier revient, en définitive, à supprimer son arbitraire et, par cette nouvelle violence, à créer… les liens sociaux à la place de la barbarie : une culture à la place de la tyrannie. Par là adviennent tout ensemble le *pacte social*, la *culture* et l'*intériorité* des humains, capables, après de multiples répétitions de ce rite d'avalement-intériorisation-assimilation, de différer leurs pulsions, de les représenter, de les mémoriser, de

7. *Cf. Totem et tabou* (1913), trad. fr. S. Jankélévitch, Paris, Payot, 1966.

Fig. 4. *Masque funéraire* (Mexique, IV-Ve siècle), Paris, musée de l'Homme.

Fig. 5. *Crâne gravé* (Indonésie, XIXe siècle), Lyon, musée d'Histoire naturelle.

Fig. 6. *Tête-trophée* (Indiens du Brésil), Paris, musée de l'Homme.

les gérer. L'« action » qui fut « au début » action coupante, dévorante, meurtrière s'il en fut, se transforme progressivement en représentation, en « idée ».

Au cours de l'histoire, le culte du crâne des ancêtres devient non seulement un culte de l'au-delà, prototype du culte divin, mais encore un culte de la mémoire, clanique, familial, filial. Aussi les techniques de préparation des crânes familiaux sont-elles différentes des techniques dévolues aux crânes-trophées. Après exposition, enterrement ou momification du corps d'un parent, on procède à de « secondes funérailles », quelques mois ou quelques années plus tard, avec décollation et nettoyage du crâne. Très constante également, dans les diverses civilisations, est la coloration de ces reliques funéraires : toujours à l'ocre rouge, considérée comme peinture sacrée depuis le paléolithique moyen jusqu'à nos jours. En revanche, les ornements et décorations varient d'une région à l'autre du globe : crânes gravés, crânes peints, ornés de mosaïques, recouverts de peaux, etc. (fig. 4, 5, 6 et 7). Plusieurs décorations, qui s'appliquent à mettre en valeur le membre dressé, évoquent inconsciemment un symbolisme phallique associé au culte du crâne, tel ce panier reliquaire du Gabon (fig. 8).

Certaines de ces œuvres « capitales » étaient d'emblée soustraites aux regards des vivants, pour n'être montrées qu'exceptionnellement dans des circonstances particulières. Des paniers, sacs, cordelettes, statuettes et boîtes ossuaires étaient destinés à dérober à la vue les manipulations proto-artistiques que les vivants opéraient sur la tête de leurs morts. Bien souvent cependant, les têtes étaient exhibées ostensiblement, rangées sur le sol, suspendues aux branches d'arbres, disposées sur des supports anthropomorphiques. Utilisées comme des masques de danse, des coupes libatoires ou même des instruments de musique, elles continuaient à assurer le lien des vivants avec les puissances de la mort, que ce soit pour conjurer celle-ci, pour implorer sa protection ou pour lui voler ses maléfices.

Fig. 7. *Coupes libatoires dites « Kapala »* (Tibet), Marseille, collection H. Gastaut.

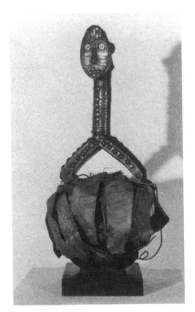

Fig. 8. *Panier reliquaire du Gabon*, Paris, collection Ch. Ratton.

L'ambivalence que Freud repère dans les repas totémiques s'applique de même aux rites funéraires crâniens. Peur de la mort et interdit de tuer s'accompagnent d'agressivité, de violence et de haine contre ces morts, qui nous renvoient l'image de notre propre mortalité, et sur lesquels nous nous vengeons de l'angoisse de notre propre disparition. De surcroît, la vengeance se double de repentir : le repas totémique, comme le culte du crâne, permet de rejeter les désirs ambivalents, ouvrant ainsi la voie à la conscience morale, en tant que la conscience est la perception interne du rejet de certains désirs intimes. On ne saurait oublier cependant que l'interdiction ambivalente du *meurtre* va de pair avec l'interdiction de l'*inceste* : un autre tabou qui s'installe en même temps que celui du meurtre, et qui est non moins ambivalent que lui. Après avoir longuement mis en parallèle les deux tabous, Freud interprète ensuite le repas totémique à la seule lumière du tabou du meurtre, comme une appropriation physique, puis symbolique, de la puissance du père. Et d'ajouter, avec l'honnêteté singulière qui le pousse à souligner ses propres lacunes : « Où se trouve dans cette évolution la place des divinités maternelles, qui ont peut-être précédé partout les dieux-pères ? je ne saurais le dire[8]. »

L'interprétation freudienne des rites sacrificiels qui s'inspire des travaux anthropologiques de l'époque, notamment ceux de Robertson Smith, repose pour l'essentiel sur l'expérience analytique de Freud lui-même, et tout particulièrement sur sa connaissance de la névrose obsessionnelle, privilégiant le rapport de l'être humain au phallus et au père. A ces données fondamentales, la clinique ultérieure a ajouté la connaissance des états archaïques du psychisme, tels que les révèlent la dépression, la psychose et l'autisme. La phase dépressive dévoile que le langage advient dans la perte des satisfactions sensorielles que procure le contact maternel. Le deuil de la symbiose tactile, olfactive, auditive, visuelle est relayé d'abord par des hallucinations de la face maternelle, puis par sa désignation verbale. A l'inverse, l'autisme témoigne des faillites de cette économie. Quels qu'en soient les étayages neurologiques, ceux-ci se cristallisent en symptômes troublants : l'attachement sensoriel de l'être humain au support maternel semble si fort qu'aucun autre lien à l'autre n'est possible. Le regard lui-même, vecteur de distance première, défaille : l'autiste détourne les yeux, ne distingue pas les visages, fait comme si la face de l'autre n'était qu'un trou, noir ou blanc, incapable qu'il est de différer son angoisse passionnelle dans une représentation. Or, puisque la capacité à différer l'osmose avec la mère dans une vision anticipe le langage, et en est la condition, l'autiste, qui évite de voir, se soustrait au langage.

Dans l'alchimie du sensible et du nommable, du sensible au nommable, que révèle la pathologie, le crâne et le visage, cibles majeures du regard, nous apparaissent comme des stations privilégiées dans la perte de la dépendance maternelle. S'assimiler la tête de l'autre, absorber la substance laiteuse de la cervelle, manipuler la rotondité du crâne : le cannibalisme rituel est, tout autant sinon plus qu'une dévoration du père-tyran, une appropriation de la puissance de la génitrice. Les repas cannibaliques et, plus tard, totémiques peuvent être interprétés comme une conjuration de la perte originelle du corps nourricier que le sujet hallucine comme une tête qui le quitte. J'essaie de crier face à ce manque, de le nommer, de le visionner :

---

8. *Cf.* S. Freud, *Totem et tabou*, *op. cit.*, p. 171.

je me l'approprie aussi, je le consomme, je ne veux pas le perdre, je retrouve le plaisir de l'oralité archaïque que me procurent ce sein, ces volumes, cette tête. Spéculation gratuite ? Il est surprenant que le commentaire freudien sur l'absorption du corps du père n'ait pas évoqué, chez le fondateur de la psychanalyse, la mémoire du plaisir oral, de la violence orale, du repentir oral que provoque le lien archaïque avec la mère et que Freud – grand fumeur qui finit par succomber à une tumeur tenace à la mâchoire – fut pourtant le premier à mettre en évidence. «Où se trouve, dans cette évolution [cannibalisme, dévoration du père, repas totémique], la place des divinités maternelles ? » Peut-être devrions-nous l'entrevoir, précisément, dans la reproduction du plaisir *oral* et dans l'attachement à la *tête* : sein, crâne, visage, métonymie délicieuse et cruelle par laquelle nous décollons des paradis parfumés.

Le culte du crâne commémorait en somme deux événements : la perte originelle de la *mère*, source de *mélancolie*, et l'épreuve *phallique,* menace de castration par le père. Nous pourrions alors y déchiffrer une double célébration : celle du père rival phallique, et celle de la mère qui nous abandonne, et dont il reste à labourer la figure (ce que fera l'agriculteur) autant que le visage (en évoquant Méduse ? en peignant comme Picasso ?). Dans cette perspective totémique, l'assimilation de la tête nous apparaît être également un possible équivalent archaïque de l'inceste, son déplacement vers le plaisir oral et le visage halluciné. « Moi seul je me *nourris* de la mère », proclame le sage du Tao chinois. Se nourrir, tuer, posséder, représenter. Le primitif, dit Freud, ne connaît pas les différences que nous établissons entre action et pensée. L'enfant, avant la phase dépressive, se sert non pas de symboles mais d'équivalents symboliques qui sont autant des «actions» que des «pensées» : les mots sont de la nourriture, les signes sont des satisfactions.

Le culte du crâne féminin semble plus répandu à certaines périodes archaïques, rappelle Gastaut. Alors que les représentations de l'homme sont très discrètes dans l'art préhistorique[9], on trouve avant les fresques de Lascaux, au début du paléolithique supérieur (entre 35 000 et 10 000 avant J.-C.), de nombreuses statuettes féminines (Vestonce, Brassempouy, Lespugue, Tursac, etc.), ainsi que des gravures de vulves (Périgord). La plus ancienne figurine, dite «Fanny» de Goldenberg (30 000 ans avant J.-C.), représente une «Vénus» dansante : la dissymétrie du corps, des bras, des jambes et même du sein suggère le mouvement et communique une intense impression de vitalité. Ce culte précoce de la féminité va de pair avec le sacrifice de la tête : tantôt carrément abolie, tantôt érigée en fétiche. Ainsi, certaines de ces représentations féminines sont acéphales, mais – en contrepoint de leur tête manquante – pourvues d'un sexe, d'un ventre, de hanches et de seins si accentués qu'ils ne laissent aucun doute sur la fascination qu'exerce la fécondité féminine sur l'artiste primitif. Comme si le sexe avait déjà pris sur lui tout ce qu'il pouvait y avoir de visible chez une femme… Tandis que dans la scène du puits à Lascaux, l'homme, volatile mortel, dresse son sexe fragile et rêve d'égaler l'élégance musculaire d'un bison cependant éventré donc également mortel, la génitrice féconde a droit pour sa part à une vulve géante qui semble économiser le souci de représenter son visage. D'autres femmes préhistoriques ont au contraire toute leur tête, mais

9. *Cf.* ici même, p. 28.

25

l'artiste s'en empare avec une insistance parfaitement absente dans la représentation schéma-
tique du chasseur-homme. Nombre d'entre elles viennent à nous avec une face béante, disque
vide de traits, visage de rien (Vénus de Willendorf, Vénus de Lespugue) : autre variante de la
décapitation ? Certaines montrent cependant une tête attentivement ciselée, le nez et la bouche
proéminents, la coiffure soignée (la Vénus de Brassempouy sculptée dans l'ivoire de défenses
de mammouth[10]). L'homme transi d'angoisse de mort transfère sa puissance phallique sur
l'animal qui perd ses entrailles : sujet à la mort et à la castration, il ne peut se défendre qu'en
engendrant des représentations. La femme, corps fertile, concentre sur son visage, fût-il vide
ou décoré de cheveux tressés, la fascination du regard, qui commence à se plaire dans les
détails de l'humain, qui les transforme en fétiches.

Bien que ces données archéologiques soient trop fragmentaires et incertaines pour
qu'on puisse en tirer des conclusions définitives, tout porte à compléter l'hypothèse freudienne
de base. S'il est vrai que «la société repose désormais sur une faute commune, sur un crime
commis en commun[11]», le sacrifice dont il s'agit pourrait concerner *les deux parents*. Les frères
de la horde primitive «sauvèrent ainsi l'organisation qui les avait rendus forts et qui reposait
peut-être sur des sentiments et des pratiques homosexuels qui s'étaient installés chez eux à
l'époque de leur exil. C'est peut-être de cette situation qu'est né le *droit maternel* décrit par
Bachofen[12]... » En s'identifiant non seulement au père mais aussi à la mère, le culte du crâne
étant la marque de cette double identification, les hommes renoncent à posséder toutes les
femmes et assument leur propre féminité. Ils peuvent dès lors accepter des pratiques homo-
sexuelles et, à partir de ce déplacement de leurs désirs de meurtre et d'inceste, s'acheminer vers
la sublimation des instincts qui culminera dans l'instauration du droit. Autrement dit, l'homosexualité, la sublimation qu'elle permet, ainsi que la sublimation ultérieure de l'homosexualité
elle-même, trouveraient leur ancrage dans le culte de double identification que nous paraît
être à présent le culte du crâne : représentant de l'identification avec le père *et* avec la mère. Il
n'est pas question d'inclure les femmes en tant que telles dans cette sublimation-symbolisa-
tion-législation. Destinées à la reproduction de l'espèce, et en raison de l'état rudimentaire des
techniques, elles devaient encore rester pendant des millénaires des objets, sinon les victimes
du culte; avant d'essayer de devenir des sujets... mais c'est une autre histoire. Il s'agit de s'assimiler la féminité nourricière et protectrice des unes, le pouvoir phallique des autres, et par
cette double intériorisation, de freiner les désirs (d'inceste et de meurtre) au profit de la représentation, qui constitue précisément le « for intérieur ».

Résumons. En s'acharnant sur les têtes de leurs morts, ennemis ou parents, en les
outrageant, les hommes préhistoriques expriment leur ambivalence : à l'angoisse d'être renvoyé à l'impuissance par le père, à la détresse infantile par la mère, et à la mort en définitive,

---

10. *Cf.* E. Saccasyn-Della Santa, *Les Figures humaines du paléolithique supérieur eurasiatique*, 1947, n° 122, fig. 119, et n° 164,
fig. 155 (cité par G. Bataille, *Lascaux,* Genève, Skira, 1955) ; et H. Delporte, *L'Image de la femme dans l'art préhistorique*,
Paris, Picard, 1993.

11. *Cf.* S. Freud, *Totem et tabou*, *op. cit.*, p. 168.

12. *Ibid.*, p. 166.

est accolé le désir de se les approprier, d'en dérober le pouvoir. Ils assimilent féminité *et* masculinité, et la société homosexuelle s'installe ainsi, capable de pacte, de représentation et de culture, les femmes étant réduites au rôle de partenaires gouvernées. Une longue histoire qui dure encore – en passant par le Christ, ce Sujet absolu qui exhiba la féminité victimaire de l'homme et le rôle transitionnel de la maternité vierge. Ce n'est que beaucoup plus tard que pourra être revendiquée l'entrée des femmes elles-mêmes dans la représentation, puis dans sa déconstruction. Telle paraît être la naissance – fantasmatique ? – de l'*Homo religiosus* et de son *socius*. Autour du culte d'une tête coupée.

Les cérémonies sacrificielles plus récentes attestées par l'anthropologie laissent penser que les rituels crâniens se sont accompagnés de fêtes : dépense sensorielle, violence permise, transe, danse, rythme, cri, incantation – jusqu'à perdre la tête, perdre conscience, abolir la capacité de représentation elle-même. La fête met en jeu la capacité de représentation que célèbre le rite crânien, mais elle la met aussi en péril. Osmose narcissique, repli utérin ou tombal, retour animal, le spirituel s'y résorbe dans le sensible : la fête est la doublure jouissive du sacrifice, une immersion incestueuse. Alors que Freud souscrit à l'aveu résigné de Frazer – « Nous ignorons l'origine de la peur de l'inceste et nous ne savons même pas dans quelle direction nous devons la chercher[13] » –, Claude Lévi-Strauss répond que l'inceste est interdit pour que les groupes humains puissent échanger les femmes et créer des liens, constituer la société. Ce bénéfice relationnel ne devrait pas nous faire oublier l'avantage invisible et radical qui l'accompagne et qui est tout simplement la *construction de l'espace psychique*. Car l'interdit de l'inceste a pour conséquence de différer les satisfactions sensorielles et les désirs immédiats que suscite le corps maternel. Et d'introduire, par-delà ce deuil primordial, l'autonomie de l'être parlant, avec sa capacité d'imaginer, de projeter, de produire : l'*Homo faber* parle dans la durée et pense à ce qui n'est pas encore. Son double, l'*Homo ludens*, retrouve pourtant la communion avec le sensible : la satisfaction immédiate, narcissique ou incestueuse. Révolte contre la loi, dit Freud. En effet, la fête-révolte reprend la voie des sens, pour reproduire le meurtre et l'inceste. Pour les refaire en les représentant, en éprouver le plaisir, et le repentir.

Révolte esthétique ? Facile sublimation ? Ces termes et les pratiques qu'ils recouvrent ont été en effet si souvent galvaudés qu'on sous-estime le risque interne qui les habite et que Freud, pourtant, avait esquissé[14]. Pour représenter, je dois dénouer les liens vie/mort, Eros/Thanatos qui trament mes passions, je dois démêler, désérotiser. Comment ? Je commence par désirer non pas un objet extérieur (père, mère, autre corps), mais d'abord mon propre corps ou mon Moi dit « narcissique », puis un signe, des signes. Je ne jouis pas d'un homme, d'une femme, d'un objet partiel, ni même de Moi, mais des signes que je suis capable d'émettre et qui « pansent » ma dépression : mots, traits, couleurs, sons, gestes. Que devient la pulsion de mort dans ce noble parcours ? Elle se libère, dit Freud, de sorte que « le Moi

---

13. *Cf.* S. Freud, *Totem et tabou*, *op. cit.*, p. 145.
14. *Cf.* S. Freud, « Le Moi et le Ça » (1923), trad. fr. in *Essais de psychanalyse* par S. Jankélévitch, Paris, Payot, 1927, p. 227 *sq.* ; et notre *Sens et non-sens de la révolte*, Paris, Fayard, 1996, p. 119 *sq.*

travaille à l'encontre des intentions d'Eros, se met au service de tendances instinctives oppo-sées[15] ». Le Moi travaillant les signes se mettrait donc au service de la mort ? Pourtant, ma fête, mon tableau, mon dessin écartent la mort de la scène sur laquelle se disposent mes seules créa-tions, objets ultimes de ma passion, enfants gâtés d'un Eros triomphant parce que différé. A moins que Thanatos ne réapparaisse pour m'armer de colère contre ceux qui ne partagent pas ma fête, ne s'intéressent pas à mon œuvre, la rejettent, l'empêchent. Plus sournoisement, Tha-natos s'en prend à moi-même : spleen, maladie, fragilité de l'homme festif, mélancolie de l'artiste. Enfin, la pulsion de mort se plaît à sélectionner les thèmes de mon tableau, dessin, poème, sans me demander mon avis : thèmes violents, de chasse, de décollation, grossièreté outrancière que je traite cependant avec une légèreté exquise, une souplesse inouïe. Pas vu pas pris, tel, déjà, l'homme de Lascaux : l'art n'est-il pas l'élégance suprême ?

Nous connaissons les superbes fresques de l'homme chasseur de bisons des grottes de Lascaux. 15 000 ans avant J.-C., 285 000 ans après l'homme de Tautavel, cet artiste savait déjà reproduire la masse élégante et les mouvements majestueux des animaux, indispensables vic-times, comme s'ils étaient ses semblables, ses frères. Georges Bataille a célébré cette projection de l'homme dans son objet, l'animal mis à mort : l'extase victimaire du peintre se mue en triomphe sur la mort… de l'autre[16]. On a pu s'étonner de la très « abstraite » représentation de l'homme dans cette bande dessinée. Les chasseurs sacralisaient leur nourriture sous forme de sublimes peintures, mais ne s'accordaient à eux-mêmes qu'une place minuscule de pantins schématiques. A la superbe cavalcade animale avec rennes, cerfs, taureaux, vaches rouges ou noires, bisons, chevaux, rhinocéros et même une imaginaire licorne, s'ajoute en effet, dans la scène du puits, la facture raide, enfantine, d'un *homunculus* expédié à gros traits de peinture noire. Cet « effacement de l'homme devant l'animal » serait la preuve qu'il « dédaignait son propre visage », comme s'il avait de lui-même « la honte que nous avons de l'animal » : « la transgression l'animait, la violence l'enivrait, refusant l'humain[17] ». Et Bataille de conclure que l'*Homo ludens*, l'artiste, le joueur n'est pas le même que l'*Homo faber* qui demeurait « interdit » ou « fasciné » devant les têtes mortes.

La branche d'*hominiens joueurs* qui a peint Lascaux se serait-elle séparée de celle des néanderthaliens *travailleurs* qui célébraient les morts ? Ou s'agirait-il de deux cultes différents pratiqués par les mêmes hommes ? Ou encore de deux pratiques à officiants distincts au sein du même groupe humain : d'un côté les *prêtres* avec leurs crânes, de l'autre les *artistes* avec leurs animaux ? Pourtant, les crânes eux-mêmes ne sont pas simplement objets d'interdiction ou de fascination, comme le pense Bataille, mais déjà des œuvres. Fallait-il passer par cette intériorisation d'un soi mortel-imaginant-pensant dans l'« arche du Néant » que fut le culte du crâne, pour ensuite la mettre à l'écart ? Pour s'oublier un temps, se projeter dans l'anima-lité du dehors, retrouver le contact de l'Etre, en contrepoint à ces proches semblables dont on était en train de se séparer, après les avoir enfin assimilés, après s'en être nourris ? Culte de soi

15. « Le Moi et le Ça », *op. cit.*, p. 218.

16. *Cf*. G. Bataille, *Lascaux, op. cit.*

17. *Ibid.*, p. 115-123.

à travers le culte du crâne d'un côté – et culte de l'Être-Autre avec la poursuite animale, de l'autre. Assimiler – peindre.

L'intérêt pour soi – et non plus pour l'animal – apparaît plus nettement dans les grottes de Gargas, aux pieds des Pyrénées, ou sur les parois d'une calanque de Marseille : 25 000 ans avant J.-C., le Cro-Magnon a plaqué sa paume gauche sur le rocher, et soufflé, tout autour, de la peinture noire. Deux cent quarante mains à Gargas : l'artiste primitif s'imprime sur le temps qui vient jusqu'à nous. J'aime à imaginer que cette primitive affirmation d'un soi manuel (plus appuyée que le croquis de la scène du puits de Lascaux, où l'homme se fait tout petit devant sa proie qu'est le bison réaliste) procède de ce mouvement d'introjection macabre dont témoignent les cultes du crâne. Les paumes de Gargas sont des mains de sacrificateurs qui songent déjà à l'invisible et pourchassent le visible. L'intériorisation de la mortalité précède l'acte pictural ; elle est indispensable à sa réalisation. La main habile qui sait peindre les cerfs, les chevaux et la licorne n'a pas nécessairement conscience qu'elle est une main d'homme créateur, c'est-à-dire tueur, dévoreur, mortel, et ainsi seulement dessinateur. Mais elle est habitée par cet inconscient. Il lui a fallu un long parcours d'apprivoisement de la mort et de la nourriture, de la mise à mort et de l'inceste, de la souffrance et du plaisir pour regarder la chasse comme un sacrifice magique *représentable* : pour tuer l'animal en soi, en face de soi, s'imprégner de l'un et de l'autre, les intégrer, s'intégrer à une figuration. Le culte des crânes est probablement au commencement de ce trajet. Durant des centaines de millénaires, et en revenant toujours, sous diverses formes, au sacrifice humain, à son intériorisation et à sa reproduction dans une œuvre, l'homme a creusé l'espace intérieur dans lequel s'est abritée la représentation : espace de la vie pour la mort, de la mort qui vit une vie humaine et qui en prenant conscience, représente, survit et revit. Il a réussi plus ou moins à refouler ou à oublier les voisinages cannibales et les transitions carnassières de cette capacité de représentation. Il a commencé par les sublimer dans des objets proto-artistiques, comme les crânes surmodelés ou peints, avant d'être capable de s'appuyer sur cette intériorité pour la mettre de côté, la minorer en tant que telle, et dessiner ou peindre le dehors : les animaux, les bisons, la licorne. Pourtant, ces décollations sauvages, fussent-elles écartées un temps de l'aventure de l'homme ludique, vont constamment et sous diverses formes le rattraper. Il ne se lassera jamais de représenter l'intimité humaine qui s'est constituée comme telle en se découvrant mortelle et sacrifiable, donc sacrée. Intimité souffrante, et cependant capable de sérénité dans ses transactions avec la séparation et la mort.

La représentation du crâne, comme celle de la tête coupée, fait néanmoins défaut dans l'art grec jusqu'à la période hellénistique. Est-ce à dire que l'architecture et la sculpture de l'art grec à son apogée manquent d'intériorité ? Certainement pas[18]. Religion spiritualiste, l'art grec fait *apparaître* la vie intérieure, mais cette apparition n'a rien d'un spectacle puisqu'elle est la

---

18. Il faut cependant reconnaître, avec Hegel, que dans l'art classique la «sculpture doit représenter le divin en soi […] sans personnalité tout à fait subjective, sans désaccord d'action ou de situation»; que l'homme y est élevé «au-dessus de l'existence finie, des soins et des passions de la nature mortelle»; que l'art classique ne représente pas «la connaissance ou le sentiment que le sujet a de lui-même», mais qu'en «refusant d'exprimer le sentiment» il ne vise que l'«éternel […] dépouillé de l'arbitraire et de la personnalité accidentelle» : «dans cette généralité, l'âme ne s'est pas encore repliée sur

...

29

religion elle-même. Toutefois, s'il est vrai qu'elle destine tout à la vue, ce tout est le *général* (le bon, le juste, le brave, l'esprit élevé, etc.), et non pas le *sentiment*. L'univers du sentiment, dit par Hegel univers de l'art « romantique » ou « chrétien », est fondamentalement un univers de cohabitation avec la mortalité : il aura besoin de se confronter à la tête coupée, de méditer sur l'effroi du crâne et de se l'approprier par le truchement d'un reflet ou d'une image. Telle est pourtant déjà, pour les Grecs, la vocation de Méduse et de ses représentations, surtout picturales.

Quant à la sculpture, il faudra attendre le métissage de l'art romain avec les mœurs et croyances celtes pour retrouver des représentations de têtes coupées. Au XIXe siècle, on découvre sur le plateau d'Entremont, au lieu-dit La Tour, des bas-reliefs (1817), puis quatre têtes « mortes » accolées, présentées de face (1877) (fig. 9). Mérimée, premier architecte en chef des Monuments historiques, s'écrie : « Toutes ces sculptures portent le caractère de la plus grande barbarie. On pense qu'elles peuvent être attribuées aux Salyens, et en effet je ne vois qu'eux qui aient pu faire si mal[19] ? » Mais ce sont les fouilles entreprises après la Seconde Guerre mondiale qui dévoilent l'ampleur du trésor.

Fig. 9. *Quatre têtes mortes accolées,*
Aix-en-Provence, musée Granet.

Non loin d'Aix-en-Provence s'élève l'*oppidum* d'Entremont : ville fortifiée et très vivante au IIe siècle avant J.-C., capitale de la confédération celto-ligure des Salyens, détruite en 124 avant J.-C. par Caïus Sextus Calvinus. Ses populations gauloises de chasseurs de têtes nous ont laissé des vestiges de leurs cultes du crâne : trophées de chefs ennemis, qu'ils embaumaient et conservaient dans de l'huile de cèdre pour les suspendre aux murs des maisons ou les garder dans les alvéoles des murs des temples. Les Salyens sculptaient en outre de magnifiques têtes sans corps, ainsi que d'admirables corps sans tête assis « en tailleur ». On trouve des statues de guerriers assis à la gauloise, « en tailleur », aussi bien dans la cité préromaine de Glanum (musée de Saint-Rémy-de-Provence) qu'à Roquepertuse (Bouches-du-Rhône), tandis que des crânes surmontent l'entrée de l'*oppidum* de La Cloche (Bouches-du-Rhône). Les travaux d'archéologues comme Fernand Benoît[20], et plus récemment François Salviat[21], relatent l'histoire de ces mœurs et de cet art à Entremont. « En l'état actuel des trouvailles d'Entremont, on

elle-même comme unité purement spirituelle »; bien que fondu avec la forme extérieure, l'esprit n'est pas encore « vivant », « c'est-à-dire se repliant vers le centre de l'individualité spirituelle, mais [il est représenté] comme forme extérieure et visible » (Hegel, *Esthétique*, textes choisis par C. Khodoss, Paris, PUF, 1953, p. 56-58; et trad. par S. Jankélévitch, Paris, Aubier, 1945, vol. III, 1re partie, p. 110 et 160).

19. *Cf.* Prosper Mérimée, « Notes d'un voyage dans le midi de la France » (1835), in *Notes de voyages,* éditions complètes du Centenaire, Paris, Hachette, 1971, p. 141.

20. *Cf. Gallia,* V, 1947, p. 81-94 ; *Entremont, capitale celto-ligure des Salyens de Provence,* Aix-en-Provence, La Pensée universitaire, 1957.

21. *Cf.* son *Entremont antique,* édité par les Amis d'Entremont et du pays d'Aix antique, 1973 ; ainsi que son étude, « La sculpture d'Entremont », in *Archéologie d'Entremont au musée Granet*, sous la direction de D. Coutagne, Aix-en-Provence, 1993.

4 Statuaire gauloise, *Tête coupée*, Aix-en-Provence, musée Granet.

compte cinq têtes de mort isolées (peut-être six) et un groupe impressionnant de cinq en deux rangs superposés. On ne saurait en rapprocher aucun torse particulier[22]. » Par ailleurs, un superbe pilier parallélépipédique (fig. 10) est gravé de douze têtes coupées : les images sont schématiques ; seul le contour externe est tracé, avec la ligne des sourcils et du nez ; l'absence de bouche suggère la mort. Cet objet aurait fait partie d'un portique : « A l'architrave étaient affichées des têtes coupées, et des représentations schématiques de ces têtes les accompagnaient sur l'architrave même, et sur la face antérieure des piliers » ; à proximité « ont été recueillis dans la même couche que les boulets du siège de 124 avant J.-C. une quinzaine de crânes dolichocéphales appartenant à des individus de plus de trente ans[23] ». Statues et crânes encloués ont été découverts également à l'intérieur de l'enceinte fortifiée d'Entremont. S'agit-il de trophées de guerre comme les appréciaient les Gaulois ? C'est l'hypothèse retenue par François Salviat : le vainqueur aurait disposé sur ses jambes en tailleur les crânes de ses victimes, appuyant ses mains sur eux. A moins que ce ne soient des têtes d'ancêtres subissant un rite funéraire d'« imposition » des mains, qui pourrait signifier la participation filiale à la transition

22. *Ibid.*, p. 199.

23. *Ibid.*, p. 211.

Fig. 10. *Pilier d'Entremont*
aux douze têtes coupées,
Aix-en-Provence, musée Granet.

du mort au-delà, comme le soutient Fernand Benoît. Salviat reconnaît néanmoins la valeur eschatologique d'une telle ostentation, soulignée par Benoît : bien que guerrière, cette sculpture visait « à mettre au service du groupe la puissance de protection, d'abondance et de fertilité qui est attachée [au crâne] ». L'archéologue rappelle les épopées celtes, de Galles et d'Irlande, qui composent une véritable « littérature de la décapitation » et relatent, même si elle n'apparaît qu'au XIe siècle, des coutumes antérieures attestées par la tradition orale du IVe siècle[24]. Ces épopées celtiques du Nord corroborent les récits des historiens grecs et romains relatifs aux mœurs des Celtes du Sud de la région d'Entremont[25].

Taillées dans le calcaire local, de dureté et de poids variables, ces têtes coupées revêtent, aux yeux du moderne, la gravité et l'angoisse d'une mélancolie dont le « soleil noir » nervalien est peut-être un des rares à reproduire l'implacable élégance. Le calme de la main posée par-dessus, telle une caresse, une possession ou une reconnaissance familière, retient la cruauté, et fait de ces égorgés les précurseurs d'une compassion qui scrute, les yeux grands ouverts, la dure fatalité des hommes. Silence du pilier aux têtes muettes gravées dans la pierre. Silence sans effroi parce que repris dans la main du sculpteur. Il succède à celui, horrifié, que faisaient régner sur les Salyens leurs ennemis ou leurs ancêtres décapités. On imagine que Posidonios fut choqué parce qu'il n'avait pas vu ces sculptures. Diodore de Sicile, quant à lui, finit par admettre qu'elles témoignent d'« une grandeur d'âme remarquable pour des barbares ».

L'horreur de ces décollations et l'impact de leurs reproductions nous ramènent immanquablement aux photographies et aux reportages télévisés sur les guerres civiles récentes. Au Biafra, au Viêt-nam et encore aujourd'hui au Rwanda et en Algérie, où les intégristes pratiquent couramment carnages et égorgements. Leur fréquence dans certaines régions du globe est telle que l'opinion mondiale, d'abord scandalisée, finit par fermer les yeux. La cruauté de nos ancêtres salyens avait au moins l'avantage macabre de se prolonger, grâce à la sculpture rituelle, par une méditation sur la précarité de leur condition, qui n'effleure pas, semble-t-il, les guerriers modernes. D'ailleurs, nos clips télévisés eux-mêmes, et nos « pétitions » quand elles existent, sont-ils réellement à la hauteur de ces recueillements sculpturaux ?

Le culte religieux et esthétique du crâne, dont on vient de survoler l'archéologie, ou plutôt la mythologie ancestrale (car l'éloignement et l'incertitude de ce sujet, plus que tout

24. L'un des contes de la *Taín,* la grande épopée irlandaise (VIIe siècle), exalte les faits d'armes de Cuchulainn : « Arrive un homme à char […] et effrayante est sa venue. Les têtes des ennemis, rouges de sang, sont près de lui dans son char […]. »

25. Ainsi, Strabon, IV, 4, 5, fait état de leur « usage qui consiste à suspendre à l'encolure de leurs chevaux les têtes de leurs ennemis quand ils reviennent du combat, et à les rapporter chez eux pour les clouer dans leurs entrées […]. Ce furent les Romains qui mirent fin à ces coutumes ». Le Grec Diodore de Sicile (V, 29, 4) précise : « Ils tranchent les têtes de leurs ennemis abattus et les attachent à l'encolure de leurs chevaux […]. Ensuite, ils clouent ce précieux butin sur les murs de leurs maisons, comme on le fait dans certains types de chasse, pour les têtes des animaux tués. Les têtes des ennemis les plus en vue sont embaumées à l'huile de cade et soigneusement conservées dans des coffres. Ils les montrent aux étrangers en assurant avec orgueil qu'un de leurs ancêtres, leur père ou eux-mêmes, n'ont pas accepté, en échange de telle ou telle tête, une forte somme d'argent. » La source de ces affirmations se trouve dans Posidonios d'Apamée, philosophe de tradition stoïcienne qui visita Marseille vers 100 avant J.-C., après Polybe, l'historien des guerres du IIe siècle avant J.-C., qui « dit avoir vu lui-même en bien des endroits ce spectacle, qui d'abord lui répugnait, mais qu'il avait fini, avec l'accoutumance, par supporter avec sérénité » (Strabon, V, 4, 5, cité par Fr. Salviat, *op. cit.*, p. 213).

26. *Cf. Archéologie d'Entremont* au musée Granet, *op. cit.*

autre, transforme sa muséographie archéologique en une véritable mythologie moderne, comme le rappelle Denis Coutagne[26]), se prolonge sous la chrétienté. Le christianisme primitif accumule les squelettes de capucins et des milliers de crânes dans les catacombes, notamment en Espagne et en Italie ; et aujourd'hui encore, des « chefs-reliquaires » contenant le crâne d'un saint attirent les foules dans les églises. Un des plus célèbres, celui de saint Jacques, « découvert » en 813 dans un village de Galice, est devenu le centre du pèlerinage de Compostelle. Après les terribles épidémies du XIIIᵉ siècle, la Danse macabre est une cérémonie populaire cathartique dans toute l'Europe. Les « Vanités » hollandaises se multiplient à partir du XVIIᵉ siècle, inspirées à la fois par la Contre-Réforme et le calvinisme ; elles condamnent les plaisirs éphémères (telle la musique), pour leur opposer la fuite fatale du temps (suggérée par la chandelle) et le jugement de la mort (symbolisée par l'inévitable crâne) (fig. 11). Les *memento mori* travaillés dans le bois, le jade, l'ivoire ou le métal précieux ont su inspirer des prouesses métaphysiques aux penseurs des XVIIᵉ et XVIIIᵉ siècles, ainsi qu'à leurs dames. Ce ne sont là, écrit H. Gastaut, que quelques-unes des métamorphoses de cette conjuration de l'invisible par l'exhibition ouvragée de ses vestiges capitaux, qui fut inaugurée par le culte et par l'art de la décapitation.

Fig. 11. Simon Renard de Saint-André, *Vanitas*, Marseille, musée des Beaux-Arts.

Qui est Méduse?

Une belle histoire de têtes coupées traverse l'Antiquité grecque : celle des Gorgones, trois monstres ailés au corps de femme et à la chevelure de serpents, dont le regard changeait en pierre celui qui se risquait à les contempler – Méduse, Euryalé et Sthéno. Pour commencer, Méduse est une jeune fille qui se fait remarquer : séduite puis violée par Poséidon, elle se révèle fertile puisqu'elle accouche de faux jumeaux, le cheval Pégase et le géant Chrysaor. Une longue fable la transforme en terrible puissance. Pour simplifier, disons que le monstre est par deux fois tué : Persée assassine d'abord Méduse pour assurer la protection de sa mère, Danaé, importunée par le roi Polydectès. Ensuite, il délivre Andromède des liens méduséens qui la retiennent et, pour ce faire, tranche la tête de la Gorgone. La mer se teinte de sang, tandis que le vainqueur tient à l'écart l'épouvantail de Méduse, de peur que ne soient changés en statues de pierre ceux qui s'exposaient à sa vue.

Le premier témoignage de cette délivrance serait iconographique : la scène se déroule sur une amphore corinthienne du début du VIe siècle avant J.-C., mais la légende de Persée est déjà mentionnée chez Homère. Philostrate, Pline et Ovide l'enrichissent de précisions[27]. Ovide fait pour sa part intervenir le *reflet*. Méduse, dit-il, se laisse piéger par l'ombre de Persée qui vole au-dessus des flots ; elle se jette sur ce faux double et Persée en profite pour la frapper dans le dos, esquivant ainsi les dents redoutables. Plus encore, Ovide insiste sur la pétrification des végétaux que le sang méduséen transforme en corail. Avant de se laver les mains, Persée dépose délicatement la tête couronnée de serpents sur une couche de feuillage, de peur qu'elle ne se blesse. Mais, à son contact, les tiges souples des algues absorbent le pouvoir monstrueux et se durcissent. Dès lors, le corail – qu'on appelle en grec *gorgônion* – possède la propriété de se minéraliser s'il est exposé à l'air. Dans l'eau, il est une branche flexible, mais dès qu'on l'en retire il devient pierre, *saxum*. Chez Ovide, c'est la contagion tactile, *tactu*, de Gorgô qui pétrifie, mais dans d'autres versions ce sera son regard. Le corail victime de Méduse ? Le grec utilise le mot *gorgoneion* en parallèle avec *gorgônion* pour désigner la figure fixée et visible d'un original vivant mais inaccessible au regard. Le mot générique « corail » pourrait provenir de « coré », qui signifie « jeune fille », comme Méduse ; ou encore il serait une allusion à Coré-Perséphone, la reine des morts, à laquelle appartient la tête coupée de Gorgone…

Anthropologues et historiens de l'art n'ont pas manqué de souligner que cette tête visqueuse, entourée d'une chevelure bouclée de serpents, évoque l'organe sexuel féminin – la vulve maternelle qui épouvante le jeune garçon s'il vient à y « jeter un œil ». Freud y déchiffre la fascination et l'horreur que provoquent la castration féminine tout autant que la puissance

---

27. *Cf.* Fr. Frontisi-Ducroux, « Andromède et la naissance du corail », in S. Georgoudi et J.-P. Vernant, *Mythes grecs au figuré*, Paris, Gallimard, coll. Bibl. des Histoires, 1996, p. 135-166.

génitale de la mère, vallée originelle des humains[28]. On n'oubliera pas, cependant, en dépliant le symbolisme méduséen, de s'arrêter sur l'œil : Méduse-Gorgone ne saurait être vue, son regard pétrifie, son œil porte malheur ; mauvais œil, il tue. Vulve féminine, la tête de Méduse est un œil glaireux, tuméfié, chassieux ; trou noir dont l'iris immobile s'entoure de lambeaux-lèvres, plis, poils pubiens.

Des profondeurs marines surgit un monstre qui nous épouvante. Il conjugue les maléfices du monde souterrain des morts avec l'abjection des ambivalences maternelles – puissance *et* castration persécutrices. L'imagination antique l'a doté d'un pouvoir scopique qui tient à sa capacité de pétrifier, c'est-à-dire de paralyser, de rendre catatonique, de cadavériser, de tuer par la magie du seul regard. Serait-ce une inversion du regard humain qui désire précisément capter l'horreur de l'autre, la figer, l'éliminer ? Méduse renverrait-elle, le maléfice en plus, le regard décapant-décapitant que lui adresse l'homme, héros farouche ? Qui regarde qui ? Qui tue qui ? Répétitions, reflets : entre Persée et la Gorgone se noue une dialectique de représentations qui reproduit les passions ambivalentes de la séparation mère-enfant. Heureusement, le va-et-vient se résume en une issue brutale et simple : le regard de Méduse tue, mais c'est le *reflet* – figure du dédoublement, de la représentation – qui finit par tuer Méduse. En effet, la mégère monstrueuse ne se laisse voir qu'une fois décapitée, et ce n'est possible que… dans son reflet. Plusieurs versions iconographiques de la délivrance d'Andromède par Persée[29] présentent les deux amants contemplant la tête de Gorgone, coupée, se reflétant dans la mer, dans un puits, ou sur le bouclier d'Athéna. Ainsi, ce vase du IVᵉ siècle avant J.-C. : sur un cratère, Athéna assise sur son bouclier tient au-dessus d'une source la tête tranchée dont Persée ne dévore des yeux que… le reflet (fig. 12). Une fresque pompéienne du Iᵉʳ siècle après J.-C. montre également Persée et Andromède regardant la tête coupée de Gorgone (fig. 13). Sur une autre peinture (céramique italiote du IVᵉ siècle), Athéna, Persée et Hermès laissent converger leurs regards vers le reflet inversé de Méduse en position de blason sur le bouclier de la déesse, à l'endroit même où se dessine habituellement un *gorgoneion*. Cette image est également visible sur des miroirs étrusques des IVᵉ et IIIᵉ siècles. Bien avant La Rochefoucauld, qui nous a appris que ni la mort ni le soleil ne se peuvent regarder fixement, Athéna serait-elle l'inventeur du rétroviseur[30], qui permet d'affronter l'horreur, non pas dans le face-à-face, mais à partir du duplicata, du simulacre ?

Fig. 12. *Cratère apulien* (IVᵉ siècle av. J.-C.), Gotha, Schlossmuseum.

Fig. 13. *Fresque pompéienne* (Iᵉʳ siècle ap. J.-C.), Naples, Museo Archeologico Nazionale.

28. *Cf.* son article de 1922, « Das Medusenhaupt », trad. fr. « La tête de Méduse », in *Résultats, idées, problèmes II* (1921-1938), Paris, PUF, 1985, p. 49 *sq.*

29. *Cf.* Fr. Frontisi-Ducroux, *op. cit.*, p. 50 *sq.*

30. *Ibid.*, p. 154.

Méduse-Gorgone ne devient donc supportable qu'en tant qu'*eikôn*. Coupez la tête du monstre et proposez son reflet à la vue : ce n'est qu'ainsi que vous serez protégés de la mort et du sexe féminin qui pourraient vous y absorber. Réfléchissez le monstre par l'intermédiaire de la sagesse, et la vie vous sera garantie… par l'image, en somme. Serait-ce là la voie du salut ? On peut le supposer. Une tradition tardive évoque Persée comme fondateur de la ville phrygienne au nom explicite d'Iconion, ou Eikonion, qu'un poète tardif désigne comme « fabrique d'images de Gorgô » *(eikasteria gorgous)* : images représentant Gorgô ou images réalisées par Gorgô[31] ? On ne peut que suivre Françoise Frontisi-Ducroux lorsqu'elle affirme avec force « le statut nécessairement iconique de la face de Gorgô [comme] vision interdite qui n'est accessible aux humains que sous forme d'*eikôn* ».

Giacinto Calandrucci dessine à la sanguine une *Tête de Méduse* dont l'horreur se lit aussi bien dans la bouche béante et dentée, que dans la torsade de serpents qui la coiffe et dans les traits épais, d'une laideur primaire : tête de femme, de mâle guerrier, ou de criminel sauvage ? Cette ambivalence sexuelle n'est pas vraiment un contresens du mythe antique. Méduse est abjecte en tant que mère primitive détentrice de cette indifférenciation archaïque où il n'y a ni sujet ni objet, rien que l'ab-ject du gluant et du visqueux. De surcroît, et en tant que femme excitée, Méduse exhibe une vulve à laquelle les maléfices confèrent une puissance plus que phallique : tyran femelle apparemment castrée, elle reste fantasmatiquement à castrer. C'est dire qu'« elle » est un peu « il », et même plus qu'un peu : elle possède l'aspect terrifiant de l'hominité, cette épouvante que suscite la force phallique vitale, indissociable de l'effroi que provoquent la castration et la mort. *Choïros*, en grec, signifie à la fois la vulve et le cochon : serait-ce donc « ça » que vise Parménide quand il demande au jeune Socrate s'il conçoit une Idée pour « poil, boue, crasse, ou toute chose, la plus dépréciée et la plus vile[32] » ? La laideur absolue du trou originaire est associée au postiche phallique dans la figure de Baubô, autre monstruosité antique liée aux mystères d'Eleusis, qu'on rapproche souvent de Méduse, et qui a « réjoui » Déméter en lui dévoilant sa « nature ». Qu'a vu alors Déméter ? « Le nom de la femme qui mit fin au deuil de Déméter signifie : *la vulve*. La plupart des philologues rattachent ce mot à Baubon, qui signifie le godemiché », précise Georges Devereux[33]. Baubô – la castration compensée par un simulacre phallique ? Ou, au contraire, le simulacre phallique révélant le pouvoir abject, non encore apparent, de la Mère détentrice de la vie pour la mort, antérieurement à toute capacité de représentation ?

La peur de l'organe génital féminin est dans tous les cas si intense que les artistes préhistoriques conjurent son pouvoir en le remplaçant par le crâne ou le visage féminin[34], ou au contraire l'hypertrophiant en sculptant des vulves dilatées (voir celles de La Ferrassie, 30 000 avant J.-C.) qui hyperbolisent la vulve mais abolissent le visage. On aurait, en somme, le choix

5

---

31. *Ibid.,* p. 226, note 35.

32. Platon, *Parménide*, 130 D., cité par A. Roger, « Vulva, vultus, phallus », in *Communications*, « Parure, pudeur, étiquette », n° 46, 1987, Le Seuil, p. 183.

33. *Cf.* G. Devereux, *Baubô. La Vulve mythique*, Paris, Godefroy, 1983, cité par A. Roger, *op. cit.*, p. 185.

34. *Cf. supra*, p. 25-26.

5 Giacinto Calandrucci (atelier de), *Tête de Méduse*, Paris, musée du Louvre.

entre *vulva* et *vultus*, le sexe et le visage, deux équivalents fantasmatiques que le mythe de Méduse réunira des millénaires plus tard. Vulvaire, phallique, nécessitant sinon l'effacement du visage, du moins sa décollation pour qu'une représentation puisse en prendre le relais, Méduse est au cœur de l'aventure iconique des humains. Serait-elle une nouvelle variante des rites crâniens que nous avons mentionnés plus haut, plus spécifiquement orientée vers la peur du féminin que vers la peur de la mort, mais à condition d'y associer toutes les terreurs ? La vie que donne la mère n'est-elle pas une vie pour la mort ? La mère-méduse donnerait ainsi, immédiatement, la mort. L'acte sexuel n'est-il pas, à son tour, une menace perpétuelle pour l'homme ? Menace de perdre son pouvoir de pénétration et de possession, jusqu'à s'engloutir dans des fonds sous-marins aveugles, jusqu'à perdre la face, disparaître, se pétrifier comme le corail. Non pas pour durer, tel le *gorgônion*, mais au contraire pour mieux mourir.

> « Le monde appartient aux femmes.
> C'est-à-dire à la mort.
> Là-dessus, tout le monde ment[35]. »

Si Méduse incarne la peur qu'éveille chez l'homme l'organe féminin supposé engloutissant et castré, la mythologie de la « mante religieuse » évoque, en *contrepoint*, la peur d'être dévoré en même temps qu'émasculé par la partenaire agressive et avide. Cet insecte de la famille des mantidés dont la femelle dévore le mâle pendant et après l'accouplement, a suscité dans la mythologie mondiale maintes légendes associant nutrition et sexualité, fantasmes de dévoration et fantasmes de castration, que nous avons déjà croisés autour des rites du crâne[36]. Non plus visuelle mais orale, la menace se porte ici sélectivement sur le pénis de l'homme, et la mante religieuse apparaît comme la cousine brutalement érotique de la glauque Méduse.

Le marquis de Sade reprend et amplifie cette veine en associant satisfaction sexuelle et décapitation. Tel un succédané de Méduse et de la mante, mais plus proche de cette dernière, lady Clarwil, dans *La Nouvelle Justine,* immole tous ceux dont elle est la maîtresse et ne se lasse pas de pratiquer, parmi d'autres raffinements érotiques, le cannibalisme sur ses amants[37]. Le divin marquis raille l'Etre suprême en lui opposant la puissance destructrice du plaisir sexuel, dont l'agent principal serait la Femme plus-que-castratrice, décapitante et dévoratrice, à la jouissance mortifère.

Mais tandis que D.A.F. de Sade sature le versant érotique des liaisons dangereuses entre les humains révélés à leur vérité de mantes religieuses, le mythe de Méduse fixe la vengeance précoce sur le continent féminin, une vengeance où s'ancre la capacité même d'hallucination et de représentation. Coupez la tête de Méduse et faites-en un reflet, si vous voulez (la) voir, si vous voulez savoir. Le spectacle, la spéculation – qu'elle soit érotique ou philosophique –

---

35. *Cf.* Ph. Sollers, *Femmes*, Paris, Gallimard, 1983, p. 13.

36. *Cf. supra*, p. 25-27 *sq*. Sur la mante religieuse, *cf.* Roger Caillois, « La mante religieuse », in *Le Mythe et l'homme,* Paris, Gallimard, 1938, p. 37-85.

37. Ed. originale 1797, t. VI, p. 114 et p. 279 ; t. VII, p. 70-72 ; t. IX, p. 225 et 297, cités par R. Caillois, *op. cit.,* p. 57.

Fig. 14. Jacopo Zucchi,
Projet de fontaine,
Paris, musée du Louvre.

Fig. 14, détail.

s'enracinent dans vos premiers triomphes sur vos terreurs archaïques ; ils dépendent de vos aptitudes à regarder en face, et à faire voir à d'autres, vos mélancolies endogènes. A partir de là, vous pouvez donner libre cours à vos fantasmes, y compris… à vos fantasmes « sadiens ». Méduse serait-elle la déesse tutélaire des visionnaires, des artistes ?

Jacopo Zucchi, qui connaît bien son Ovide, élève et assistant de Vasari, décorateur talentueux du Palazzo Firenze, et qui a peint aussi la *Messe de saint Grégoire* pour l'église de la Santa Trinita dei Pellegrini à Rome, est l'auteur d'un projet de fontaine (fig. 14) où l'on voit Persée exhiber la tête coupée de Méduse. Pégase surveille la composition au sommet, les corps féminins s'ébattent dans les flots, tandis que les coraux durcissent déjà – « transsubstantiation » avant la lettre du sang méduséen.

Poussin et sa classique *Origine du corail* (fig. 15) s'attache aux mêmes visions : il faut décapiter Méduse pour que « ça » prenne forme, pour que l'informe menace devienne visible corail, pour que le gluant-mou-fluide-menaçant-invisible prenne enfin forme. Son Persée qui dépose la tête du monstre sur les algues annonce la tête des bourreaux dans le dessin du *Saint*

Fig. 15. Nicolas Poussin, *L'origine du corail*, Windsor, Royal Library.

Fig. 16. Nicolas Poussin,
Le martyre de saint Erasme,
Florence, Galleria degli Uffizi.

Erasme (fig. 16); tandis que dans un style proche de l'*Empire de Flore* de Windsor, l'invention corallienne se teinte du rouge du sang gorgonéen, qui transforme l'informe végétal en formes indélébiles. Le corail, prototype du dessin, à condition que Méduse soit décapitée ? A tous les artistes, salut !

La vision la plus spectaculaire, la plus célèbre, est sans doute la grande statue en bronze par Benvenuto Cellini du *Persée* pour la loge de la Seigneurie à Florence (fig. 17). Inspiré de Michel-Ange, ce chef-d'œuvre inaugural du maniérisme exécuté pour Côme Ier de Médicis a littéralement emporté son auteur, si l'on en juge d'après l'enthousiasme et l'anxiété jubilatoire qui transparaissent dans la fameuse *Vie* de Vasari[38]. Cet artiste aventureux, médailleur, orfèvre, sculpteur, ce tempérament impulsif semble se plaire à merveille dans la création du groupe méduséen qui nous accueille aujourd'hui devant les Offices, rivalisant avec les œuvres de Donatello, de Michel-Ange et de Bandinelli, et exhibant ses « huit points de vue » (au moins !) incomparables – comme le veut la théorie de l'époque et de l'auteur – aux regards éblouis des foules giratoires. Plus posé que les modèles antérieurs gracieux et virevoltants, ce Persée athlétique penche une belle tête dont la nuque n'est pourtant qu'un satyre grimaçant, tout en piétinant le corps décapité d'une femme dont on s'est plu à souligner les formes disparates : seins de jeune fille greffés sur un torse opulent et fort peu féminin. Tandis que l'épée pointe vers nous en prolongeant le sexe du héros, sa main gauche tient en haut, tout près de son propre visage, et comme sa chagrine doublure, la tête tranchée de Méduse. Une inquiétante impression de similarité se dégage de cette torsade : couché-debout, tranché-érigé, homme-femme, vieux-jeune. Un jeu de miroir où le héros exhiberait, dans les deux pièces du corps d'où giclent des jets de sang métallique, sa propre castration, simultanément angoissée –

Fig. 17. Benvenuto Cellini,
Persée avec la tête de Méduse,
Florence, Loge des Lanzi.

comme l'indique le recul du visage penché de Persée, et triomphale – comme le suggèrent la pose et plus insidieusement encore le torse offert, vivant, généreusement saignant, de Méduse elle-même. Nous savons désormais que l'« épreuve du miroir » est essentielle pour former l'identité archaïque du petit enfant, et qu'elle structure les incertitudes imaginaires de l'être parlant que nous sommes. Le *Persée* de Benvenuto Cellini, peut-être plus magistralement que les autres figurations méduséennes, nous fait voir que dans le *tain* de ce miroir se logent le triomphe sur la mère – le héros ne possède-t-il pas désormais la représentation de son visage et de sa tête *comme s'ils étaient les siennes* – en même temps que l'affrontement infini avec l'angoisse de castration.

Au temps de Richelieu et de Mazarin, de la Fronde et de saint Vincent de Paul, Pierre Brébiette n'ignore pas les dévots et les saintes en extase, mais aime aussi glorifier le vin et la

---

38. Ecrite entre 1558 et 1566, restée inédite jusqu'en 1728 ; trad. fr. *Mémoires*, Paris, 1953.

6 Pierre Brébiette, *Persée et Méduse*, Paris, musée du Louvre.

beauté naïve des jeunes filles. Au carrefour des élans cartésiens, des quêtes mystiques et du libertinage, réapparaît, sous la sanguine, une Méduse en déesse romaine. Elle a préservé ses boucles serpentines, mais dans un décor de têtes coupées qui associe, explicitement cette fois, le culte crânien à la décapitation iconopoïétique du monstre vulvaire.

Fig. 18. Alberto Giacometti, *Tête de Méduse*,
New York, Marisa Del Re Gallery.

Méduse survit au XXe siècle. Jusqu'à Alberto Giacometti (fig. 18) qui persiste dans la figuration quasi masculine, androgyne, de la face fatale enveloppée de serpents. Edvard Munch, sans faire voir Méduse, en présente néanmoins l'effet sur l'artiste : sa rétine est atteinte. Aveuglé, mais seulement à demi, le dessinateur ne voit l'horreur que d'un œil (fig. 19). Précaution nécessaire, ruse de la maladie pour ne pas succomber à la vérité abjecte ?

Œuvre-reflet et œuvre-corail. Une généalogie secrète se dessine au fil des siècles entre le pouvoir des Gorgones et l'expérience esthétique. Elle nous fait comprendre que si l'artiste parvient à éviter d'être la victime de Méduse, c'est parce qu'il la reflète tout en étant une trans-substantiation de son sang. Le mythe de Méduse annonce déjà une esthétique de l'incarnation.

Fig. 19. Edvard Munch,
La rétine malade de l'artiste,
Oslo, Munchmuseet.

7 Ecole slave, *La Sainte Face,* Laon, Trésor de la cathédrale.

La vraie image : une sainte face

J'ai grandi à l'ombre des icônes. Ombre est bien le mot, car je ne me souviens d'aucun trait particulier : sur un fond de bois soutenu de laque brun-vert, se creusaient des visages couleur chair coiffés de nimbes dorés. De grands yeux noirs tournés vers l'intérieur attiraient parfois mon attention, avant de s'estomper dans l'ivresse de l'encens, des fleurs et des cierges.

Comme une évidence absolue – preuve du temps retrouvé et d'une indestructible conti- 7 nuité de l'histoire européenne –, la *Sainte Face* de Laon a fait retour récemment dans ma vie. Dans la chapelle Saint-Paul, ouvrant sur le bras nord du transept, à gauche du chœur, au fond de la cathédrale, c'est une icône familière qui m'a accueillie. Peinte sur deux planchettes de cyprès raboutées, la tête du Christ se détache sur une surface d'ivoire : pâle, le vert des ombres s'aggrave en brun, le visage de l'Homme aux joues larges n'accepte que quelques touches de rouge et de lumière pour lui modeler une douceur angoissée. La délicatesse d'un *sfumato* remplace la facture graphique habituelle ; la face est moins stéréotypée que les icônes convenues ; c'est une œuvre déjà picturale, prête à basculer dans le réalisme. Elle me rappelle la technique soignée des miniatures que nous allions admirer, dans les peintures murales des monastères de Tirnovo (1230) et de Bojana (1259), en Bulgarie. La foi orthodoxe peut contempler là le Verbe incarné. Mon père me parlait souvent du mandylion gardé dans le sépulcre du monastère de Bačkovo, car il lui arrivait de chanter dans cette chapelle du XIIe siècle, avec la chorale où il cultivait le chant sacré.

J'écrivais mes *Possessions*[39] lorsque j'ai retrouvé l'icône, et j'étais habitée par une femme décapitée. D'où pouvait venir la face christique sans épaule ni cou, sur son drap tendu à franges ? J'ai lu à haute voix le graphisme slave : *Obraz gospoden na obroucé*.

ѠБРАЗЪ · ГСПАНЬ · НАȢБРȢСѢ

« Image du Seigneur sur une serviette ». J'entendais l'allitération, le troisième terme reprenant en écho la sonorité du premier, le reflétant en un trouble miroir, et vice versa, comme le palindrome d'une formule magique. « Image du Seigneur sur une serviette (ou linge, ou trame d'une étoffe) » – *Obraz gospoden na obroucé* – *Obraz/Obroucé*. Si l'on respecte la quasi-similitude des deux vocables autour de leur pivot central, le sens de l'inscription pourrait être à peu près celui-ci : « Image du Seigneur sur une autre image » ou « Trame du Seigneur sur une autre trame ». Deux images, ou étoffes, associées, mais comment ?

Ce *mandylion*, comme disaient les Grecs, ou cette *véronique*, comme le dit le latin, représente de tout évidence une de ces images « non peintes par la main de l'homme » *(acheiropoiè-toi)*, dont la mémoire fabuleuse remonte à Abgar, roi d'Edesse en Mésopotamie et contempo-

39. *Op. cit.*

rain du Christ. La légende veut que le souverain, malade de la lèpre, ait reçu du Christ, en même temps qu'une lettre de lui, un « portrait » imprimé sur un linge, avec lequel l'homme-Dieu s'était essuyé le visage.

Bien plus tard, au VIe siècle, deux images légendaires « non peintes par la main de l'homme », apparaissent à la frontière orientale de l'Empire byzantin, l'une en Syrie, l'autre en Cappadoce, à Edesse et à Camuliana ; mais l'histoire de l'art chrétien ignore le mandylion avant le XIe ou le XIIe siècle. Pourquoi ces décalages, pourquoi ces retards ? La *Sainte Face* slave de Laon serait-elle l'annonce de la célèbre « Sainte Véronique » qui, depuis le XIIe siècle jusqu'au sac de Rome (1527), était conservée dans la chapelle Sancta Maria ad Præsepe, à la basilique Saint-Pierre ? Le lien paraît plausible, puisque au XIIIe siècle s'impose l'étymologie fantaisiste, *veronica* = *vera icôn*, vraie image… Mais à supposer que le « zographe » slave ait reproduit le mandylion d'Abgar, pourquoi cette étrange apparition d'une tête coupée aux longues boucles pendant de chaque côté du visage ? Une face appliquée sur un drap ne saurait imprimer de la sorte cette barbe bouclée, ces cheveux ondulant autour d'un cou coupé. Pour une « vraie » image, le moins qu'on puisse dire est que le mandylion oublie la vraisemblance la plus élémentaire… ,

C'est André Grabar qui restitue l'origine de la *Sainte Face* slave. Le célèbre byzantino-logue retrace le voyage de l'œuvre de Laon en se fondant sur son caractère pictural. Elle lui rappelle surtout la belle icône de la cathédrale de la Dormition à Moscou ; mais cette dernière, qui est probablement l'envers de l'icône bilatérale se trouvant actuellement à la galerie Tré-tiakov, est nettement plus graphique, avec une forte importance de la ligne qui, au contraire, est comme fondue dans la chair de la *Sainte Face* de Laon. En s'appuyant sur ses similitudes avec d'autres icônes, davantage que sur des documents historiques qui attestent ses déplacements[40], mais dont les versions sont bien tardives, Grabar date la *Sainte Face* de Laon du XIIe siècle. Le mandylion aurait été envoyé au diocèse de Laon depuis Rome, en 1249, par Jacques Pantaléon de Troyes, ancien archidiacre de la cathédrale de Laon et futur pape Urbain IV. Sa sœur Sibylle dirigeait le couvent de Montreuil-les-Dames, de l'ordre de Clair-vaux, et c'est à ces religieuses que le chapelain pontifical confia la très singulière « Sainte Véronique ». Pendant des siècles, et au gré des pérégrinations de leur maison, les moniales de Montreuil en Thiérache vouèrent un culte fervent à l'icône. Un document cistercien de 1467, cité par Grabar, comporte même une mise en garde contre les abus : *enormibus scandalis et grandissimis abusionis monialum*. La *Sainte Face* de Laon fut étudiée par le fondateur de l'archéologie française, le bénédictin Jean Mabillon, ainsi que par l'historien des conciles, le jésuite Jules Hardouin. Mais c'est le père carmélite Honoré de Sainte-Marie qui établit le premier, en 1717, son origine russe et slave. Pendant la Révolution, comme d'autres « effigies des ci-devant Christ, saints et saintes », l'icône orthodoxe vit son destin menacé ; jusqu'à ce que le citoyen Lobjoy, administrateur du district de Laon, la dissimule sous les dossiers, au fond d'une armoire de son bureau. Elle fut ensuite transportée à la cathédrale, accrochée à une

---

40. *Cf.* A. Grabar, *La Sainte Face de Laon. Le mandylion dans l'art orthodoxe,* Seminarium Kondakovianum, Prague, 1931.

place d'honneur au-dessus du maître-autel, pour être installée enfin comme elle l'est aujourd'hui, dans la chapelle Saint-Paul, à gauche.

Le texte de l'icône (certains spécialistes y décèlent le moyen slavon qui remonte au XIIe siècle) trahit son origine balkanique. En effet, quelques échanges avaient eu lieu entre la papauté et les rois slaves au début du XIIIe siècle : des ambassadeurs du kral serbe Stefan et du tsar bulgare Kalojan étaient venus à Rome ; des émissaires du Vatican avaient visité les pays slaves et joué un rôle assez actif dans la ville de Tirnovo en Bulgarie ; Jacques de Troyes lui-même s'était rendu en Pologne et en Prusse, d'où il était revenu en 1248, un an avant l'envoi de la « véronique » à Laon ! L'icône a pu être apportée à Rome soit en cadeau par un des princes orthodoxes, soit par un émissaire du pape. Par ailleurs, l'aspect *tendu* du drap, qui n'est pas *suspendu* comme dans les représentations occidentales, ainsi que les franges et le dessin en treillis tissé s'ajoutent aux arguments qui plaident en faveur d'une origine balkanique de cette relique. Enfin, le nimbe du Christ – avec double contour et élargissement brusque des bras du croisillon – est, selon Grabar, typique de l'époque des Comnènes (XIe-fin XIIe siècle), et ne se retrouve pas plus tard, dans les mandylions du XIIIe siècle. L'hypothèse de Grabar est convaincante : un peintre slave, ou plus probablement d'origine grecque, mais parlant le slavon, a peint cette œuvre dans un pays slave, à la fin du XIIe siècle ou au début du XIIIe. Plus vraisemblablement, la « Renaissance » des Paléologues – qui commence en 1228 et, sous l'influence enfin ouvertement reprise de l'Antiquité, introduit le volume et le modelé dans l'art – pourrait bien être le contexte culturel où s'épanouit la grâce vivante de cette œuvre. La lettre de Jacques Pantaléon qui date son transfert de 1249 n'est donc pas si éloignée de la date de l'exécution de la « véronique ».

Qu'en déduire ? Qu'il est possible d'attester l'existence d'une réelle *communauté* chrétienne en Europe qui se maintient avant et même après le schisme entre l'Eglise d'Orient et l'Eglise d'Occident (1054) ? D'apporter un élément supplémentaire à l'évolution de l'art byzantin qui conduira tout près de la figuration réaliste, sans pour autant lui faire franchir le pas du réalisme renaissant qui ne s'épanouira que dans les portraits italiens ? Mais encore ?

Ces cheveux serpentins, cette tête décollée ne me rappelaient-ils pas quelque chose de déjà vu ? Méduse ? Mauvais esprit que cette sournoise analogie. J'essayais d'en écarter la pensée insistante. Fantaisies de psychanalyste… Mais c'est Grabar lui-même qui est venu confirmer mes intuitions : « … le rôle que le mandylion jouait primitivement dans la vie religieuse de l'Orient chrétien et son iconographie particulière trouvent une analogie curieuse dans les Gorgoneia. On aurait pu douter de la possibilité de rapports quelconques entre cet apotropée païen et l'image chrétienne qui n'apparaît qu'au VIe siècle. Mais on sait que précisément les têtes de la Gorgone étaient encore reproduites sur les objets d'époque byzantine et servaient toujours de talismans[41]. » A Edesse, dans des édifices des IIe et IIIe siècles, on trouve parfois des masques barbus aux longs cheveux bouclés qui ne sont pas sans rappeler la silhouette de certaines Gorgones… et le Christ sur le mandylion. Tout récemment encore, en

---

41. *La Sainte Face de Laon, op. cit.* p. 34.

Russie, on confectionnait des amulettes avec le masque de Gorgone, dites *zmeevki*, ou « images de serpents ».

Contrairement à la peinture moderne, l'icône byzantine ne copie pas un objet du monde extérieur ; elle ne le *représente* même pas. Elle *inscrit* la présence d'une expérience religieuse ; elle fait voir Dieu. Si l'on voulait y contempler une image, il faudrait ajouter à ce mot le sens qu'il comporte dans la théologie chrétienne, lorsqu'il y est question du Christ, « image » de Dieu. En vérité, une icône ne se regarde pas. Elle s'embrasse, elle s'absorbe, elle se vit : elle transfère un monde invisible dans ses tracés visibles. Les populations grecques n'étaient-elles pas préparées à cette économie de l'image par la longue évolution de leur propre expérience du visible, dont les reflets gorgonéens étaient l'aboutissement ? Les *gorgoneia* et le corail nous apparaissent comme le maillon manquant entre la visibilité païenne, sculpturale et picturale des Grecs, et le nouveau statut de l'image qui devait s'installer en Occident avec la chrétienté. La légende d'Abgar est venue lui fournir un socle : on peut représenter la tête du Christ sans que ce soit une idolâtrie, puisqu'il s'agit d'une représentation « non peinte de la main de l'homme ». Tel fut l'argument de cette « empreinte » fabuleuse. De quoi adoucir les réticences bibliques contre les idoles.

Pourtant, la fiction de l'empreinte ne pouvait suffire à elle seule à fonder la valeur transsubstantielle du « portrait » ; elle manquait par trop de profondeur. Il fallait reprendre l'idée d'une puissance réelle de l'image à laquelle était parvenue l'expérience grecque du visible. Cette puissance intrapsychique de conjuration de l'invisible, de survie en dépit des menaces de la mort-et-de-la-femme par l'artifice de la représentation, s'offrait déjà toute prête dans les attributs de Méduse : sa tête décollée, ses serpents qui sifflent tout autour. Le Christ ne fut pas décapité (ce fut le sort de saint Jean-Baptiste, j'y reviendrai), mais une pièce de tissu permet de lever l'obstacle : l'empreinte de la face du Christ y apparaît *comme* décapitée ; sans épaule ni cou, on peut oublier le corps. D'autres y penseront, plus tard, et le représenteront, tel ce corps christique décapité qui s'offre à l'exploration anatomique, tant il est vrai que depuis longtemps les spécialistes des mandylions et des véroniques se sont accaparé sa tête.

La seconde image légendaire, toujours *acheiropoiètos,* « non faite par la main de l'homme », vient combler l'écart entre la Sainte Face et Méduse – entre Jésus et la Femme. C'est une longue histoire qui commence par une évocation évangélique[42] : une femme anonyme souffre d'une menstruation continue, mais le flux permanent de cette Hémorrhissa s'arrête lorsqu'elle touche la frange du manteau de Jésus[43]. Dans un texte apocryphe du IVe siècle, les *Actes de Pilate*, Hémorrhissa est pour la première fois nommée Bérénice, version macédonienne du nom grec Pherenice (*Phérê-niké* : porteur de victoire). Toujours au IVe siècle, l'*Histoire ecclésiastique* d'Eusèbe de Césarée (VII, 18, 1) rapporte qu'une double statue avait été érigée en Césarée, en hommage au Sauveur et à Hémorrhissa. Ce mémorial est une des premières représentations de Jésus, associée de manière symptomatique pour nous à une femme,

---

42. *Cf.* E. Kuryluk, *Veronica and her Cloth : History, Symbolism and Structure of a « True Image »*, Cambridge (Mass.), Basil Blackwell, 1991.

43. Matthieu IX, 20-22, Marc V, 25-34 ; Luc VIII, 43-48.

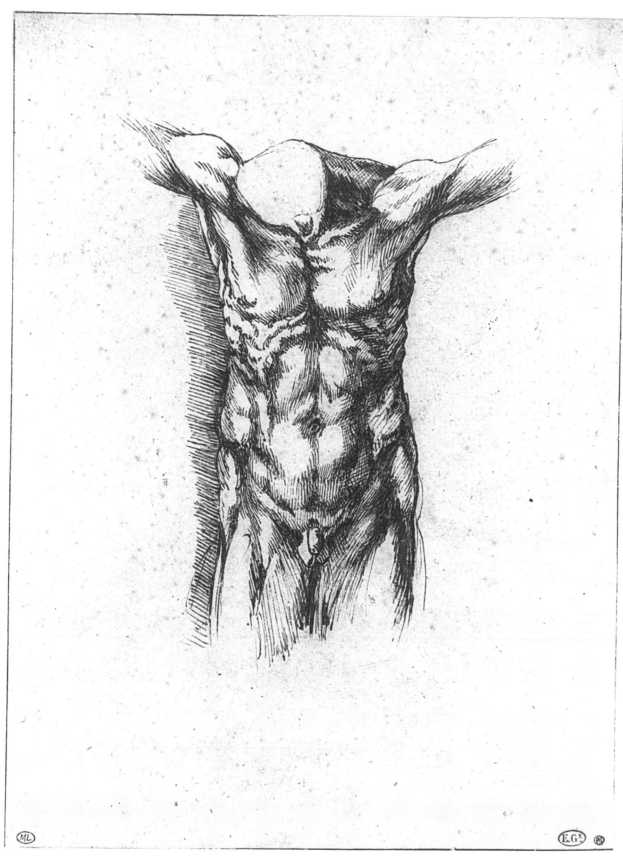

8 Entourage d'Alonso Berruguete (?), *Corps sans tête*, Paris, musée du Louvre.

9 Giovanni Mauro Della Rovere, *Sainte Véronique montrant la Sainte Face*, Paris, musée du Louvre.

10 Fra Bartolomeo, *Chemin de croix*, Paris, musée du Louvre.

11 Cristofano Allori, *Etude pour la tête d'Holopherne*,
Paris, musée du Louvre.

à la menstruation, à la maladie, à la guérison miraculeuse et, par leur intermédiaire, à l'incarnation. Au VIe siècle, une autre femme, Hypatia, native de Camuliana en Cappadoce, découvre au fond d'un puits un tissu parfaitement sec sur lequel est peint le visage du Christ, qui s'imprime de surcroît sur sa propre robe ! Il n'en faut pas davantage pour qu'Hypatia se convertisse au christianisme, et l'image « non faite de la main de l'homme » est transférée en 574 à Constantinople. A cette complicité souffrante autant qu'amoureuse entre une femme et un homme qui saignent, à leur dédoublement en miroir, s'ajoutent les nombreuses croyances païennes, et juives, relatives à la puissance du sang. Au fur et à mesure que s'impose dans la légende populaire le tissu miraculeux imprimé de la Sainte Face, c'est la *représentation* elle-même qui se tisse, d'une transition entre le paganisme et le monothéisme, entre le pouvoir-ou-la castration de la femme et le pouvoir-ou-la castration de l'homme. L'imaginaire médiéval mélange allègrement la figure d'une Marie-Madeleine aux cheveux parfumés et celle de Véronique qui, selon certains textes, fait peindre l'image de Jésus, son « ami », par un peintre, selon d'autres, essuie le visage du Christ crucifié qui s'imprime sur le linge, ou enfin le peint elle-même. Une continuité s'établit progressivement entre, d'une part, la Vierge Mère-Madeleine-Véronique et leurs attributs, hymen-cheveux-voile, qui suggèrent l'amour charnel, l'érotisme et la fécondité de la femme, et, d'autre part, l'univers de l'esprit qu'évoque le fils de Dieu. De cette continuité ou contagion, le Fils spirituel et invisible obtient précisément de la chair et de l'étoffe. Il s'inscrit dans des œuvres faites par la main de l'homme – ou plutôt de la femme, tisserande millénaire ; le droit est ainsi conquis d'en faire une œuvre. Il s'agit en effet d'une victoire (*phérê-niké*, véronique) : victoire sur l'invisible ? victoire du Christ ? victoire de la femme ? ou de leur amour ?

Fig. 20. Robert Campin,
Sainte Véronique (détail),
Francfort, Städelsches Kunstinstitut.

Fig. 21. Anonyme,
Les Vanités,
Caen, musée des Beaux-Arts.

L'homophonie entre *vera icôn* et *phérê-niké* facilite la coalescence. D'autant plus que plusieurs Bérénices se prêtent au sacre érotique et sanglant. La reine égyptienne Bérénice II (269-221 avant J.-C.) est célèbre, comme Madeleine, pour ses cheveux : coupés en signe de souffrance amoureuse (variante de la décapitation ?), ses cheveux seront chantés par le poète grec Callimaque (250 avant J.-C.). Il y a aussi Bérénice, dite encore Cléopâtre (80 avant J.-C.); Bérénice, fille de Salomé et sœur d'Hérode Iᵉʳ; Bérénice, fille d'Agrippa Iᵉʳ, roi de Judée... Ces surimpressions ont contribué à bâtir un véritable mélodrame à partir des liens apocryphes entre Jésus et Véronique, que la littérature apocryphe précisément ne s'est pas privée de détailler[44]. En 1216, l'impression du visage du Christ revendiquée par Hémorrhissa/Hypatia est authentifiée, et le pape Innocent III fonde l'office de la Sainte Face[45]. Les livres de prières médiévaux incluent des invocations comme *Salve sancta facies* et *Ave facies praeclara*. Hémorrhissa-Bérénice-Véronique transpose le monde trouble et méduséen dans la visibilité d'Un dieu. L'univers de la parole et celui de la souffrance invisible – mort ou castration – se réconcilient dans l'Image. Et le soupçon de tête coupée qui hante la Sainte Face trahit ses antécédents féminins, hémorragiques et méduséens, qui nourrissent l'imaginaire médiéval.

Ainsi, gorgées d'une généalogie gorgonéenne, les véroniques d'Occident, sur un linge suspendu et non plus tendu, présentent toujours la tête isolée du supplicié : une tête de femme souvent les surplombe, sainte Véronique (fig. 20). Fra Bartolomeo anticipe : sainte Véronique est déjà sur le chemin de croix, avant la Passion, et présente la *Sainte Face*... au futur supplicié. Puisque l'image n'est que figure de la présence divine antérieure à toute créature, et que le Christ lui-même n'est que figure de ce qui le précède, pourquoi ne pas déplacer leur ordre chronologique ? pourquoi ne pas les faire participer à ce hors-temps qu'est le temps vertical de la Foi ? Il est nécessaire pour cela de s'identifier à l'homme de douleurs, méduse décapitée, de l'intérioriser, de se confondre avec lui. De méditer sur la vanité du monde sensible : comme ce Christ enfant qui sait déjà que sa tête morte l'attend sur un linge (fig. 21). Par la grâce de cette mélancolie revécue, la sérénité du dépassement pourra être retrouvée. Comme la retrouve l'enfant qui, après un temps mélancolique, triomphe sur la perte du visage de sa mère, sur sa décapitation imaginaire, en l'hallucinant, en se la représentant, dans la tristesse pour commencer, idéalisée pour finir.

Cristofano Allori dessine une tête d'homme barbu, les yeux clos, dont la gravité chevelue pourrait être la version pathétique, florentine, de la *Sainte Face* byzantine de Laon. Plus idéalement encore, Michelangelo Buonarroti présente une femme cette fois. Il n'a pas oublié les cheveux tire-bouchonnés, attributs de la Gorgone, mais le regard en coin n'est pas étranger à l'écœurement retenu qui filtre sous les paupières de la *Sainte Face* de Laon.

L'excuse des esquisses sera le prétexte innocent que se donnent maints génies pour peindre sans justification des têtes coupées. Têtes souffrantes, parfois terrifiantes ou horribles, mais qui, en se décollant de mieux en mieux de la vision passionnelle, finissent par n'en garder que la visée idéale.

44 *Cf.* E. Kuryluk, *op. cit.*, p. 5, 27-28, 30-31, 93-94, 101-107, 114 *sq*.

45. E. von Dobschütz, *Christusbilder. Untersuchungen zur Christlichen Legend,* [Leipzig], 1899, p. 297.

12 Michel-Ange, *Tête de femme*, Paris, musée du Louvre.

Jusqu'à la Renaissance, le visage des personnages divins et saints fut auréolé d'un nimbe, couronne de lumière spirituelle[46]. Une présence divine non plus épouvantable mais pacifiée, comme le veut l'aventure christique, illumine toute la face. La contemplation de la spiritualité protectrice se métamorphose en pure spiritualité de la face même. La couronne lumineuse qui entoure le visage s'intègre au visage et le change en face radieuse, en beauté idéale. « Dans l'art classique [nous dirons que l'art chrétien idéalisant est en ce sens classique], l'artiste veut représenter immédiatement le spirituel et le divin dans les formes du corporel [...], la figure

46. La tradition judéo-chrétienne fait remonter le nimbe à Moïse, Exode, XXXIV, 29-35 : « Quand Moïse redescendit de la montagne du Sinaï, il tenait en main les deux tables de la Loi, mais il ne savait pas que son visage était devenu rayonnant en parlant avec le Seigneur. » Elle se réfère ensuite à la Transfiguration du Christ sur le mont Thabor évoquée dans les Synoptiques et dans II Pierre I, 16-18 ; « La face [du Christ] était resplendissante comme le soleil » (Matthieu XVII, 2).

13 Francesco Laurana (attribué à), *Buste de jeune femme*, Paris, musée du Louvre.

demeure la figure ordinaire et bien connue… [mais] l'intérêt dominant réside dans la façon et la manière dont l'artiste fait *rayonner malgré tout*, à travers cet élément ordinaire et bien connu, *la spiritualité* et *ce qu'il y a de plus intérieur comme étant cette spiritualité*[47]… »

La passion sanglante comporte son envers : la tête idéale. Cette anti-Gorgone, cette contre-véronique est une face lisse, de toute beauté. On ne devine pas moins, dans la sérénité de sa contemplation, « comme une harmonie qui procède seulement de la douleur infinie, de l'abandon, du sacrifice, de la mortification du fini, du sensible et du subjectif[48] ». Telle cette autre Sainte Face sortie des mains de Laurana, contre-icône de la jouissance.

14

13

47. Hegel, *Cours d'Esthétique,* t. II, trad. J.-P. Lefèbvre et V. von Schenck, Paris, Aubier, 1996, p. 142. Nous soulignons.
48. *Ibid.*, p. 143.

14 Raphaël, *Tête de femme*, Paris, musée du Louvre.

A cette incorporation de l'auréole dans le rayonnement du visage, on comparera un autre traitement, baroque cette fois, de la spiritualité qui procède du sacrifice du sensible : la tête n'est ni coupée ni rayonnante, mais voilée. A l'instar d'une auréole dont s'entourerait le corps entier du Christ, c'est un voile d'une pureté aquatique qui caresse le *Christ voilé* (1753) de la chapelle San Severo à Naples, sculpté par Giuseppe Sammartino. Tandis qu'Antonio Corradini, sculpteur actif à Venise, Naples et Este, visionne une *Pureté* (fig. 22) qu'auréolent seuls les plis d'un drapé, pour suggérer la subtilité pneumatique non pas d'un éblouissant au-delà, ni même du visage, mais du drapé lui même. Vertu invisible, tête à ne pas voir, le drapé est la belle intimité qui joue à cache-cache. La représentation en tant que telle – et non plus la représentation *de* quelque chose – a vaincu Méduse, en n'exhibant rien d'autre que la virtuosité à représenter, à transformer le marbre en un ruissellement de plis.

Fig. 22. Antonio Corradini,
La Pureté (détail),
Paris, musée du Louvre.

Une digression : économie, figure, visage

Inscrire la mère et le vide

Nous venons de croiser un moment capital du destin occidental, qu'aucun livre d'histoire ne mentionne, tant nous sommes occupés à concevoir l'histoire comme une suite de guerres ou de conquêtes économiques et scientifiques. Le règne planétaire de l'image, dont nous prenons de plus en plus conscience, devrait pourtant nous conduire à interroger plus fortement qu'on ne l'a fait jusqu'ici son avènement et ses variations.

On peut désormais affirmer, sans risquer de se tromper beaucoup, que du VIe au XIIe siècle – depuis la « découverte » des empreintes légendaires de la face du Christ sur un linge jusqu'à sa représentation picturale sous l'aspect d'une tête flottante –, s'est jouée une phase décisive du destin moderne de l'image. Un débat « byzantin », au sens propre du terme, eut lieu entre-temps, qui opposa les iconoclastes et les iconophiles, et décida du sort de la représentation moderne : débat dans lequel le mandylion, devenu en Occident une véronique, occupe une place secrète.

Byzance rendit en effet un culte fervent au mandylion. L'image d'Abgar fut transférée d'Edesse à Constantinople en 944, au cours d'une procession triomphale qui traversa toute l'Asie Mineure. Elle fut reçue avec un sermon éloquent et mémorable de l'empereur Constantin Porphyrogénète, honorée d'une messe et de coups de canon, et déposée au Grand Palais. Le jour de cette « translation » (le 16 août) est devenu une fête de l'Eglise orthodoxe. Dès lors, comme le rappelle Grabar, l'art grec avait pris possession du thème du mandylion et les copies devaient se multiplier. Cet essor fait suite à une période exemplaire de la société et de l'Eglise byzantines : la discussion sur le sort des images en théologie comme en politique est connue sous le nom de querelle des iconoclastes et des iconophiles. Les débats qui la marquèrent ne se réfèrent pas explicitement au mandylion d'Abgar, qu'aucune des parties n'avait sans doute pu voir avant la translation, mais ils concernent directement l'économie des diverses « ressemblances » que le mandylion articule (Fils et Père, Fils et empreinte, empreinte et représentation). Depuis le transfert cependant, le culte qu'on lui rend signe le triomphe des iconophiles et consolide la propagation populaire d'une spiritualité d'ores et déjà indissociable de la représentation.

Deux siècles durant, avant le transfert du mandylion, la bataille fut âpre. Après que Léon III l'Isaurien eut rendu officiel l'iconoclasme (730), Constantin V et Léon V l'Arménien prohibèrent comme idolâtres la représentation et la vénération des images du Christ et des saints. Ce n'est qu'après d'interminables et nombreuses controverses que l'impératrice Théodora rétablit l'orthodoxie, en 843. Dans ce tumulte bel et bien byzantin, l'œuvre désormais connue et brillamment commentée du patriarche Nicéphore (758-828), *Antirrhétique,* est la pièce majeure qui nous permet de comprendre, par-delà le succès de la véronique, les raisons profondes du triomphe iconique[49].

Faut-il rappeler que l'iconoclasme, loin d'être une attitude simpliste, fut une pensée sophistiquée de l'image (comme en témoigne le second concile de Nicée, en 787) ? Face aux abus superstitieux, fétichistes et talismaniques des images, qui faisaient craindre des perversions païennes et inquiétaient les « intellectuels » religieux et politiques de l'Empire, on condamna en vrac hellénisme et idolâtrie. Pourtant, le pouvoir politique, qui prit l'initiative de ce combat, se montra fort subtil dans l'appréciation de la crise : il n'interdit pas toutes les images mais seulement celles qui servaient l'Eglise. Celle-ci eut droit, pour toute *mimesis,* à la croix, à l'eucharistie, à la vie vertueuse et au bon gouvernement. La représentation des corps devait être réservée… à la politique : car la transcendance est invisible dans une image, affirmaient en substance les iconoclastes, tandis que l'image est efficace si elle est au service du pouvoir. Graver la tête de l'empereur sur les monnaies était donc autorisé, elle pouvait figurer dans les fresques des palais, mais il était illogique de mettre en image le Fils de Dieu, sa mère et les saints. En définitive, l'iconoclasme revient, consciemment ou non, à laisser monopoliser l'image par la politique, de telle sorte que le moderne est en droit de déchiffrer dans cette doctrine d'apparence ascétique ses arrière-pensées… « médiatiques ». Et si la querelle abstruse des doctes byzantins était la première compétition pour le futur marché de la « société du spectacle » ?

Le génie des iconophiles, et notamment de Nicéphore, consista à justifier le droit de l'image sur l'invisible. En développant la notion complexe de l'« icône », qu'on ne trouve ni chez Platon ni chez Aristote, mais qui serait un nœud ou une intersection critique entre deux ordres, Nicéphore assure l'installation de l'image dans l'univers de la spiritualité. C'est le concept d'« économie » *(œikonomia)* de l'image *(eikôn)* – notons l'homophonie des deux termes – qui permit à Nicéphore de résoudre la difficulté et de franchir les résistances du protochristianisme aniconique. « Représenter » serait, selon lui, non pas « mimer » ou « copier », qui reviennent à *circonscrire,* mais plus radicalement *inscrire.* Le mandylion n'est-il pas, pour commencer, une empreinte, une infiltration sanguine, une inscription ? Curieusement, cette « économie » nous ramène non seulement au saignement passionnel de l'homme et de la femme que nous avons évoqué plus haut[50], mais aussi au geste qui coupe, à l'entaille qui tranche[51]. Comment ?

La voie avait été préparée, avant Nicéphore, par de grands théologiens : Grégoire de Nysse (335-394) et saint Augustin (354-430). Dans son *Traité de la création de l'homme,* Grégoire de Nysse rappelle que Moïse demanda à Dieu, en récompense de ses travaux, de lui laisser *voir* sa gloire. Dieu accéda à sa prière, mais en se présentant de dos et en lui voilant la

---

49. *Cf.* Nicéphore, *Discours contre les iconoclastes*, traduction, présentation et notes par M.-J. Mondzain-Baudinet, Paris, Klincksieck, 1989 ; ainsi que M.-J. Mondzain, *Image, icône, économie. Les sources byzantines de l'imaginaire contemporain,* Paris, Le Seuil, 1996.

50. *Cf.* p. 48-52.

51. Que le trait tranche ou coupe dans la tradition iconographique monothéiste, ou qu'il devienne en Chine un souple écoulement à la pointe du pinceau qui écrit, il signifie toujours l'Un, « événement catastrophique » (*cf.* Hubert Damisch, *Traité du trait,* Paris, éd. de la Réunion des musées nationaux, 1995, p. 38).

face quand il passa devant lui : « Tu ne peux pas voir ma face, car l'homme ne peut me voir et vivre[52]. » Pourtant, considère Grégoire, il est impensable que le visage de Dieu puisse tuer : nous savons déjà que pour les Grecs la seule vue qui tue est celle… de la face de Méduse. Le sens de la parole divine ne saurait donc être que le suivant : si l'on voit ma face, on ne peut souhaiter continuer à voir ; voir ma face tuerait le désir de voir. Une solution logique s'impose pour résoudre cette difficulté : il s'agit de maintenir le désir de voir continûment, sans le satisfaire une fois pour toutes. Nullement prohibée, l'activité de voir devrait être en somme restituée, mais en tant que *processus*, *chemin sans fin*, de sorte que regarder devienne un apprentissage de la liberté. Apprenez à voir d'une certaine façon ; c'est ce qu'aurait dit en substance le Christ, lorsqu'il affirme : « Qui me voit, voit celui qui m'a envoyé[53] », non sans préciser : « Heureux ceux qui croient sans avoir vu[54]. » De même, à ceux qui ne le reconnaissaient pas après la résurrection, il aurait été signifié qu'il leur revenait d'acquérir une autre façon de voir : « Leurs yeux étaient aveuglés, et ils ne le reconnaissaient pas[55] » ; « Ainsi tu vas retrouver la vue, et tu seras rempli de l'Esprit saint. Aussitôt tombèrent de ses yeux comme des écailles et il [Saül] retrouva la vue[56] ».

De manière encore plus élaborée, dans *De la Trinité*[57], saint Augustin insiste sur le caractère d'*imago* ou de *phantasma* propre au lien entre les trois protagonistes de la Trinité. Dans une formule ramassée[58], il reprend, pour l'inverser, le texte du Psaume XXXVIII, 7 : « Bien que l'homme marche dans l'image, cependant il s'inquiète en vain, il accumule et il ignore pour qui il amasse. » Cette observation biblique est à rapprocher de nombreux textes qui stigmatisent les « idoles » et le « veau d'or », et d'autres encore qui représentent l'homme comme une « ombre » ou un « souffle » qui « chemine ». En retournant la proposition, saint Augustin proclame la valorisation de l'image pour les siècles à venir : « Bien que l'homme s'inquiète en vain, cependant il marche dans l'image. » Traduisons : l'image capte la frayeur, l'apaise et la restitue à l'ordre symbolique. Il s'agit bien du Fils, image naturelle et absolue du Père, mais aussi des images de cette image : des représentations artistiques ou artisanales. Bien entendu, dans ces images artificielles, « la ressemblance ne sera parfaite que lorsque la vision sera parfaite[59] » ; et toute la dialectique trinitaire de l'amour, de la connaissance et de la mémoire sera mise en œuvre pour garantir au croyant la sagesse permettant d'atteindre une telle vision. Il n'en reste pas moins que le caractère ontologique de l'image est déjà affirmé : l'homme est destiné à la vision (c'est le sens du mot *capax* qui accompagne chez Augustin *imago*), bien que l'image ne se conserve que par le mouvement vers celui par qui

---

52. Exode, XXXIII, 20.

53. Jean XII, 45.

54. Jean XX, 29.

55. Luc XXIV, 15-16.

56. Actes des Apôtres, IX, 17.

57. IIe partie : *Les images*.

58. *De la Trinité*, XIV, IV, 6.

59. *Ibid.*, XIV, XVII, 23.

elle est imprimée[60]. Les iconophiles, et tout particulièrement saint Jean Damascène (mort vers 749), s'appuient sur ces principes, qu'ils développent dans un nouveau credo : «Qui refuse l'image refuse l'incarnation. »

A partir de là, Nicéphore innove. D'une part, le Fils sera dit image du Père au sens de la consubstantialité, qui n'est pas de l'ordre de la manifestation. D'autre part, les autres images participeront de la notion d'«économie » qui maintient, sous la ressemblance formelle, la similitude *et* l'hétérogénéité des substances. L'icône relève de cette économie qui n'est ni similitude ni consubstantialité, ni *mimesis* ni *figure*, et c'est pour cela même qu'elle est, de droit, une *transition* visible entre le monde visible et le monde invisible. Plus que toutes autres icônes, les mandylions, soutenus dans l'imaginaire populaire par la symbolique de l'étoffe et du sang, manifestent cette économie transitionnelle.

Comme le démontre Marie-José Mondzain, la polysémie du mot «économie » permet d'inclure, dans l'image constituée par elle, à la fois le mystère divin et sa potentialité figurative. Le mot «économie » désigne d'abord la gestion de la fortune privée rurale, les profits et les intérêts, tout ce qui permet d'optimiser les bénéfices; mais aussi l'organisation d'un ouvrage, sans oublier l'idée de service qu'implique toute gestion. On peut imaginer comment ce terme, devenant un «concept adaptatif», risque de s'enliser dans un usage sophistiqué ou cynique, auquel n'ont échappé ni les icônes ni l'Eglise byzantine. Mais c'est aussi grâce à sa ruse, à sa portée «dialectique» (au sens platonicien du mot : débat ouvert, cheminement incluant son terme, davantage qu'hégélien : résolution des oppositions), qu'il devient apte à résumer la valeur de l'image comme incarnation, et de l'incarnation comme image, à l'intérieur de la logique trinitaire.

Saint Paul utilise déjà le sens spirituel du mot, en parlant de l'«économie » du Père[61], ce qui fut traduit par «plan rédempteur», «dessein bienveillant». Les textes latins des premiers Pères de l'Eglise précisent cette notion par toute une batterie de termes plus subtils : *dispositio, dispensatio*[62].

Chez Nicéphore, à la discontinuité entre Créateur et créature, qui nous sépare de la transcendance de la divinité, l'«économie » oppose les conditions de possibilité du discours sur Dieu d'une certaine connaissance de Dieu et, parallèlement, de sa visibilité infiniment rejouée. Le terme d'«économie » assure en réalité le rôle d'un opérateur entre deux similitudes : celle, naturelle et *absolue,* entre le Fils et le Père, et celle, *relative*, ou ressemblance formelle, entre Dieu et ses images. Cette double articulation lui permet à la fois de maintenir l'énigme du divin et d'autoriser le spéculaire sans le réduire à une *technè*. En se démarquant du terme aristotélicien de *pros ti* au profit du terme *skésis* pour exprimer la relation imagée entre Fils et Père, Nicéphore reprend le sens d'intimité, d'amour, jusqu'à la dissemblance qu'implique ce terme

---

60. *Ibid.*, XII, XI, 16.

61. Le terme d'*œikonomia* intervient dans Ephésiens, 1 : 9 : «Il nous a fait connaître le mystère de sa volonté, ce *dessein bienveillant*; Ephésiens, 3 : 2 : «Car vous avez appris, je pense, comment Dieu m'a *dispensé* la grâce qu'il m'a confié pour vous »; Ephésiens, 3 : 8-9 : «... à moi, le moindre de tous les saints, a été confiée cette grâce-là, d'annoncer aux païens l'insondable richesse du Christ et de mettre en pleine lumière, la *dispensation* du mystère. » Il emploie aussi le terme de *prothesis,* «plan divin » (Ephésiens, 1 : 11) et *ton aionon*, «dessein éternel » (Ephésiens, 3 : 11).

62. *Cf.* Tertullien, cité et commenté par J. Moingt, *Théologie trinitaire de Tertullien*, Paris, Aubier, 1966.

et qu'on a pu utiliser pour indiquer la proximité et l'intimité de l'homme et de la femme ; souvenons-nous de l'Hémorissa et du Seigneur, du sang échangé et imprimé. *Skésis* : image d'amour, relation érotique ? L'image iconique est, de surcroît, *katà skésin*, « similitude relative » : amour relatif ? En articulant les deux ressemblances, l'économie produit l'icône qui, dès lors, ne laisse pas voir un *objet* extérieur, mais seulement cette *économie elle-même*. N'accordant aucune concession au réalisme, l'icône serait plutôt un indice de l'économie du *passage* entre les deux ordres du visible et de l'invisible qu'une *copie* matérielle ou un fac-similé. On comprend qu'elle ne donne pas à voir un référent extérieur, mais se destine à accommoder un regard. L'expérience qui en résulte ne cherche pas à saisir un dehors par-delà un signe. Elle est travaillée par une *pensée du sens* telle que l'« économie » la précise.

Pour ce faire, l'« économie » doit considérer la place de la chair dans l'*homoiosis* ou similitude entre Fils et Père ; elle doit replacer dans la représentation l'aventure de la chair qui rendit le Fils humain et visible. Autrement dit, l'économie/icône s'avoue d'emblée tributaire de l'incarnation du divin, à travers Marie ainsi qu'à travers la Passion sur la croix. L'économie christique, et par conséquent l'économie iconique, sont indissociables du *ventre originel* comme de la *kénôse*, suggère brillamment Marie-José Mondzain.

A travers un terme administratif comme celui d'économie s'insinuent donc, dans la théologie et dans l'abord des images, le plan de la chair mais aussi le plan du négatif, sinon celui du maniement du sacrifice. C'est ainsi que l'identification économie/icône permettra à l'icône de devenir le « relais structurel qui permet un traitement formel de la chair dans une relation de similitude relative que la consubstantialité eucharistique ne permettait pas[63] ». C'est dire que l'icône/économie devient le terme d'un passage, de cette transfiguration de l'invisible et du visible qui place les yeux de la chair en position de regarder l'esprit. Plus encore, en raison de cette relativité, l'*icône* pourra rivaliser avec le *discours* dont la rhétorique n'exprime la ressemblance qu'obscurément ; seule l'icône sera capable de rendre cette ressemblance manifeste. Mais relativement. Economiquement.

Deux plans contribuent à cette économie subtile : la Vierge et la *kénôse*. C'est le corps maternel qui permet à l'image du Père de se distribuer dans l'histoire, d'entrer dans la chair et dans le visible. Il n'y aura donc pas d'icône/économie sans cet implicite du corps maternel. La féminité maternelle est comme résorbée dans toute icône : non plus épouvantable, mais « économisée », inscrite dans la possibilité même de représenter le Christ, et manifestée explicitement par la présence de la Vierge sur l'iconostase. Pourtant, si la *Vierge* accouche de l'image, parallèlement, la *kénôse,* qui est abaissement, vide et néant[64], permet à la chair dans la passion

---

63. M.-J. Mondzain, *op. cit.,* p. 37.

64. *Kénos* (adj.) signifie « vide », « inutile », « vain », et, de là, « non-être », « néant », « inanité », « nullité », mais aussi « insensé », « trompeur » ; le verbe *kénoun* s'emploie pour « purger », « couper » (!), « anéantir ». On repère ces significations dans les textes de saint Paul ; ils désignent l'expérience faite par le Christ des limites, de l'abaissement, de l'humilité, de l'inanition, en tant que l'incarnation lui fait subir la forme humaine, et dont le point culminant est constitué par l'anéantissement et la mort. Ni l'intimité permanente avec le Père ni la gloire de la résurrection n'empêchent le Christ de vivre ces limitations ; l'absence de miracle pour secourir Jean Baptiste ou le Bon Larron en est un exemple. *Kénôse* due à son humanité, ou kénôse qui affecte la nature de sa divinité elle-même ? Les théologiens n'ont pas fini d'en débattre, les protestants et les orthodoxes accordant apparemment plus d'attention à ce problème. *Cf. Lexique théologique du Nouveau Testament* et *Dictionnaire du catholicisme,* vol. 6.

d'accéder au Sens. L'icône-économie ne peut reconstituer la dialectique de l'incarnation qu'à partir de ce double mouvement : accouchement/anéantissement.

L'intériorité organique du corps devient, dans cette logique, économiquement compatible avec la spiritualité : la souffrance de la chair sera vue non plus comme simple dissection mais comme transfiguration. On pourra représenter la perversité des démons, vampires et autres sacrifices, car la représentation de ces atrocités est à l'opposé exact et logique des apparitions du corps christique. L'iconicité sera désormais rédemptrice : celui qui a été créé à l'image du Créateur sera rédimé par l'image de ce Créateur. Celle-ci aura droit non pas à l'adoration comme le veulent les païens, mais au respect *(timé)* et à la prosternation *(proskynèse)*.

On comprend maintenant pourquoi, plus spécifiquement encore, l'« économie » permet de regarder l'icône – et toute image ? – non pas comme une représentation pleine de son modèle (comme une « circonscription », dit Nicéphore), mais comme une « inscription » *(graphè)*. La différence ? La circonscription comprend tout ce qui relève des sens *(en aisthèsei)* et de la monstration *(deixei)*. L'inscription, elle, relève surtout de la pensée *(en noései)*. Ce moment est crucial. Une certaine « représentation » pourrait donc être *graphique* et, en tant que telle, elle serait ni plus ni moins la condition de la pensée. Pour cela, il est indispensable que son économie intègre à la fois l'*engendrement* et le *vide*. On saisit mieux ici pourquoi l'économie n'est pas une *mimesis* : parce qu'elle tient compte de la *naissance* et du *vide*. Le terme paulinien de *kénôsis*[65], qu'on traduit par «humilité», «déréliction» de la passion et «inanition» de la mort, prend, dans la genèse des icônes, un sens radical d'«évidement». Pour être un relais avec le divin, l'espace de la représentation iconique se doit d'inscrire ce vide, de le faire naître dans le visible. Si la *kénôse* est l'équivalent du sacrifice, le vide iconique n'est autre que l'indice de l'entaille sacrificielle.

Vide du sacrifice christique, mais vide aussi de l'espace virginal : proto-espace, selon Nicéphore, «espace sans espace», *chôra*. Revient ici, sous la plume du patriarche, le terme platonicien et combien énigmatique d'un espace avant l'espace[66]. Le corps de la Vierge est *chôra tôn achôrètôn, platytera tôn ouranôn*, espace des choses sans espace, plus large que les cieux[67].

Nous suivons, avec ces méditations, l'avènement de l'espace singulier de représentation qu'est l'icône, et qui se confond avec un acte mental de recueillement : il oriente le visible vers une pensée de la chair qui engendre *et* meurt. La décollation s'est insinuée en lui en tant qu'inscription d'un vide qui fait naître. Cette « économie » commence par justifier les images, mais elle fait glisser le regard au travers du visible vers l'au-delà de la foi, et culmine en impri-

---

65. Ph. II, 7.

66. *Cf.* Platon, Timée (§ 52) : «Une place indéfiniment ; il ne peut subir la destruction, mais il fournit le siège à toutes choses qui ont un devenir, lui-même étant saisissable, en dehors de toute sensation, au moyen d'une sorte de raisonnement bâtard… » Platon évoque plus loin le rythme, l'instabilité et le balancement de ses éléments : «… avant même que l'Univers constitué par leur arrangement ait pris naissance […] ; mais ils se trouvaient, certes, tout à fait en état où l'on peut s'attendre à trouver toute chose, quand Dieu en est absent » (§ 53) ; et il qualifie cette *chôra* de maternelle : «Or, précisément, la nourrice se mouillait, s'embrasait, recevait les formes de la terre et de l'air, et subissait toutes les affections qui s'ensuivent » (§ 52). *Cf.* aussi notre *Révolution du langage poétique*, Paris, Le Seuil, 1975, chap. I, «Sémiotique et symbolique », p. 22 *sq.*

67. *Cf.* Nicéphore, *op. cit.*, p. 28.

mant le vide comme condition de la représentation et de la pensée. Les amateurs d'art graphique et de dessin trouveront ici un ardent plaidoyer pour le *trait graphique*, pour cette « économie » entre traces et vides qui conduit à la sublimité d'un Solario ou d'un Dürer. Plus ambi-
tieusement encore, Nicéphore y voit une apologie de la pensée elle-même, dont il lie désormais
le sort avec celui de l'image-icône : « Ce n'est pas le Christ, mais c'est l'univers tout entier qui
disparaît s'il n'y a plus ni circonscription ni icône[68]. »

On ne répétera jamais assez que l'espace de la représentation, ainsi ouvert et autorisé,
est un espace vierge. Vierge de Méduse ? Un certain évidement, une hémorragie, une certaine
décollation, dont le trait iconique manifeste l'entaille, sont indispensables pour que l'économie
de l'inscription apparente participe du divin. Le sacrifice anciennement méduséen vient de se
métaboliser sous nos yeux en une « économie » du féminin dont on ne connaît que trop
l'absence dans l'iconographie orthodoxe. Ce faisant, le graphisme iconique réussit une négo-
ciation du visible avec l'invisible dont il avoue, avec le mandylion de Laon, la descendance
méduséenne. Une vérité limite de la représentation est ainsi atteinte, que la *Sainte Face* de
Laon tente de repousser plus loin, vers ses antécédents charnels et passionnels, de féminité et
de *kénôse*.

Aux yeux du spectateur moderne, instruit par la pléthore de la représentation qui a
déferlé sur l'Occident ainsi que par sa crise, cette vérité limite ne manque pas de poser pourtant une redoutable question : est-il possible, depuis la logique de ladite « économie », de réhabiliter cette intimité de la chair, dans sa renaissance comme dans sa mort, dont l'icône autorise
la communion chez le croyant, mais dont elle ne restitue pas les figures multiples, savoureuses,
infinies ? Pourrait-on déplier l'indice, le graphisme, l'incision du vide, et mettre ainsi en évidence la violence du sacrifice en même temps que celle des fastes du féminin ? Pourrait-on
avouer la dramaturgie passionnelle – hémorragique et sacrificielle, dont les icônes faisaient
l'économie tout en invitant le croyant à les contempler avec les « yeux de l'esprit » –, pour
déployer au grand jour le psychodrame sacrificiel qui sous-tend la quête du Sens ? C'est bien
dans cette perspective que va s'engager l'histoire ultérieure de la représentation, en libérant
l'univers iconique des raideurs de l'iconostase. Mais en prenant simultanément le risque de
perdre son inscription dans la chair du communiant, pour amener l'« économie » juste à la surface de la rétine et se contenter d'un spectacle sans fond. Ce n'est que lorsque cet affadissement
spectaculaire se fera menaçant, que certains voudront revisiter la figure du sacrifice, l'entaille,
la tête qui tombe. Car la *figure* restitue le corps volume, mais la mémoire *iconique* communie
avec la chair du sang.

Quant au mandylion, reprenant le visage seul, chargé des connotations sacrificielles et
gorgonéennes que nous lui avons vues, il s'engage déjà dans la voie de cette libération figurative. Le visage (*prosôpon*, terme par lequel on désigne les personnes de la Sainte Trinité : c'est
l'économie hypostatique de la divinité) représenté par cette *Sainte Face* exprime en effet, avec
plus de précision que dans les icônes ordinaires, l'humanité de la souffrance christique. Le
maître de cette œuvre épouse au plus près l'extériorité visible, tout en continuant à inscrire la

---

68. *Cf.* Nicéphore (224D), *op. cit.*, p. 9 *sq*.

chair et sa *kénôse* avant tout comme une entaille dorée ou noire sur le fond brun olive du bois. Les têtes d'icônes sont des otages de l'au-delà, le graphisme iconique leur donne l'apparence figée de têtes coupées ; en même temps qu'il produit leur « économie » utérine au sens gestionnaire et épargnant du mot, puisque l'espace utérin de la chair vivante y est à la fois implicite et soustrait. Une autre logique devait relayer cet entre-deux. C'est la notion de *figura* qui va permettre le dépassement de la grandeur et du resserrement iconique-économique. Un visage qui n'est pas seulement une économie de la *kénôse* et de la *chôra*, mais… une figure. Qu'est-ce qu'une figure ? Après l'*Icône*, la *Figure* nous permettra d'aborder une nouvelle phase capitale dans l'histoire du visible.

Figurer : événement, histoire, promesse

Le sens courant de *figura*, « forme plastique », provient de la racine *fingere* (modeler), *fingulus* (potier), *fictor* (modeleur), *effigies* (portrait), comme le rappelle Erich Auerbach[69]. Avec l'hellénisation de la culture romaine cependant, une longue histoire du mot commence, qui cristallise le destin de la représentation dans notre civilisation. D'abord, Varron, Lucrèce et Cicéron amplifient dans *figura* le sens d'« apparence extérieure », « contour », mais aussi et plus abstraitement « forme grammaticale », « forme plastique », « tracé géométrique », les atomes eux-mêmes pouvant être dits « figures » ! Mais l'invention latine la plus radicale sur ce sujet pourrait être l'élaboration du concept de « figure rhétorique » : l'idée est en effet grecque, mais c'est Quintilien qui la parachève. Modifier la langue maternelle qui nous unit naturellement, banalement, changer le sens ridé des mots quotidiens, leur faire receler des intentions inouïes, des prévisions surprenantes – n'est-ce-pas modeler le langage, l'esprit : en faire des figures ? Un mode de pensée se prépare pour accueillir les cogitations des Pères de l'Eglise, de Tertullien à Augustin, qui vont donner au terme de « figure » le sens de « prophétie en acte ». Non plus seulement « forme » mais conjointement « substance », *figura* commence à signifier « quelque chose de réel et d'historique qui représente et annonce une autre chose tout aussi réelle et historique[70] ». On tend à minorer le sens de « métaphore » ou d'« allégorie » que peut véhiculer *figura*, pour y accentuer l'*action corporelle* de l'être réel. Contre les acceptions plus spiritualistes toujours possibles, le terme *figura*, à partir du IVe siècle, ainsi que la pratique interprétative qui lui est associée parviennent enfin à leur plein épanouissement chez les Pères de l'Eglise latine. Ainsi, lorsque saint Augustin reprend des passages de l'Ancien Testament qui « préfigurent » le Nouveau, il ne les interprète pas comme de simples allégories mais insiste d'abord sur leur sens historique spécifique, avant de leur redonner le sens de l'accomplissement chrétien. La lettre de l'Ecriture, c'est-à-dire la réalité charnelle et historique de l'histoire juive, est rétablie en premier lieu, le sens second procédant de l'avenir chrétien vient s'y ajouter pour parachever le modelage : tel est le cheminement de la *figura* au sens d'une

---

69. *Cf.* E. Auerbach, *Figura* (1938), trad. fr., Paris, Belin, 1993.
70. *Cf. ibid.*, p. 32.

« prophétie en acte ». Sara ou Salomon sont d'abord tels quels, réels et historiques, et deviennent des « figures de l'avenir » dans le contexte de l'Eglise. Il résulte de ce mouvement, qu'Auerbach analyse finement dans des textes précis, que l'opposition figure/vérité est en voie d'abolition, puisque sous la figure se dissimule autre chose : une vérité toujours déjà là et cependant à venir. *Figura* cesse d'être un concept nominaliste mais, en devenant « signifiant et existentiel », se charge d'une connotation réelle et spirituelle, ajoute Auerbach[71]. Intermédiaire entre lettre, histoire et vérité, *figura* n'aura pas de mal à détrôner *tupos* : si Adam ou Moïse renaissent dans la personne du Christ, ce n'est pas dans le cadre d'une pensée du « modèle », ni comme « allégorie », mais dans un système interprétatif où le Ressuscité accomplit, relève et surmonte l'œuvre de son Précurseur. Cette *Aufhebung* bizarre et avant la lettre qu'est *figura* n'est pas une simple récupération de l'Ancien dans le Nouveau, comme on pourrait le craindre et comme il arrive souvent. *Figura* permet au Nouveau de s'immerger dans l'Ancien, de le découvrir, de s'en inspirer. Comme une *figura rerum*, l'ancienne histoire juive prend valeur universelle et de préfiguration dans l'histoire en cours des nouveaux peuples qui l'ignorent mais qui, par la *figura*, s'en imprègnent... De ce fait, le croyant est invité à établir le *rapport entre deux réalités historiques*, à restituer la profondeur historique de chaque événement – son avant, son après.

Pourtant, cette logique figurative ne devient nullement un *processus* historique au sens moderne du terme. Le « figurisme » confère un élément d'éternité voilée à chaque fait, qui demeure isolé, *fragmentaire*, et néanmoins redevable à un avenir qui est de toute éternité. En fait, le « figurisme » charge d'histoire et de corps réels toute forme, et inversement il incarne l'expérience de l'histoire et des corps dans des formes. Il insinue l'histoire sans vraiment l'imposer (il faudra attendre le XIXe siècle pour qu'un discours de l'histoire s'affirme), mais sa véritable force consiste à détenir la clé de l'art. *La Divine Comédie* en serait l'exemple parfait, avec son Virgile qu'on devrait lire d'abord comme le personnage historique de Virgile lui-même, et seulement après comme une *figura* de la vérité accomplie que révèle le poème : un Virgile qui apparaît en conséquence comme un accomplissement plus réel et plus fort que sa simple forme.

On voit comment, dans le figurisme, le décalage persiste entre la « représentation » et son « sens au-delà » ; mais on voit aussi comment, par le truchement de la *figura,* cet au-delà prend un aspect substantiel et historique. Nous sommes loin de l'icône et de son économie d'incision, d'inscription du vide dans une image à ressemblance relative. La figure cherche des ressemblances dans la durée de l'histoire humaine, elle les force même, pour en laisser ouverte la promesse, la prophétie, l'action toujours à venir.

De la parcimonie suggestive des icônes à la profusion pléthorique des figures, j'aime à penser que la similitude et la divergence de ces deux notions, « économie » et « figure », commandent deux destins de la représentation en Occident. Ils ne sont pas toujours en opposition car l'histoire de l'art, depuis le Moyen Age, en démontre les contaminations plus ou moins inconscientes. L'économie de l'icône nous invite à communier avec l'invisible, utérin ou mortel,

---

71. *Op. cit.*, p. 51.

mais se garde de nous le livrer. Nous l'approchons notamment dans le tracé graphique des grands artistes graveurs de cette exposition qui, dans l'apparence elliptique d'un geste, nous conduisent dans l'être même d'une souffrance ou d'une extase. Pour sa part et en contrepoint, l'abord historique et fragmentaire des figures ressuscite maints récits et fables anciennes. Ces représentations « figuratives » (auxquelles je donne ici le sens restauré par Auerbach) s'approprient avec aisance telle forme grecque ou telle mémoire juive, et accentuent le réalisme du visible. Mais c'est au risque de se priver de l'Invisible Promesse que recelaient les icônes.

Quand figure-t-on le visage ?

Le rôle du visage est symptomatique dans cette aventure figuriste. Dans le cours de la représentation en Occident, la « prophétie en acte » se concentre sur le visage, et celui-ci devient la vision capitale – concentrant l'histoire et les mythes dans la profondeur d'une intimité. L'histoire du mot « visage » indique comment le sens de « vision », que contient *vis*[72], se déplace et absorbe progressivement celui de « figure », en en reprenant la valeur de « forme » générale, de « forme » spirituelle ou abstraite, mais aussi et plus ou moins inconsciemment, le sens de « prophétie en acte ».

Nous utilisons facilement aujourd'hui « figure » pour « visage » : « se laver, se cacher la figure », « figure joyeuse, de déterré, casser la figure », etc. Mais c'est au XVIIIe siècle seulement que le « visage » commence à se dire « figure ». Lesage et Rousseau seront les premiers à l'utiliser en ce sens, ainsi que Diderot, qui l'inscrira dans l'*Encyclopédie* de 1756[73]. Parallèlement à cet affinement de la *figura* sur et par le visage, celui-ci s'approfondit et celle-là s'aplatit. La promesse prophétique disparaît, et si un au-delà de la surface du visage demeure, il n'est qu'un abîme psychologique, et bientôt infernal, écorché, défiguré : « figurer » un visage reviendra à « en restituer la passion, les invisibles entailles ». Bossuet sera le dernier à écrire le monde comme une *figura*. Pourtant, en créant le *Chevalier à la triste figure*, Cervantès utilisait le

---

72. *Cf.* J. Renson, *Les Dénominations du visage en français et dans les autres langues romanes*, étude sémantique et onomastique, vol. I et II, Paris, Les Belles Lettres, 1962. L'auteur précise qu'il s'agit du dérivé *vis* + *age (-aticu)*, ce suffixe n'ayant pas, dans le cas précis, sa valeur d'exprimer l'action, mais simplement de donner corps au mot : il désigne l'ensemble des traits dont se compose le *vis*, « miroir de l'âme ». Le terme *visage* est fixé au XIIe siècle et ne changera pas jusqu'au XXe. Le mot « face », de *faciès,* est introduit par le clergé, grâce aux traductions du Psautier : cet emploi solennel sauvera « face » de l'oubli, au moins en français. « Chère »-« chair » vient en troisième position aux XIIe et XIIIe siècles ; mais peut-être devrait-on réhabiliter ce terme pour « visage » lorsqu'on voit les défigurations auxquelles se livrent les artistes modernes, de Bacon à Rainer.

73. « Représente-toi un grand homme pâle et décharné, une *figure* [c'est nous qui soulignons] à servir de modèle pour peindre le bon larron… Tu n'as jamais vu de *figure* plus hypocrite, quoique tu aies demeuré à l'archevêché » (Lesage, *Histoire de Gil Blas de Santillane* [1715-1735], t. II, Paris, Garnier, 1995, p. 29 ; on notera le contexte ironique et anticlérical de cet emploi) ; « J'ai oublié son odieux nom ; mais sa *figure* effrayante et doucereuse m'est bien restée et j'ai peine à me replacer sans frémir » (Rousseau, *Les Confessions,* Bibl. de la Pléiade, 1951, p. 115-116 ; on notera le sens péjoratif) ; « Je possède surtout le talent d'encourager un jeune homme timide ; j'en ai fait réussir qui n'avaient ni esprit ni *figure*… » (Diderot, *Le Neveu de Rameau*, coll. de l'Imprimerie nationale, Paris, 1982, p. 117 et 121), de même que l'*Encyclopédie ou Dictionnaire raisonné des sciences, des arts et des métiers* (1756), « Figure *(physiol.)* : se prend pour le visage. Cet homme a une belle ou vilaine figure » (Encycl., VI, p. 772, art. d'Abber de Cabroles).

vocable, mais pensait à l'aspect de la personne entière ; Molière[74] et Mme de Sévigné[75] évoquaient également l'« aspect » sous ce terme ambigu qu'était encore pour eux « figure ».

Symptomatiquement, curieusement, c'est un mécréant, un matérialiste, le philosophe Denis Diderot, qui reprend par l'alchimie du verbe la latence prophétique du mot « figure », et l'inscrit dans le mot « visage », en même temps que dans une nouvelle conception de la peinture. J'émets l'hypothèse que l'évolution du mot « figure », devenu explicitement « visage » pour Diderot, accompagne cet écrivain, fervent amateur de portraits, dans sa nouvelle conception des arts plastiques, le génie de la langue contribuant à sa défense d'une peinture qui ne « copie » ni ne « ressemble », mais s'emploie à « exagérer, affaiblir, corriger son modèle[76] ». Le portraitiste est ainsi appelé à chercher le « sens interne » de son modèle, en se modifiant lui-même « selon la chose qu'il projette », tel La Tour, et surtout le préféré, Greuze, ce chercheur de « têtes ». La *figure* affecte, chez Diderot, autant le modèle, qui s'en trouve corrigé, que le peintre, qui est modifié par « la chose qu'il projette. » Est « figure » le « visage » qui exprime une tension entre deux univers, deux logiques, deux types d'action – une sorte de « prophétie en acte » dans l'immanence du vécu humain.

On connaît la rupture de Greuze avec le Salon, monopole de l'Académie, que provoqua son tableau *Septime Sévère et Caracalla,* et dont les *Etudes de têtes d'après la colonne Trajane* sont une préparation, moins aboutie que l'œuvre finale, mais qui indique bien le sens des variations qui vont se dissocier du canon classique pour épouser la passion moderne et ses terreurs. En s'inspirant d'un sujet *historique* (l'empereur Sévère reproche à son fils Caracalla d'avoir voulu l'assassiner dans les défilés d'Ecosse : « Si tu désires ma mort, ordonne à Papinien de me la donner avec cette épée », dit-il), Greuze peint des acteurs *modernes*, des héros quotidiens qu'il campe dans un décor classique. En ce sens, ces « têtes » sont des *figurae*.

L'Antiquité est modernisée, au grand dam de l'Académie, qui crie à la trahison de l'esprit rigoureux d'un Poussin : Cochin se plaint devant Marigny d'« une couleur triste, lourde et soutenue d'ombres noires et sales, d'un faire pesant et fatigué ». Aux antipodes de cet académisme éternel, qui encore de nos jours cultive la nostalgie de la légèreté grand-siècle, Diderot salue une nouvelle version du beau. Il estimait déjà le dessin de *La Malédiction paternelle* : « beau, très beau, sublime[77] ». Plus encore, l'épisode dit du *« Parricide de Septime Sévère »* était devenu le prétexte pour cet autre « parricide » qu'est l'appropriation par Greuze de la tradition classique : par-delà le thème œdipien de l'œuvre, c'est la logique de la « figuration », au sens d'une assimilation de l'ancien par le nouveau, qui choqua en lui. En effet, à l'allure classique de Poussin, Greuze insufflait le « plaisir de l'horreur » *(delightful horror)* d'Edmund

---

74. « M'obliger à porter de ces petits chapeaux / Qui laissent éventer leurs débiles cerveaux ; / Et de ses blonds cheveux, de qui la vaste enflure / Des visages humains offusque la *figure* ! » (*L'Ecole des maris*, acte I, sc. 1, in *Œuvres complètes,* t. I, Paris, Garnier, 1934, p. 294.

75. « Je tâche de me consoler, dans la pensée […] que vous n'êtes dévorée de mille dragons, que votre joli visage reprend son agréable *figure* » (Lettre n° 591, à Mme de Grignan, le 23 juillet 1677, *Correspondance*, Paris, Gallimard, Bibl. de la Pléiade, t. II, 1980, p. 499).

76. Diderot, *Œuvres esthétiques*, Paris, Garnier, p. 529.

77. *Cf.* E. Munhall, « Les dessins de Greuze pour "Septime Sévère" », in *L'Œil*, n° 124, avril 1965.

Burke[78], et l'« abîme dévasté » *(the wasteful Deep)* de Milton où le Fils de Dieu précipite les anges rebelles. Une nouvelle conception du sublime était en cours dans ces têtes- « figures », qui n'est ni l'extase ni la pureté, mais l'immersion du terrible dans le grand, de la passion dans la raison[79], qui vous *figure* (au sens d'Auerbach) un visage. En réalité, il ne s'agit pas seulement d'une « modernisation », sous influence anglaise, de *thèmes* historiques ou psychologiques. Par-delà ce débat idéologique, c'est un *style*, une manière de voir, qui est en train d'apparaître et que Diderot défend : celui du passage, de l'entre-deux, de la « prophétie en acte ». On dira dès lors : de la *figure*. Celle-ci sera désormais indissociable du « plaisir », de l'« abîme » et de l'« horreur », non pas parce qu'ils existent en eux-mêmes, mais si, et seulement si, ils adviennent dans l'interaction entre l'artiste et le modèle, le texte et l'image, le passé et le présent. Délicieux supplice, en effet, que cette projection réciproque, cette chair à vif, ce visage, non : cette *figure* !

Il peut arriver que le philosophe se trompe de personnage en commentant le tableau du peintre, et vante une tête en la prenant pour une autre, tout en suggérant la destruction du reste (Salon de 1769); alors l'artiste brocarde son inconséquence. Qu'importe, notre critique adore chez Greuze le mélange « d'étonnement et d'indignation. C'est une belle, très belle *figure* [*sic*] que ce vieux soldat à la longue barbe et à la tête chauve… ». Papinien ou pas, Diderot est en train de sauver ces « têtes merveilleuses » parce qu'elles sont… des visages devenus figures : c'est-à-dire du passé arrimé au présent, du réalisme présent ressourcé à la rigueur antique.

Le *prosôpon* grec, tel un masque d'abord, dissimulait plutôt qu'il n'exprimait la psyché qui se révélait plus facilement dans un dialogue que dans une peinture. Médium cependant, le visage se chargea, avec Platon, d'introduire au Beau, et devint progressivement le « communicateur » par excellence, car le lieu d'émission des signes les plus subtils, des sentiments les plus délicats – les larmes, le chagrin –, avant de s'imposer comme l'expression souveraine de l'âme[80]. Il fallait cependant passer d'abord par l'histoire juridique de la personne avec Rome, par celle ensuite de l'individuation et de la singularité, à l'avènement desquelles contribuent la prière, le carnaval et la littérature – le « for intérieur », le « rôle » et le « personnage » – pour que le *portrait* puisse *figurer* l'âme. Pour qu'il soit capable d'en restituer la forme, qui n'est pas « copie » mais « projection ». N'entendons pas projection au sens filmique du terme. Il s'agit d'un va-et-vient. Et cela non seulement entre le passé et le présent, l'ancien style et le nouveau, mais aussi entre les termes d'un tout autre clivage, que vous êtes libre d'imaginer mais qui est en fait insoutenable : notamment la séparation entre le « modèle » et le « créateur ». A l'instar de la *figura* qui fut une prophétie en acte, le *visage* devenu *figure* projette : il devance et modifie son modèle, aussi bien que l'artiste lui-même qui s'y loge. « Il agrandit, il exagère, il corrige les formes. A-t-il raison, a-t-il tort ? Il a tort pour le pédant; il a raison pour l'homme de goût. Tort ou raison, c'est la *figure* [*sic*] qu'il a peinte qui restera dans la mémoire des hommes à

78. Son ouvrage, *Une recherche philosophique sur les origines de nos idées du sublime et du beau*, 1757, est traduit en français en 1765.

79. R. Michel, *Le Beau idéal ou l'art du concept*, Paris, éd. de la Réunion des musées nationaux, 1989, p. 35-36.

80. *Cf*. F. Frontisi-Ducroux, *Du masque au visage. Aspects de l'identité en Grèce ancienne,* Paris, Flammarion, 1995.

venir.» «Tâchez, mes amis, de supposer toute la *figure* transparente, et de *placer votre œil au centre*[81].» Oui, vous avez bien lu : c'est en plaçant son œil au centre du... modèle, que le peintre «figure». Ce «figurisme» de Diderot n'annonce-t-il pas déjà... Picasso? Le propre portrait de Diderot (celui qu'il préfère), peint par Garand, lui paraît bon comme... une figure de rhétorique, un jeu de mots : «Je n'ai jamais été bien fait que par un pauvre diable appelé Garand, qui m'attrapa, comme il arrive à un sot qui dit un bon mot[82].»

Or, parce qu'il est ici figure au croisement des passions[83] entre le modèle et le peintre, le visage est fondamentalement un... «supplice». De quoi bouleverser la physiognomonie figée! Inattendu sous la plume de ce philosophe bon vivant, le mot violent surgit à propos du visage peint : «Quel supplice n'est donc pas pour eux [les coloristes] le visage de l'homme, cette toile qui s'agite, se meut, s'étend, se détend, se décolore, se ternit selon la multitude infinie des alternatives de ce souffle léger et mobile qu'on appelle l'âme[84].» Le visage «supplice» parce que «figure» d'un fragment d'histoire passée, promesse d'un avenir incertain et cependant ouvert dans l'interaction violente de deux projections, souffles, âmes? Car dès qu'on quitte la copie des apparences, le feu des projections dévoile l'abîme des instabilités et figure le plaisir de nos incertitudes. L'horreur est proche, mais elle est visible. Le visage figurant ses potentielles transfigurations remplace désormais la prophétie en acte : il humanise la transcendance, il la psychologise, mais aussi l'épuise. «Infinies alternatives», comme dit Diderot, de la vision qui n'oublie pas qu'elle relève du supplice, qu'elle le relève, qu'elle en réserve l'économie. C'est ainsi que le visage est devenu, dans ce siècle matérialiste, la véritable «transfiguration».

---

81. Diderot, *ibid.*, p. 508; *ibid.,* «Essais sur la peinture», p. 672. Nous soulignons.

82. *Ibid.*, p. 512.

83. Par Charles Le Brun, *Les Expressions des passions de l'âme* (1727), Diderot a eu un contact fécond à la fois avec la tradition occultiste (Jacob Boehme, *Des quatre complexions,* le Père Martin del Rio, *Les Controverses et recherches magiques,* etc.) et avec la tradition scientifique de la physiognomonie (Lavater, Gall – il accepte de collaborer à la traduction française, qui n'aboutit pas, des *Physiognomische Fragmente* de Lavater), tout en se rattachant à la seconde. Ayant lu le *Traité des passions* de Descartes, Diderot considère comme Le Brun que la physiognomonie est l'expression ou la pantomime d'une passion dominante. Le visage devient ainsi un véritable langage, le langage originel de l'humanité. Diderot ne parle plus d'esprits animaux, mais sa science physiognomonique reste limitée – comme chez Le Brun – par un petit nombre d'expressions stéréotypées (*cf.* Jacques Proust, «Diderot et la physiognomonie», in *Cahiers de l'Association des Etudes françaises,* Les Belles Lettres, nº 13, juin 1961, p. 317-329). Ce parcours est de toute évidence au fondement de la consolidation lexicologique du mot «figure» au sens de «visage» chez Diderot.

84. Diderot, *ibid.*, p. 680.

15 Andrea Solario, *Etude pour la tête de saint Jean-Baptiste*, Paris, musée du Louvre.

La figure idéale ou une prophétie en acte : saint Jean-Baptiste

Nous sommes nombreux à avoir désormais perdu la mémoire de ces mythes, récits, métamorphoses et économies. D'autres, venus de terres éloignées, ne l'ont jamais eue. Pourtant, chacun est bouleversé par la tête coupée posée sur un plat : foyer de projections personnelles et culturelles multiples, indécidables. Je contemple le splendide Solario, amoureux d'un saint Jean plus endormi que torturé, savourant déjà le paradis, à moins que ce ne soit la danse que lui prépare Salomé. Ce dessin, son thème, me paraissent – au point où nous sommes de notre parcours – comme le nœud inaugural de la figuration moderne. Ils condensent la logique de la *Figure* en tant que manière de voir, attitude de représentation, dont nous avons vu la genèse et dont il nous reste à suivre les éclosions. L'avant et l'après de la prophétie figuraliste s'articulent ici et d'abord dans une invitation à *regarder en lisant* : à joindre l'image au texte, le visible à l'histoire et au mythe. A partir de là, nous devons nous préparer à *vivre* la figure dans sa coupe *et* dans son volume, dans son tranchant *et* dans sa danse ; à l'habiter, raide *et* volatile, violente *et* heureuse, sang *et* esprit, horreur *et* promesse.

La mort de Jean-Baptiste est le thème par excellence sur lequel devait se bâtir cette figurabilité qui spécifie le destin de l'Occident, parce qu'elle concilie l'incision et la perspective, le sacrifice et la résurrection : sa figure nous apparaît désormais comme la figure de la Figure. Pourquoi lui ? Qui est-il ? Le dernier des Prophètes ? Un Essénien de Qumrân ? L'homme secret des manuscrits de la mer Morte ? Le premier des Apôtres ? Homme de l'Avent et de l'Avenir ? Flavius Josèphe, le grand historien juif (vers 37-100 après J.-C.), qui ne fait qu'une brève allusion au Christ, considère Jean-Baptiste comme une grande figure du judaïsme de son temps. « Jean, écrit Josèphe, était un homme bon, qui prêchait aux Juifs de pratiquer la vertu, d'être justes envers le prochain, pieux envers Dieu et de recevoir le baptême : car, si ce rite du baptême lui semblait utile, ce n'était point pour effacer les péchés, mais seulement pour assurer la pureté des corps, l'âme ayant été antérieurement purifiée par la justice. Le peuple se groupait autour de lui et presque tout le monde était saisi par ses discours : Hérode craignit donc qu'il ne se servît d'un tel ascendant pour entraîner les gens à quelque action[85]. » Les Evangiles restituent pour leur part l'histoire personnelle de Jean, où sa décollation prend le sens d'une préfiguration de la Passion du Christ.

Maints commentateurs ont insisté sur les recoupements des destins des deux cousins. Ainsi Zacharie, le père de Jean, prêtre de la classe d'Abia, était dans le Hékal, le sanctuaire, quand l'ange du Seigneur lui apparut à l'heure de la prière, pour lui annoncer que sa femme, Elisabeth, fort avancée en âge et qui avait perdu l'espoir d'être mère, lui enfanterait un fils et

---

85. *Antiquités judaïques,* VIII, 5, 2, 117.

qu'il l'appellerait du nom de Jean[86]. Zacharie est condamné au mutisme jusqu'à ce que l'événement se produise, alors qu'Elisabeth reçoit la visitation de sa cousine Marie venue de Galilée. Elle aussi a été honorée d'une annonce secrète, plus complète que celle de Zacharie : la naissance du fils de Dieu, conçu quelques mois après Jean-Baptiste, lui a été promise. « Dès qu'Elisabeth entendit la salutation de Marie, l'enfant dansa de joie en son sein. Et Elisabeth fut remplie de l'Esprit Saint[87]. » Suit le célèbre *Benedictus* que prononce Elisabeth, la future mère de Jean, que tant de compositeurs perpétueront : « Bénie sois-tu entre les femmes, et béni le fruit de ton sein[88]… » Ecoutons Bach, réjouissons-nous avec Mozart. Nous sommes au rendez-vous germinal et incontournable de l'art chrétien. Marie répond en exaltant sa gloire de servante, dans le non moins célèbre *Magnificat* : « Mon âme exulte en Dieu mon Sauveur[89]. » Cette hymne, dont la version latine, *Magnificat anima mea Dominum,* sera destinée aux vêpres de Noël, porte le message libertaire par excellence de l'humanité occidentale : la grâce divine va rétablir la justice pour les pauvres et secourir Israël son serviteur. *Deposuit potentes et exaltavit humilies*, proclame le ténor, préfigurant ainsi l'esprit de révolte et d'espoir qui anime notre civilisation vieille déjà de deux mille ans. Il n'est pas inutile de rappeler que cette gloire s'origine des duos Elisabeth-et-Marie, Jean-Baptiste-et-Jésus.

Une histoire croisée, donc, que celle des deux hommes : en miroir et en ricochet, l'avant éclairant l'après, l'après donnant sens à l'avant. L'Evangile johannique montre Jean témoin *(martyr)* du Christ : la conception de Jean se situerait quinze mois avant la naissance de Jésus à Béthléem, mais c'est lors de la salutation de Marie qu'Elisabeth est remplie du Saint-Esprit ; Jean (Yehohanan) signifie « Yahvé a fait grâce », mais Jésus signifie « Yahvé sauve » ; c'est Jean-Baptiste qui donne le baptême de l'eau, mais il faut que l'Esprit descende sur Jésus sous la forme d'une colombe pour que soit signifié le véritable baptême chrétien ; Jean est le retour d'Elie, de l'esprit prophétique intransigeant, mais Jésus est celui qui apporte l'amour et le pardon, la grâce du recommencement – autant de « figures » qui attestent que le Précurseur a besoin de Jésus pour acquérir le sens définitif de sa mission. « Jean vit Jésus qui venait vers lui et il dit : Voici l'agneau de Dieu, voici celui qui prend sur lui le péché du monde. C'est de lui que j'ai dit : Un homme vient après moi, parce qu'il existait avant moi. Et moi je ne le connaissais pas, mais c'est pour qu'il fût manifesté à Israël que je suis venu baptiser dans l'eau. Et Jean rendit témoignage, disant : J'ai vu l'Esprit descendre du ciel comme Colombe et demeurer sur lui, et il est demeuré sur lui. Et moi je ne le connaissais pas, mais celui qui m'avait envoyé baptiser dans l'eau[90] m'avait dit : Celui sur qui tu verras l'Esprit descendre et demeurer, c'est lui qui doit baptiser avec l'Esprit Saint. Et moi j'ai vu et rendu

---

86. Luc I, 8-10 ; Luc I, 11-17.

87. Luc I, 41.

88. Luc I, 42-45.

89. Luc I, 47 ; *cf.* aussi J. Daniélou, *Jean-Baptiste, témoin de l'Agneau*, Paris, Desclée de Brouwer, 1967 ; et R. Laurentin, *Petite vie de Jean Baptiste*, Paris, Desclée de Brouwer, 1993.

90. De nombreux commentateurs récents associent cette pratique aux rites désormais connus des Esséniens de Qumrân, dont témoignent les manuscrits de la mer Morte.

témoignage que celui-ci est le Fils de Dieu[91]. » On ne saurait trop insister sur la modestie de Jean, passant le relais à Jésus et annonçant, non sans humour, son propre martyre, la Décollation annonciatrice de la Croix : « Telle est ma joie et elle est parfaite. Car il faut qu'il grandisse et que je diminue[92]. » Ou encore ce refrain de Jean : « Celui qui était après moi est passé devant moi, car avant moi Il était[93]. »

L'histoire remonte au temps d'Hérode le Grand. Né vers 73 avant J.-C., celui-ci conquit Jérusalem en l'an 37 et assit son pouvoir sur toute la Palestine. Les Hérode, famille compliquée aux invraisemblables croisements et adultères incestueux, étaient des Transjordaniens d'Idumée, et c'est par Hérode Antipas, fils d'Hérode le Grand, personnage ombrageux comme son père et au pouvoir fragile, qu'ils intéressent le destin de Jean. Naviguant entre le bon vouloir des Romains et les intrigues familiales, Hérode Antipas enleva Hérodiade, la femme de son demi-frère Philippe, et s'attira l'inimitié des diverses parties en présence, mais aussi la réprobation de Jean, rigoureux défenseur de la Loi. A la fois fasciné par le saint homme et craignant un soulèvement populaire, tant l'autorité du Baptiste était grande auprès des foules, Hérode hésita à le faire mourir. La légende le présente comme incertain mais aussi retors, renard poussant la feinte et la dissimulation jusqu'à faire assumer l'initiative de la décollation par sa femme.

Hérodiade, petite-fille d'Hérode le Grand, avait épousé un de ses oncles, Philippe, demi-frère d'Antipas, qui lui avait donné une fille, Salomé. Elle l'avait quitté pour vivre avec Antipas, lequel répudia pour elle sa propre femme, fille d'un émir. Enfin, pour vaincre les hésitations d'Hérode devant Jean-Baptiste qui stigmatisait ce couple enfreignant la Loi et menaçait le pouvoir d'Hérodiade, celle-ci fit appel aux charmes de Salomé. A l'occasion de la fête anniversaire d'Hérode donnée dans la forteresse de Machéronte, la fille d'Hérodiade dansa pour réjouir les convives. « "Demande-moi ce que tu veux et je te le donnerai", dit le roi séduit par la jeune fille. [...] Elle sortit et dit à sa mère : – Que vais-je demander ? – La tête de Jean le Baptiste, répliqua Hérodiade[94]. » « Le garde alla le décapiter dans sa prison. Il apporta la tête sur un plat et la donna à la jeune fille, et la jeune fille la donna à sa mère. L'ayant appris, ses disciples vinrent prendre son cadavre, et le déposèrent dans un tombeau[95]. » Flavius Josèphe ignore les reproches de Jean sur le mariage du tyran, mais il conclut l'histoire de la plus célèbre des décollations en lui attribuant la défaite d'Hérode en l'an 36 : « Jean, ainsi soupçonné à tort [par Hérode], fut enchaîné dans la forteresse [de Machéronte] que nous avons déjà mentionnée, et là, il fut mis à mort. Mais les Juifs conclurent que la destruction de l'armée d'Hérode fut la revanche de Jean et un châtiment de Dieu[96]. »

91. Jean I, 29-34.

92. Jean III, 24-30.

93. Jean I, 15 et 30.

94. Marc VI, 22-26 ; Matthieu XIV, 6-9.

95. Marc VI, 26-29.

96. *Antiquités judaïques,* VIII, I, 118-119. *Cf.* aussi *La Légende dorée* de Jacques de Voragine, Paris, Garnier-Flammarion, t. II, 1967, p. 153-162.

Fig. 23 a et b. *Décollation de saint Jean-Baptiste*, Venise, basilique Saint-Marc.

L'aventure complexe de Jean-Baptiste, à la charnière de deux spiritualités, et qui nous remet en mémoire des pratiques chargées de fantasmes ancestraux, devait immanquablement inspirer les artistes. L'Eglise, qui célèbre la nativité de Jean le 24 juin et son martyre le 29 août, encourage cette profusion dont on recueillera ici quelques variantes. Chaque iconostase orthodoxe représente Jésus entouré de Jean-Baptiste et Marie, placés sur le même plan : il n'y a pas d'économie iconique, nous l'avons dit, sans l'*incarnation* qu'évoque la Vierge, et sans l'*anéantissement* qu'assume Jean le Précurseur. Plus figural, l'art italien se concentre non pas sur l'*inscription* mais sur la *mise en scène* du martyre. Qui ne se souvient des œuvres de Gentile Bellini ou de Léonard de Vinci consacrées au Précurseur ? Je préfère choisir aujourd'hui celle qu'on considère comme la première représentation de la décollation du Baptiste, la mosaïque dorée de Saint-Marc à Venise (fig. 23 a). Dans une iconographie quasi byzantine, elle accueille un véritable récit pictural, où l'on distingue le saint, le sang giclant de son cou, qui installe sa propre tête sur un plat, avant que Salomé ne la présente à Hérode et Hérodiade. Et pendant que les disciples de Jean déposent le corps du saint au tombeau, l'illustre païenne s'adonne à une danse lascive, en tête à tête avec le saint chef (fig. 23 b). Plus sobre dans son relief de bronze, Andrea Pisano insiste sur la force brutale des trancheurs de tête, dont les figures romaines dominent

Fig. 24. Andrea Pisano,
Décollation de saint Jean-Baptiste,
Florence, Baptistère.

Fig. 25. Lucas Cranach le Vieux,
Salomé,
Lisbonne, Museu Nacional de Arte Antiga.

Fig. 26. Claude Vignon, *Décollation de saint Jean-Baptiste*, Paris, église Saint-Gervais-et-Saint-Protais.

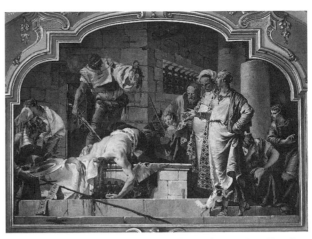

Fig. 27. Giambattista Tiepolo, *Décollation de saint Jean-Baptiste*, Bergame, chapelle Colleoni.

l'abaissement du Baptiste (fig. 24). Lucas Cranach (fig. 25) choisit Salomé, presque noble, mais pas encore mythifiée comme elle le sera par les décadentistes. Son visage grave semble apercevoir le destin épochal qu'inaugure cette malheureuse tête perdant son sang dans un plat. Claude Vignon, dit le Vieux, insiste lui aussi sur la sauvagerie du geste décapitant : invisible demeure la souffrance du crâne chevelu qui, bientôt, sera séparé du corps (fig. 26). Une théâtralité pathétique s'installe avec Tiepolo : le baroque fait couler le sang à pleins tubes d'écarlate (fig. 27). La tête de Jean se fait presque sauvage, pendant que les protagonistes ne cessent de prendre des poses. Les Flamands laissent choir en contrebas le tronc inerte, et préfèrent hisser au centre du tableau la tête hagarde du prophète qu'on distingue mal de celle d'un Christ : ainsi Hans Memling qui décapite dans un décor forain (fig. 28), mais aussi Albrecht Dürer, qui surprend le regard quasi amoureux de Salomé (fig. 29), et, plus pesant, Caspar de Crayer, qui oppose à l'échange de clins d'œil entre Hérodiade et Salomé une nouvelle vision, très charnelle aussi, tracée par l'axe pourtant transcendantal qui relie les chérubins à l'homme égorgé (fig. 30).

Le dessin ennoblit et allège : plus de sang, la séduction de Salomé ne se devine plus que dans les plis de sa robe, et la face de Jean-Baptiste n'est qu'évoquée, à l'encre brune, sous la plume volatile de Michelangelo Buonarroti. Une décollation pour Michel-Ange ? La scène n'est

16

Fig. 28. Hans Memling, *Décollation de saint Jean-Baptiste*, Bruges, Memlingmuseum.

Fig. 29. Albrecht Dürer, *Décollation de saint Jean-Baptiste*, Paris, Ecole nationale supérieure des Beaux-Arts.

Fig. 30. Caspar de Crayer, *Décollation de saint Jean-Baptiste*, Gand, cathédrale Saint-Bavon.

16 Michel-Ange, *Salomé à genoux*, Paris, musée du Louvre.

17 Rembrandt, *Judith et Holopherne*, Paris, musée du Louvre.

18 Andrea Solario, *Tête de saint Jean-Baptiste*, Paris, musée du Louvre.

occupée que par elle : la danseuse. A peine visible, le saint s'estompe : qui était-ce, déjà ? Le plus souverain de tous, Rembrandt, toujours à l'encre brune mais tranchante cette fois-ci, découpe en diagonale l'angle droit en haut de la feuille, comme si l'intransigeante épée taillait à vif son propre univers ; tandis que, délicatement, comme pour s'échapper du tableau, en bas, une ligne onirique suggère le tremblement du corps sans tête, le frisson de la tête sans corps.

Ces figurations graphiques sont de véritables « économies », au sens que les icônes ont donné à ce mot : des transsubstantiations du prophète supplicié en traits, et des traits en coupures sensibles.

Que la souffrance puisse n'être qu'un passage vers la sérénité, que la décollation la plus barbare puisse préfigurer une paix délicieuse – celle que promet la nouvelle religion ? celle que l'artiste espère gagner après sa mort, pérennisé par l'œuvre ? –, le splendide dessin d'Andrea Solario le suggère plus et mieux que tout autre. Sa tête tranchée est déjà en extase. Triomphe du sadomasochisme sublimé ? Autocontemplation dévotionnelle ? Peut-être. Le grain chaleureux de la pierre noire accueille si harmonieusement les volutes du pinceau sur le lavis brun que ce visage décollé semble dormir du plus amoureux des rêves. Proche d'autres œuvres du même artiste *(Tête du Christ, Tête d'homme barbu)*, cette étude préparatoire pour la peinture de la *Tête de saint Jean-Baptiste,* que Solario devait exécuter en 1507 pour le cardinal Georges d'Amboise, est peut-être une des pièces les plus convaincantes de cette transformation du martyr en figure idéale, dont nous allons retrouver les évolutions ultérieures chez d'autres artistes.

En revanche, indifférent, presque quelconque, Jean-Baptiste n'est que le prétexte à varier les plats chez Paul Delaroche. Ironie, pressentiment d'une caricature ? Ou conjuration bien française de la peine capitale ?

19 Paul Delaroche, *Six études pour la tête de saint Jean-Baptiste*, Paris, musée du Louvre.

Précurseur, Jean l'est aussi en un sens plus
« réaliste » : les premiers martyrs chrétiens étaient souvent
décapités. Deux des saints les plus marquants de la chrétienté subirent le même sort. Saint Denis, premier évêque
de Paris, qui, d'après Grégoire de Tours, avait été envoyé
au IIIᵉ siècle comme missionnaire en Gaule par le pape
Fabien, fut décapité à Paris vers 280 avec ses compagnons
Rustique et Eleuthère. Sa légende, forgée au IXᵉ siècle par
Hilduin, le confond avec saint Denys l'Aréopagite ; avant
que *La Légende dorée* de Jacques de Voragine n'en recueille
les versions et devienne la source de toutes les iconogra-
phies à partir du XIIIᵉ siècle (fig. 31). Après avoir subi tous
les supplices – flagellé, rôti sur un gril, livré aux bêtes qu'il
éloigne avec le signe de la croix, jeté dans un four ardent,
crucifié, et survivant cependant à ces martyres, il eut enfin

Fig. 31. Henri de Bellechose,
Le retable de saint Denis,
Paris, musée du Louvre.

la tête tranchée avec un glaive. « Mais aussitôt son corps se redresse : il prit dans ses mains sa
tête coupée et marcha ainsi pendant deux milles depuis la colline de Montmartre [mont des
martyrs] jusqu'au lieu de sa sépulture. "En pareil cas, a-t-on dit malicieusement, ce n'est que le
premier pas qui coûte." » Plusieurs églises parisiennes commémorent son culte : Saint-Denis-
du-Pas, Saint-Denis-de-la-Chartre, Saint-Denis-du-Saint-Sacrement.
Le roi Dagobert transfère ses reliques dans l'église abbatiale de
Saint-Denis, pour s'y faire enterrer lui-même en 639, l'abbaye devenant le sanctuaire de la monarchie française, et le saint décapité le
patron de la maison royale de France. La guillotine renoue-t-elle avec
cette mémoire légendaire qui apparaît, à rebours, tristement prophétique ? Pendant les siècles, le cri de guerre « Montjoie Saint-Denis ! »
célèbre le martyr, tandis qu'en France on évoque le saint décollé pour
guérir le mal de tête, bien qu'en Allemagne il guérisse plutôt la syphi-
lis, mal français, comme chacun sait… Nombreuses sont les œuvres
célébrant le saint qui porte sa tête : du *Lectionnaire de Saint-Germain-
des-Prés* (miniature du XIᵉ siècle) qui le présente encore avec son chef,
accompagné de Rustique et Eleuthère, au bas-relief du Louvre
(miniature du XIVᵉ siècle) qui expose une scène de sa vie, à Cazes le
Fils glorifiant l'*Apothéose de saint Denis* qui brandit sa tête comme un
flambeau (fig. 32), sans oublier le bas-relief en bois de Caspar de
Crayer à la basilique de Saint-Denis, la statue ornant le portail de
Notre-Dame de Paris et la peinture murale de Léon Bonnat au Panthéon. Je préfère la panique anonyme, toute en traits virevoltants, de
la gravure attribuée à Poussin qui tente de saisir, semble-t-il, un cata-
clysme géologique plutôt qu'un drame humain : ce n'est pas le saint,
c'est l'être du monde qui est en train de perdre la tête.

Fig. 32. Cazes le Fils,
L'Apothéose de saint Denis,
Paris, musée du Louvre

Sainte Dorothée (de Théodora), qui signifie « don de Dieu », fille d'un sénateur de Cappadoce, née en Césarée, aurait été décapitée sous Dioclétien en 304. Le scribe mécréant Théophile s'adresse à elle, ironique, sur le chemin du supplice : « Si tu vas au jardin du Paradis, tu m'enverras des fleurs et des fruits. » « Il en sera ainsi », répond Dorothée et, dans une prière, elle demande à l'ange qui lui apparaît avec une corbeille de pommes et de roses : « Apporte-les à Théophile. » Dorothée aura la tête tranchée, Théophile se convertira, et la sainte deviendra patronne des jardiniers et des fleuristes… Mais aussi des femmes en travail, pour les soulager des douleurs de l'enfantement : la maternité serait-elle un équivalent de la décapitation ? ou des fruits du Paradis ? ou des deux ensemble ? Zurbarán immortalise Dorothée, avec toute sa tête, portant une coupe de pommes et de roses, resplendissante dans la lumière rosée du paradis de sa foi. Carlo Dolci, dans un dessin à la craie noire provenant de la collection de Vivant Denon, n'oublie pas la corbeille de fleurs et de fruits. Plus tragique cependant, Raffaello Motta juxtapose, à la promesse angélique et fruitée du bambin, le supplice que brandit le glaive du mâle romain. Mais c'est Caspar de Crayer, amateur de tant de martyrs, qui paraît le plus sensible à la douleur de cette première chrétienne décapitée : il laisse Dorothée fondre sous sa plume, tel un bonhomme de neige qui se défait à la clarté du printemps. Comme si la décapitation privait la femme de tout son volume, laissant le dessin se remplir des corps lourds des hommes et des bêtes… En contrepoint à Salomé, Dorothée inspira les jardins des supplices dont le sang éclabousse le romantisme tardif et le symbolisme français, mais aussi anglais, notamment dans les poèmes de Swinburne[97].

97. « And from her long sweet throat without a fleck / Undid the gold, and through her stretched out neck / The cold axe clove, and smote away her head : / Out of her throat the tender blood fumm red / Fell suddenly through all her long soft hair » (*The Poems of A. C. Swinburne,* Londres, Harper, 1904, t. I, p. 266).

Décollations

Jean-Baptiste, préfigurateur par excellence, prête sa figure à la figuration de l'invisible par excellence : le *passage*.

Désormais, la figuration est prête à accueillir la mémoire mythique et biblique *des* décollations. Car il existe bel et bien une histoire de la décapitation dans les différentes civilisations, qu'on a fini par reconstituer[98]. Textes, légendes, fantasmes détaillent mille et une variantes de têtes coupées. Leur poids d'histoire et de couleur locale se fait l'écho de la vision tourmentée de l'artiste qui s'en empare et les fait revivre d'une vie à chaque fois moderne dans l'entaille graphique ou l'incarnat de ses œuvres. Le graphiste s'appuie massivement sur des textes supposés connus et dont la lecture est implicitement recommandée au spectateur, mais qui se trouvent dans son dessin de plus en plus librement interprétés, actualisés, au sens fort du mot « figuré ». Dans ce va-et-vient entre passé et présent, texte et image, qui constitue la ruse de la Figure, la représentation de nos excès pathétiques se trouve déculpabilisée : les carnages mis en image assouvissent les violences plus ou moins refoulées ou maîtrisées des individus et des nations. Ce faisant, ce genre de représentations impose secrètement une nouvelle métaphysique, qui serait une antimétaphysique possible. Il s'agit de scruter les limites sacrificielles de la visibilité elle-même avec les moyens de la figuration, et de visiter ainsi l'économie de la transfiguration – alchimie où la représentation advient d'un deuil, d'un renoncement, d'une castration, d'une mort. Il y a un au-delà de la mort, dit l'expérience artistique, il existe une résurrection : ce n'est rien d'autre que la vie du trait, l'élégance du geste, la grâce ou la brutalité des couleurs, quand elles osent montrer le seuil de l'humain. La décapitation en est un espace privilégié. *Exultate, jubilate !*

Luca Cambiaso saisit d'un trait nerveux, à la parcimonie implacable, un Mercure s'apprêtant à trancher la tête d'Argus. Il savait sans doute qu'Argus ou Argos, le prince argien, fils de Médée, avait cent yeux et portait le sobriquet de Panoptès le Lumineux, le « tout yeux ». Mercure-Hermès, le dieu ailé des voyageurs et des marchands, parvint à l'endormir au son de sa flûte et le tua. Héra, qui l'avait chargé de la garde de la vache Io, sema ensuite ses yeux sur la queue du paon. Cent yeux ou cent têtes ? demandera, beaucoup plus tard, Max Ernst, mais à propos d'une femme[99]. La légende gréco-romaine n'est ici qu'un dessin de Cambiaso. Le peintre s'est transfiguré dans l'homme aux cent yeux. Est-ce Argus que vous voyez, suppliant au bas de la feuille, ou Cambiaso lui-même, qui s'offre au supplice du Mercure de ses fantasmes, de ses amis ? Autrement que la psychanalyse, l'expérience esthétique revisite et épuise les logiques du sacré.

98. *Cf.* P.-H. Stahl, *Histoire de la décapitation*, Paris, PUF, 1986.
99. *Cf.* plus loin p. 147 (vidéo en boucle n° 2) et fig. 54.

20 Luca Cambiaso, *Mercure s'apprêtant à trancher la tête d'Argus*,
Paris, musée du Louvre.

Le jeune David tranchant la tête du monstre Goliath n'est plus seulement un texte[100]. De
la vie de ce souverain biblique aux aventures complexes qui, dans son jeune âge, se porte au
secours du roi Saül pour abattre le Philistin, la plupart des peintres retiennent la scène la plus
spectaculaire : « Ainsi David triompha du Philistin avec la fronde et la pierre ; il abattit le Philistin et le fit mourir ; il n'y avait pas d'épée entre les mains de David. David courut et se tint
debout sur le Philistin ; saisissant l'épée de celui-ci, il la tira du fourreau, il acheva le Philistin et,
avec elle, il lui trancha la tête[101]. » La polysémie du texte hébreu, les méandres de l'histoire passée et à venir, qui associent David à l'art musical, à la passion d'aimer et à l'intelligence de gou-
verner, se figent, sur les tableaux de maints artistes, en cinémascope à la puissance décapante.
Endossant les volumes d'une sculpture gréco-romaine, le David de Martin van Heemskerck a
oublié depuis longtemps sa fragilité infantile, et brandit son immense glaive nu sur le corps

100. *Cf.* I Samuel XVI, XVII, etc. ; II Samuel V, VI, VII, etc.
101. I Samuel XVII, 50-52.

21 Martin van Heemskerck, *David et Goliath,* Paris, musée du Louvre.

impotent d'un Goliath terrassé. Le maniérisme maîtrisé avec aisance transfère les signes, les **21**
souvenirs, les idées, d'un registre à l'autre, d'une histoire à l'autre, de la gravité à l'érotisme.
Nous sommes aux antipodes de la compassion suscitée par Jean-Baptiste ; même si, à côté du
Baptiste préfigurant la paix de Dieu, Salomé ne s'est pas privée d'attirer les applaudissements
intéressés de ceux qui apprécient discrètement l'acte tranchant. L'histoire du peuple juif vient
restaurer la valeur salvatrice de la décollation, dans la réalité comme dans le fantasme. Le sens
de la scène mortelle peut être désormais inversé, la mise à mort justifiée. Plus de misérabi-
lisme ; l'artiste, comme le spectateur, est du côté du vainqueur. Le droit de trancher une tête est
reconnu : la juste cause justifie tous les excès, juste retour du refoulé. On ne dira jamais assez
combien la lecture du texte biblique a permis de dépasser l'hypocrisie d'un certain christianisme enjoliveur, et d'ouvrir une méditation, littéraire autant que picturale, sur la violence
libératrice. Violence personnelle, violence des petits, violence des exilés et des opprimés. Exu-
toire contre les humiliations subies, les injustices infligées, les mises à mort au quotidien.

A côté de David, c'est l'impétueuse Judith tranchant la tête d'Holopherne qui fascine le plus, réhabilitant l'image d'une féminité guerrière, castratrice, sans merci. Salomé, pourtant responsable de la mort du précurseur de Jésus, n'est pas sans susciter quelque admiration, nous le verrons, surtout aux époques de crise religieuse. Mais Judith libératrice, intransigeante dans son combat contre le général assyrien, se pare de toute la gloire que les inconscients doivent à la mère toute-puissante. Une mère dont nous ne redoutons la tête méduséenne que parce que nous savons qu'elle pourrait bien emporter la nôtre. Ce qui ne nous empêche pas, en guise de vengeance, de l'imaginer sans la sienne. Le fantasme de la mère redoutable parce que castrée s'inverse ici en apothéose de la femme de tête, qui fait plus que castrer – qui décapite l'homme le plus impitoyable. Revanche contre la tyrannie des pères, revanche contre une féminité engloutissante et mortifère, Judith est le positif de Gorgone, sa version splendide et triomphante. « C'était en la douzième année de Nabuchodonosor, qui régna sur les Assyriens à Ninive la grande ville[102]. » Holopherne, général en chef de l'armée assyrienne, pille les villes et les villages juifs, s'empare des points d'eau et des sources. Révoltée par l'oppression, Judith, authentique fille d'Israël, veuve de Manassé, « très belle et d'aspect charmant », décide de passer à l'action. Elle fait sa prière : « Oui, oui, Dieu de mon père, [...] Donne-moi un langage séducteur, / pour blesser et pour meurtrir / ceux qui ont formé de si noirs desseins / contre ton alliance / et ta sainte demeure / et la montagne de Sion / et la maison qui appartient à tes fils[103]. » Ayant pénétré par ruse dans le camp d'Holopherne un jour de banquet, « Judith fut laissée seule dans la tente avec Holopherne effondré sur son lit, noyé dans le vin[104] ». « Elle s'avança alors vers la traverse de lit proche de la tête d'Holopherne, en détacha son cimeterre, puis s'approchant de la couche elle saisit la chevelure de l'homme et dit : "Rends-moi forte en ce jour, Seigneur, Dieu d'Israël !" Par deux fois elle frappa au cou, de toute force, et détacha sa tête. Elle fit ensuite rouler le corps loin du lit et enleva les draperies des colonnes. Peu après, elle sortit et donna la tête d'Holopherne à sa servante, qui la mit dans la besace à vivres, et toutes deux sortirent du camp comme elles avaient coutume de le faire pour aller prier[105]... » A la séduction de Judith que le texte biblique suggère – Holopherne ne « succombe »-t-il pas d'abord aux charmes de la belle femme ? –, s'ajoute une détermination farouche que le meurtre n'arrête pas, et que justifie la prière pour la survie d'Israël. L'acte guerrier obtient dès lors une valeur sacrée : ouvrant non pas un au-delà indéterminé, mais la pérennité politique et vitale d'un peuple.

Freud reprend l'histoire de Judith à partir de la tragédie de Hebbel, « Judith et Holopherne[106] », qui lui donne l'occasion d'aborder un écrivain dont le « complexe paternel » aurait

---

102. Judith I, 1.

103. Judith IX, 12-13.

104. Judith XIII, 2.

105. Judith XIII, 6-10.

106. Friedrich Hebbel (1813-1863) écrit *Judith* en 1839. La pièce sera parodiée ultérieurement par Nestroy sous le titre *Judith et Holopherne*.

favorisé l'empathie avec la femme, et une Judith présentée sous la plume de cet auteur comme vierge. Freud avance que la défloration ne fait pas qu'attacher une femme à un homme, mais « délie aussi une réaction archaïque d'hostilité contre l'homme ». La décapitation, qui est un substitut symbolique de la castration, apparaît en conséquence comme une vengeance contre la défloration[107].

Bien que le texte biblique ne fasse jamais état d'une quelconque virginité de Judith, il ne manque pas de sexualiser la relation entre Judith et le général assyrien, mais en faisant plutôt de la femme l'initiatrice de la séduction. Il n'en reste pas moins que l'acte même de la pénétration, et plus encore la défloration, est souvent vécu dans la névrose comme un viol, sinon une mise à mort, et déclenche dans l'inconscient féminin un désir de vengeance. Cette donnée indiscutable de la clinique analytique devrait être complétée du fait que l'homme éprouve une peur intense de la castration dans l'acte sexuel. L'angoisse de perdre son organe en pénétrant le vagin, aggravée par la fracture de l'hymen, est consolidée par l'éventuelle gestation et l'accouchement possible : la femme n'aurait-elle pas capté le pénis du mâle pour en faire, « toute seule », un enfant ? Si la femme peut se vivre comme une vierge violée et vengeresse, prête à décapiter, l'homme de son côté s'éprouve fantasmatiquement castré-décapité par la mère qui lui prend son organe, et ne le rend que sous la forme d'une tête-corps d'enfant. D'ailleurs, lorsqu'une femme accède à la maternité, la vocation maternelle apaise, ne serait-ce que provisoirement, son angoisse de castration. Chez celles qui n'ont pas enfanté, la production d'une œuvre – et mieux encore d'un *objet à voir* – vient combler cette menace. Artemisia Gentileschi a merveilleusement dévoilé cet aspect de l'œuvre féminine, qui consiste à combattre le pouvoir phallique de l'homme violeur, ainsi que la passivité de la réceptrice déflorée, par la mise au jour… d'une peinture. La plus spectaculaire de ses réalisations est précisément la peinture, non pas de la scène du viol qu'Artemisia elle-même aurait subi, mais à l'inverse celle de la décapitation d'un homme par la légendaire Judith (fig. 33). En revanche, aucune paternité ne met l'homme à l'abri de cette angoisse, tant il est vrai que l'enfant, et tout particulièrement l'enfant mâle, relance l'effroi de la castration et de la mise à mort. Ainsi, Freud n'a pas tort d'insister sur la vengeance inconsciente de la femme violée, qui la transforme en coupeuse de tête. Mais il passe sous silence que ce sont la crainte de l'homme de s'aventurer dans cette vallée originaire et son malaise devant le pouvoir de la génitrice qui imposent au fantasme masculin l'image à la fois dangereuse, et pour cela même excitante, d'une femme castratrice qui n'hésite pas à sacrifier… l'organe capital.

Fig. 33. Artemisia Gentileschi,
Judith et Holopherne,
Naples, Museo di Capodimonte.

107. *Cf.* S. Freud, « Le tabou de la virginité » (1918), in *La Vie sexuelle*, Paris, PUF, 1969, p. 66-80.

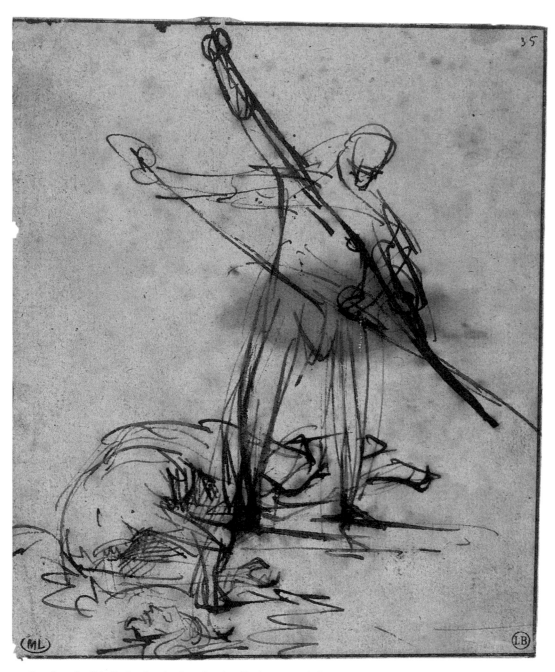

22 Rembrandt, *Décollation de saint Jean-Baptiste*, Paris, musée du Louvre.

22   Rembrandt encore, qui sait décapiter saint Jean-Baptiste, prête sa plume de dessinateur à Judith. De cette décollation à la manière du maître, il ne reste qu'un tourbillon de traits au-dessus d'un cadavre étêté à peine reconnaissable. L'économie des traces restitue cependant les postures déterminées des deux femmes : Judith tendant un bras gauche comme pour s'écarter de

23 sa victime, la vieille servante appliquée à dissimuler le trophée. Bartholomeus Spranger ajoute des rehauts de blanc à sa plume fébrile d'encre brune, pour transmettre à l'œil le tremblement d'une chair qu'on découpe. Cristofano Allori s'intéresse avant tout à la poigne de cette maîtresse

24 femme : l'*Etude pour une manche et un poing fermé tenant une mèche de cheveux* est destinée à son

23 Bartholomeus Spranger, *Judith et Holopherne*, Paris, musée du Louvre.

tableau *Judith et Holopherne* (on en connaît plusieurs versions : Florence, Galleria Palatina, Palazzo Pitti ; Paris, collection Pourtalès), où Judith est présentée sous les traits de la maîtresse du peintre, la belle Mazzafirra. L'*Etude pour la tête d'Holopherne*, où l'on reconnaît celle du peintre, **11** est également une esquisse préparatoire pour le tableau de *Judith et Holopherne* dans la Galleria Palatina du Palazzo Pitti à Florence. A la Judith naturaliste aux traits de bouchère s'oppose un autoportrait victimaire et sacrificatoire : le peintre émasculé offre sa frustration et sa résignation à son bourreau impassible. Dans les deux études, le pastel ajoute au graphisme tout en courbes un état de grâce, où se mêlent la sauvagerie féminine, la jouissance suspendue de l'homme castré

26 Raffaellino del Garbo, *Judith*, Paris, musée du Louvre.

24 Cristofano Allori, *Etude pour Judith et Holopherne,* Paris, musée du Louvre.

25 Bernardo Cavallino (?), *La servante de Judith*, Darmstadt, Hessisches Landesmuseum.

25

26

et la vengeance de l'artiste qui donne à voir son drame sadomasochiste. Bernardino Cavallino (?) est un de ceux, plus rares, qui préfèrent la servante : est-ce parce que c'est elle qui recueille la tête, et qu'il aime sentir ses mains autour du «membre» tranché ? Plus populaire, Raffaellino del Garbo fait poser une Judith aux traits botticelliens mais néanmoins décidée : elle contemple avec une tendresse juvénile la tête d'un Holopherne en vieillard, dépité de s'être laissé trancher par tant d'innocence. Un petit tableau, serré et monumental à force de gravité nocturne, attribué au Corrège[108] (fig. 34), nous montre les deux femmes fourrant le chef découpé dans un sac, à la lueur lugubre d'une torche qui enflamme le visage monstrueux de la servante. A croire que lorsqu'une femme parvient à mettre la main sur l'organe principal d'un homme, il faut redouter les sorcelleries et autres maléfices. Véronèse, quant à lui, voit la servante en noir, à côté d'une Judith blonde et royale (fig. 35).

A quelque distance de l'acte capital, Dalila se contente de couper les cheveux de Samson pour le priver de la force qu'ils détiennent et le livrer aux Philistins. Variante atténuée de la décapitation, cet acte humiliant recèle comme elle les affres et les plaisirs de la castration, anticipatrice de la mise à mort. Dalila apparaît comme une version mineure et péjorative de Judith, qui la précède et s'en trouve corrigée. Philistine, ennemie du peuple juif, elle ose s'attaquer au célèbre juge des Hébreux (XIIᵉ siècle avant J.-C.) qui fut l'âme de la résistance contre les Philistins. «Comme tous les jours elle le poussait à bout par ses paroles et qu'elle le harcelait, il fut excédé à en mourir. Il lui ouvrit tout son cœur […] "Si on me rasait, alors ma force se

Fig. 35. Véronèse, *Judith et Holopherne*, Caen, musée des Beaux-Arts.

Fig. 34. Corrège, *Judith et sa servante*, Strasbourg, musée des Beaux-Arts.

Fig. 36. Rembrandt, *Le triomphe de Dalila*, Francfort, Städelsches Kunstinstitut.

27 Johan Tobias Sergel, *Samson et Dalila*, Paris, musée du Louvre.

retirerait de moi, je perdrais ma vigueur et je deviendrais comme tous les hommes" […] Elle endormit Samson sur ses genoux, appela les hommes et lui fit raser les sept tresses des cheveux de sa tête […] Les Philistins se saisirent de lui, ils lui crevèrent les yeux et le firent descendre à Gaza[109]… » Le récit nous fait bien comprendre que le juge perd la protection divine au fur et à mesure qu'il succombe aux charmes de la séductrice. Ce n'est pourtant qu'une épreuve passagère car Yahvé le prend en pitié. Samson retrouve ses cheveux et sa puissance, et parvient à détruire l'édifice qui abrite les princes des Philistins, ainsi que leur peuple, réunis pour une cérémonie. « Et il s'écria : "Que je meure avec les Philistins !" Il poussa de toutes ses forces et l'édifice s'écroula[110]… »

Rembrandt ne déteste pas le triomphe de sa Dalila hiératique qui s'enfuit, des ciseaux à la main, la chevelure du juge dans l'autre, tandis que Samson se laisse enchaîner dans une inextricable mêlée de jambes et de bras (fig. 36).

Plus moderne et déjà expressionniste, le sculpteur suédois Johan Tobias Sergel travaille le sujet à l'encre brune et à la sanguine, suggérant une étreinte lascive plutôt que la simple **27**

108. Ce serait le premier tableau nocturne du Corrège, et même de la peinture italienne, selon certains spécialistes, où l'on discerne une forte influence de Mantegna.

109. Juges XVI, 18-21.

110. Juges XVI, 30.

brutalité de la pernicieuse Philistine. Les torsades du rococo et du maniérisme viennent au secours de l'angoisse : non, ce n'est pas une castration, proteste Sergel qui, à la mort de ses parents, sombre dans une mélancolie aiguë et crée, vingt ans plus tard, *Samson et Dalila*, en même temps que sa fameuse série de *L'Hypocondrie*. Cet ami de Füssli était, comme beaucoup de ceux qu'inspire le thème de la décollation, un prince noir de la mélancolie, qui tentait de la combattre par un culte de l'art antique revisité, et par une très provisoire érotisation de ses sacrifices.

Mais le féminin vengeur n'est pas le seul à séduire les artistes, Samson trouvant lui aussi ses adeptes, tel Philippe-Laurent Roland qui sculpte une tête de Samson rouge, lequel, apparemment, vient de retrouver ses cheveux : comment ne pas admirer un homme qui perd, mais aussi retrouve sa virilité, afin de mieux mourir pour sa cause !

A cette série de femmes décapitantes – par ordre chronologique, Dalila, Judith et

28

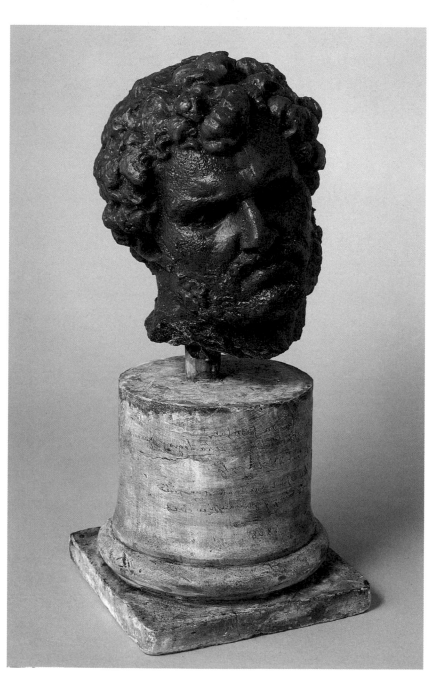

28 Philippe-Laurent Roland, *Samson*, Paris, musée du Louvre.

Salomé – on a quelque peine à opposer une femme qui se laisse à son tour décapiter. Pourtant, la Bible relate l'histoire de Jézabel qui, elle aussi, perd la tête. Fille du roi de Tyr, femme d'Achab, mère d'Athalie que célébra Racine, cette reine idolâtre dresse un temple à Baal et encourage l'absolutisme avec la corruption de la justice. Gustave Doré nous en a laissé une des rares représentations (fig. 37). C'est Jéhu, recevant de Dieu la mission de frapper la maison de son maître, Achab, qui se charge de punir « les débordements à Joram de la mère Jézabel et ses nombreux sortilèges[111] ». Jézabel, sorcière bien que fille de roi, mérite la mort par les chiens : « Or, Jézabel avait tout appris : elle s'enduisit les yeux de fard, se para la tête et regarda par la fenêtre [...] Jéhu franchissant la porte [...] Deux ou trois officiers tournèrent les yeux vers lui et il leur dit : "Précipitez-la !" Ils la précipitèrent. Son sang jaillit sur le mur et il la foula aux pieds [...] Ils allèrent pour l'ensevelir, mais ne trouvèrent plus d'elle que le crâne, les pieds et les paumes des mains[112]. »

Fig. 37. Gustave Doré, *Jézabel*, Paris, Bibliothèque nationale de France.

Rarissime, ce rappel du crâne féminin nous évoque les rites crâniens préhistoriques, dont une hypothèse au moins soutient qu'ils étaient exécutés plus fréquemment sur des sujets femmes (fig. 3), et les terrifiantes Méduses. Pour le meilleur et pour le pire, nos ancêtres semblaient viser d'abord la tête des femmes ; la « Vénus » de Willendorf ou la jeune femme de Brassempouy sont là pour en témoigner. Bien sûr, plus d'une reine fut décapitée : je me souviens d'Anne Boleyn, de Marie Stuart, de Marie-Antoinette ; vous pensez sûrement à d'autres. Reste que plus on s'approche des temps modernes, plus la décollation s'intéresse aux hommes. Castration oblige ! Que pourrait-on bien couper chez une femme ? On se le demande. A moins que cette raréfaction des décapitations féminines n'exprime un refoulé fondamental, le plus difficile à admettre : c'est la mère qu'on vise à la tête, c'est elle, la vision capitale ; et son impact vital et libidinal est si exorbitant qu'il mérite de même un refoulement capital.

L'évidence du pouvoir phallique masculin en cache un autre, qui n'est pas symétrique du premier : c'est la dépendance au proto-espace maternel, antérieure à la représentation. Le féminin constitue le refoulé majeur pour les deux sexes, affirme Freud en substance, à la fin de sa vie[113]. Le fantasme de la castration supposée de la femme et le fantasme de la castration redoutée

---

111. II Rois IX, 22.

112. II Rois IX, 30-35.

113. S. Freud, « L'analyse avec fin et l'analyse sans fin » (1937), in *Résultats, idées, problèmes II* (1921-1938), Paris, PUF, 1985, p. 265-266. Il faut entendre par « féminin » aussi bien le fantasme de *castration de la femme* que l'osmose archaïque avec le *contenant maternel* que Freud compare à la « civilisation minoémycénienne » antérieure à la visibilité de la Grèce classique (*cf.* aussi « Sur la sexualité féminine » (1931), in *La Vie sexuelle*, Paris, PUF, 1969, p. 139-155.

par l'homme apparaissent comme des constructions « après coup » *(Nächtraglich)* de la position dépressive que ces fantasmes, précisément, permettent d'élaborer et de dépasser. Comme la *Figure* reprend et élabore, dans le visible et en en suivant le développement historique, des événements inscrits et cachés dans le passé[114]. Ainsi, au cours de la maturation génitale et symbolique du sujet parlant, le fantasme de castration reprend l'impotence catastrophique de l'enfance et lui donne un nouveau sens, en la fixant sur l'organe mâle visible. Contre la peur de la mort, l'épouvante de la castration est cependant érotisable, jouable. Ce n'est pas la survie entière du corps qui est menacée, dit le fantasme de castration, il s'agit seulement du pouvoir phallique : celui qui manque à la femme et qui peut être enlevé à l'homme, s'il est châtié par un père ou par une mère toute-puissante. Pourtant, contre le risque terrifiant de la castration, le sujet dispose désormais des ressources de son érotisme et de son langage qu'il n'avait pas au temps de son impotence infantile. Séduction et représentation viennent à la rescousse de la peur de la mort et du deuil, et la mélancolie catastrophique peut être combattue par les délices de la perversité sadomasochiste.

Dès les premières manipulations de crânes, l'excitation sexuelle recouvre l'épouvante, et un plaisir masturbatoire manipule l'horrible relique en fétiche. Mais c'est bien la figuration

29 Anne-Louis Girodet Trioson, *Etude pour la Révolte du Caire*, Avallon, musée de l'Avallonnais.

graphique et picturale, par la profusion des thèmes de décollation et leurs traitements virtuoses, qui explicite – à merveille – ces deux angoisses sous-jacentes à la course au visible : l'angoisse archaïque de perdre la mère, jusqu'à l'impotence et la mort, avec son corollaire qu'est la mère toute-puissante; et l'angoisse de castration pour l'homme, avec son corollaire qu'est la femme castrée. Les fastes excessifs des décollations picturales trahissent cette double logique inconsciente qui nous conduit à investir le visible lui-même, en tant qu'il est une défense sublime contre ces deux angoisses.

Car, tout en puisant à des sources antiques, à cause d'elles ou contre elles, avec l'ère qui sera celle de l'humanisme, la représentation des décollations s'érotise. Les œuvres vibrent de plaisir sexuel plutôt que de s'étioler dans le sacre de la mort. L'épouvante sacrificielle cohabite avec la séduction, elle se laisse profaner en insinuant la castration, une perversité blasphématoire s'y installe, l'artiste et le spectateur jouant tour à tour les rôles de la plaie et du couteau. Un « genre » semble se constituer, qui cultive la coupure capitale en l'absorbant dans le luxe des volumes et des couleurs : en l'embellissant et presque en la banalisant. Dans cette même thématique pourtant, les œuvres graphiques – par la sobriété intrinsèque de leur technique et, sans doute, du fait du caractère plus ascétique des dessinateurs eux-mêmes – introduisent une économie plus serrée, quasi iconique, stimulante souvent, mais aussi parfois complaisante. Nous sommes loin des tabous sacrés d'antan. Comme c'est curieux de couper, comme c'est évident, amusant… Et puisque la vie politique est pleine de massacres en tout genre, marions les sujets historiques ou d'actualité avec cette manière de voir l'horreur installée, de plus en plus conforme, poseuse, théâtrale, muséiforme.

En 1809, Vivant Denon, directeur général des musées napoléoniens, commande à Anne-Louis Girodet de Roucy-Trioson une œuvre pour glorifier l'écrasement de la révolte du Caire. L'artiste ne trouve rien de mieux pour immortaliser l'héroïsme de l'armée nationale que de faire voler, sous les sabres d'Egyptiens maussades, les têtes… des braves soldats français, déguisés en Christs italiens pour la circonstance de leur décapitation.

29

Le *Maure debout, les bras levés,* d'Henri Regnault, figure l'insolence du bourreau qui prendra sa place dans l'*Exécution sans jugement sous les rois maures de Grenade* : le dessin le montre plus incisif qu'il ne le sera, gesticulant, dans le tableau. Le jeu des mots trahit cette même insolence : le Maure debout, mort debout, de-bout, deux bouts… Mallarmé dut esquisser un sourire mélancolique et complice devant le dessin de son ami peintre qui, comme lui, aurait pu écrire que « la destruction fut sa Béatrice ». Regnault ne lui confiait-il pas dans une lettre ceci : « Je ne sais si c'est à force d'approfondir l'art, cette langue si riche et infinie, mais je prends en grippe la langue de tous les jours et de tout le monde […], je suis, je crois, dans une période de grande impuissance. Tu l'as sans doute traversée aussi[115]. » C'est peu après qu'il fut frappé d'une balle ennemie, le 19 janvier 1871. Mallarmé semble penser que la mort seule, fût-ce celle d'un ami précieux, nous rapproche de cette exaltation qui prépare à l'Œuvre éternel : « … je ne m'afflige pas, vraiment, de penser qu'Henri s'est sacrifié pour la France, et que celle-

30

114. *Cf.*, ici même, sur *Figura* et la « prophétie en acte », p. 71-80.

115. *Cf.* H. Cazalis, *Henri Regnault*, éd. Alphonse Lemerre, 1872, p. 8-9.

30 Henri Regnault, *Maure debout, les bras levés*,
Paris, musée du Louvre, fonds du musée d'Orsay.

ci ne soit plus. Sa mort a été plus pure. Il y aura eu plus d'Eternité que d'Histoire dans cette unique tragédie[116]. » La dépression des artistes se trouve confirmée par une époque de guerre et de conflits sociaux aigus ; mais révèle-t-elle cette fin de siècle apocalyptique ou, au contraire, s'en défend-elle ? Regnault ne va-t-il pas jusqu'à écrire que « la *décoration* est le vrai but de la peinture » ? La décollation – une décoration de la crise insoluble ?

De fait, les décollations ont du mal à décoller, le spectacle arrive à saturation. Toutes ces divinités antiques vous sont d'ailleurs parfaitement inconnues. Leurs aventures invraisemblables vous passent par-dessus la tête. Vous avez assez à faire avec vos propres rêves et cauchemars bien de chez vous, bien d'aujourd'hui. D'accord ! Je parie que pour Solario, Allori, Dürer, Rembrandt, Michel-Ange et les autres, ces têtes coupées n'étaient déjà que des « inscriptions » et des « figures ». Et que les artistes y projetaient leurs passions bien à eux, qu'ils y

116. *Cf.* Mallarmé, lettre à Cazalis du 23 avril 1871, *Correspondance*, Paris, Gallimard, t. I, 1959, p. 351.

gravaient leurs propres entailles, coupures, castrations et blessures en tout genre, pour acquérir, dans l'entre-deux de la figuration précisément, un peu de sens, quelque distance, de l'air,
une certaine liberté. Vous voyez, un dessin de tête coupée est très loin et de son mythe et de son
modèle. Où est le sang ? Aucun incarnat, pas le moindre flux, nulle giclée. Des traits courbes
ou anguleux, lisses ou rugueux accumulent une ombre, libèrent un vide : vous pouvez visionner ici la souffrance tourmentée, là apaisée, mais le carnage est bel et bien résorbé dans le noir
du trait qui traite la violence avec économie, une économie économique, je veux dire iconique.
Pas d'emphase, aucune férocité, vous êtes à l'écart et à l'abri des cannibales, des terroristes. Si
figure il y a, elle est franchement projetée et projective. Ce saint Jean-Baptiste est-il du temps
d'Hérode, de la Renaissance ou de votre rêve d'hier ? D'ailleurs est-ce saint Jean, ou Solario
lui-même, comme il aimerait se voir sur son lit de mort, serein, presque heureux, dans quelle
vision ? De ses œuvres ? De celles qu'il n'a pas faites ? Du Baptiste lui-même ? De ce que le
Précurseur annonce ? De ce qu'aucune annonce n'annoncera jamais – l'indécidable durée,
le hors-temps ? Des blessures qu'il a subies, qu'il s'est infligées, et qu'il saisit une dernière fois
dans ce dessin de la tête coupée de saint Jean-Baptiste ?

Vous-même êtes heureux, Dieu merci, vous n'avez jamais été blessé, personne ne vous a
jamais coupé la tête. Naturellement. Vous êtes comme moi : un être humain qui parle, plus ou
moins, plutôt dans le vide, qui entend à peine, s'entend rarement, craignant le pire, s'avançant,
reculant, tâtonnant. Quand vous vous endormez, parfois difficilement, vous vous enfermez
dans le noir complet. Surtout pas de rêve, le vieux Freud ne fait plus recette. Par éclairs, vos
petits bobos, vos grandes blessures de la journée vous reviennent en clip, en rouge sang ou en
noir et blanc. Vous vous vengez de votre directeur, de vos parents, de votre conjoint, de vos
enfants ; vous leur coupez ce que vous pouvez, vous en avez peur, vous en riez, vous n'en pouvez plus. Non ? Non, vous êtes une femme, une étrangère, un étranger, un malade, un handi-
capé, un fou. Non, une vedette, un être exceptionnel, ou plutôt le contraire : un être mortel,
comme tout le monde ? Personne ne vous voit comme vous êtes, on profite de votre différence
pour régler des comptes, les vôtres ou d'autres ; on se permet avec vous ce qu'on ne se per-
mettrait jamais avec un autre ou une autre, mais vous laissez faire, sinon c'est trop compliqué ;
ce n'est peut-être que partie remise, vous allez prendre votre revanche, inverser la situation,
en vous plongeant par exemple dans un polar, en rêvant, en parlant à votre psychanalyste,
en flânant dans cette exposition.

Il est interdit de tuer, dit le Dieu de la Bible, mais cette loi de la morale n'est devenue
possible qu'à la condition de reconnaître que la *coupure* est structurale : certains préfèrent dire
qu'elle est le fait de Dieu. C'est bien Dieu qui, au *commencement*, ne fait rien d'autre que *séparer : Berechit*. « Au commencement, Dieu créa le ciel et la terre[117]. » Séparation du ciel et de la
terre, de l'homme et de la femme, du corps et de l'âme, inconscient/préconscient/conscient…
Une fois *formulée*, intériorisée, la coupure s'appelle un *interdit,* lequel est imposé pour être
transgressé : personne n'en veut, le corps se révolte contre l'âme et l'âme contre le corps,
l'homme contre la femme ou la femme contre l'homme, etc. Je la contemple, entaille sacrée,

117. Genèse I, 1.

j'en ai peur ou j'en jouis, je me soumets à sa terreur ou je la défie. Mais si je décide de l'ignorer, elle me tombe dessus, au-dedans ou du dehors ; mes organes se mettent à saigner : je suis malade ; mes actes sont mis à mort : je me sens persécuté(e).

Je sais que vous ne lisez plus, mais vous regardez la télévision, et les massacres sauvages commis par les ayatollahs et autres Pol Pot, les barbares au Rwanda ou en Algérie. Ce n'est pas sous nos climats, plus aujourd'hui. Chez nous, ce sont des survivances, des archaïsmes, des retours du refoulé, des sursauts tout juste bons pour les banlieues classées chaudes et la pathologie des faits divers.

Vous faites la part des choses : la peur de la mort n'est pas nécessairement une peur du meurtre. Je vous suis, là encore. Quand je devine une trahison, telle perfidie d'un proche, l'infidélité d'un amant, la maladie d'un enfant, que j'éprouve comme autant de violences mortelles, comme si chaque fois on me coupait la tête, ce n'est pas le *néant* qui m'attend à plus ou moins long terme. Non, je crie contre le *mal* que m'inflige un autre. La mort me défait, m'annule. La violence, elle, est une possession : emprise d'un plaisir actif sur un objet victimaire, elle mise sur mon plaisir passif. Si je refuse d'être victime, je commence par montrer la mise à mort dont je suis l'objet, et je prends la liberté de la dire. Vous avez fait le choix d'être minimaliste, d'en dire le moins possible ? Un jour vous viendrez immanquablement à la douleur maximale. Vous choisirez les paroxysmes, vous sélectionnerez les images d'égorgés qui vous ont précédé, vous figurerez des victimes qui vous ont pressenti. Vous inverserez les rôles, vous ne serez plus victime, vous accuserez, vous espérerez blesser et, pourquoi pas, tuer à votre tour.

Le sadomasochisme serait-il le secret de l'inconscient ? Freud n'est pas loin de le penser lorsqu'il assigne à l'inconscient une logique pulsionnelle, et lorsqu'il décrit les pulsions comme réversibles : actif/passif, Eros/Thanatos. Et Proust donc ! Je ne parle pas du baron de Charlus qui aimait à se faire flageller au bordel. Il suffit de regarder de près un de ces portraits de femmes proustiennes soi-disant charmantes pour s'apercevoir que ce sont, au fond, des têtes de morts, des têtes de Méduse. Miss Sacripant tenant un grand chapeau rond à hauteur du genou, drôle de simulacre, dédoublant sa propre tête déjà coiffée qu'elle tiendrait ainsi à la main, comme une tête coupée, quelle idée ! Et Albertine dont la chevelure, bête vivante creusée de vallées, ourlées de coques en forme de cœur, hérissée de mèches gorgonéennes, tels des « arbres lunaires, grêles et pâles », et qui, dans son sommeil préfigurant sa mort prochaine, laisse voir dans son lit comme un corps décapité : « … on eût dit […] que la tête seule surgissait hors de la tombe […]. Cette tête avait été surprise par le sommeil presque renversée, cheveux hirsutes[118]. » Proust lui-même donc, expert en sadomasochisme, et tant d'autres.

Je garde pour mon musée imaginaire, et je vous invite à lever les yeux au plafond pour contempler les projections en boucle. Elles associent à la mosaïque de Saint-Marc de Venise, qui déploie la décollation de saint Jean-Baptiste (fig. 23), deux grands artistes : le coléreux

---

118. *A la recherche du temps perdu*, t. III, *La Prisonnière*, Paris, Gallimard, Bibl. de la Pléiade, 1988. *Cf*. R. Coudert, *Du féminin dans « A la recherche du temps perdu » de Marcel Proust*, thèse de doctorat, université Paris VII-Denis-Diderot, 1997, p. 180 *sq*., et p. 425.

Caravage et la farouche Artemisia Gentileschi. Le peintre vagabond, amoureux des têtes coupées, ne s'est épargné ni Judith, ni saint Jean, ni Isaac. Je choisis l'humour macabre de son *David et Goliath*. Ramassé, sculptural, le jeune David à la peau dorée montre le regard incurvé d'un éphèbe grec; alors que le chef branlant du sinistre géant, confié aux mains distraites du futur roi, arbore en toute simplicité les traits de l'artiste lui-même : face criminelle louée pour la circonstance au magasin des accessoires de la *commedia dell'arte* (fig. 38). Le roi ne regarde pas la tête coupée, personne ne regarde une tête coupée, sinon les amateurs de tableaux, les voyeurs comme vous et moi. Croyez-vous qu'il y ait quelque chose à voir ? David vous fait voir que non. La décollation abondamment montrée signe le terminus du visible. C'est la fin du

spectacle, messieurs-mesdames, circulez ! Il n'y a plus rien à voir ! Ou plutôt il n'y a que ça à voir, mieux, à entendre. Ouvrez maintenant vos oreilles, si elles ne sont pas trop sensibles. Le fond de l'horreur, ça ne se voit pas; ça s'entend, peut-être. Remisons les palettes, et à bon entendeur salut ! A moins que cette intimité sado-masochiste, continuellement profanée, à la Caravage, ne soit le dernier temple moderne ? Et qui se prolonge dans les sex-shops hard, les *raves* et autres installations. A méditer après en avoir pris plein les yeux.

Artemisia n'est pas loin de le penser, le plus grand peintre féminin dont le chef-d'œuvre est une décollation (fig. 33) ! Pas une féministe de la « Belle Epoque » des années 70 qui n'ait scruté les détails du carnage avant d'applaudir aux talents d'Artemisia et à l'exploit de Judith. L'histoire commence par un scandale que fut, paraît-il, le viol d'Artemisia par un peintre

Fig. 38. Caravage, *David et Goliath*, Rome, Galleria Borghese.

de l'atelier paternel; un dénommé Tassi qui, dénoncé bien tard par le père de la victime, se vit traîné en justice jusqu'à ce que les amants se réconcilient, assez mystérieusement, dans la foulée du procès. Affaire douteuse s'il en fût : maître et disciple, père et fille, violeur et violée, qui viole qui ? Artemisia fut-elle une putain, un jouet ou un génie ? Tout cela à la fois, quelle importance ? L'important est qu'elle peignit comme nulle autre femme ne le fit avant ou après elle, et qu'elle ne peignit pas n'importe quoi, mais bel et bien un homme violé, mieux : décapité de sa propre main, géniale Artemisia ! Regardez donc : deux femmes s'acharnent sur le corps couché du général assyrien. La servante au visage blasé et une Judith farouche, flottant dans sa robe de brocart. Un suave velours cramoisi enveloppe les cuisses écartées de l'homme, en contrepoint de l'empoignade confuse de leurs six bras qui, côté tête, perpètrent un interminable viol en effet. De tout son poids, la servante immobilise la victime, tandis qu'un violent mouvement emporte Judith à la marge droite du tableau : de sa main droite, la souveraine plonge une épée dans la gorge offerte, de sa main gauche elle cloue au lit la tête mâle. Nulle horreur dans les traits de la meurtrière. Seule la rigide réserve de son corps, s'écartant du flot de sang qui gicle, trahit quelque dégoût. Sa face, en revanche, reflète une concentration de mathématicienne, de biologiste ou de chirurgienne qui, dans l'effort, savoure déjà sa victoire. Celle du savoir absolu ? du peuple d'Israël ? de la femme sur l'homme ? L'*Autoportrait* d'Artemisia (fig. 39) représente une femme aux formes généreuses qui détourne son visage du spectateur et se montre discrètement de trois quarts ; elle n'impose au foyer de nos regards qu'un robuste bras droit à la main vigoureusement armée d'un pinceau. Plus puissant que le bras de Judith tenant le couteau, ce bras court et musclé d'une presque naine révèle une absence complète de narcissisme, un esprit totalement transmué en travail. La tête d'Artemisia est dans sa main, elle n'est que la source de son bras, elle s'en va vers le tableau que nous ne voyons pas, la peinture est elle-même une décollation[119].

Vous aviez cru connaître ces images ? Salomé et Jean-Baptiste ? Ce Caravage ? Cette Artemisia ? Vous vous imaginiez qu'ils formaient le cinémascope de nos ancêtres, une fantasmagorie qui date, la lourdeur en cliché ? Regardez-les de nouveau, dans l'économie des dessins que vous avez appris à lire en observant les œuvres graphiques recueillies ici même. Le spectacle s'efface, reviennent l'entaille de la douleur, le trait.

119. *Cf.* M. Bal, « Headhunting : Judith or the Cutting Edge of Knowledge », in *The Feminine Companion to the Bible,* Sheffield, éd. Athalya Brenner, 1995, p. 253-285.

Fig. 39. Artemisia Gentileschi,
Autoportrait comme allégorie de la Peinture,
Londres, Royal Collection.

De la guillotine
à l'abolition de la peine de mort

A l'intimité imaginaire avec la mort, qui transforme mélancolie ou désir en représentation et pensée, s'oppose la réalisation rationnelle de l'acte capital. Vision et acte sont ici aux antipodes, et la Terreur révolutionnaire nous confronte à cette abjection révoltante que l'humanité a pratiquée sous couvert d'une institution égalitariste de la décapitation.

Les extravagances des débats qui eurent cours à l'Assemblée, notamment les 9 octobre et 1er décembre 1789, pourraient susciter aujourd'hui un éclat de rire, si le refoulement rationaliste et la « bien-pensance » démocratique dont ils témoignent n'étaient si monstrueux, tant dans les paroles prononcées que dans les actes qui suivirent. Le docteur Louis plaida le « principe d'égalité » devant la mort devenue, affirmait-il, enfin possible grâce au couperet perfectionné ; le docteur Guillotin, quant à lui, se chargea de la réalisation technologique de l'invention, non sans en « éprouver un grand chagrin », et ayant manqué à son tour finir entre « les bras de [sa] filleule ». Son discours devant l'Assemblée est un chef-d'œuvre d'humour noir involontaire : « Messieurs, avec ma machine, je vous fais sauter la tête en un clin d'œil et vous ne souffrez pas… La mécanique tombe comme la foudre, la tête vole, le sang jaillit, l'homme n'est plus ! » La salle fut prise de fou rire, convaincue par le savant des bienfaits d'une technique qui devait procurer au condamné « tout au plus, sur la nuque une impression de souffle frais ». On s'était assez indigné de la diversité des supplices prévus jusque-là par le code, des hurlements des suppliciés sur la roue, et tout le monde souhaitait rendre plus moderne, et plus propre, le trépas ! Les abolitionnistes étaient pourtant déjà présents dans le débat, assimilant la guillotine à un assassinat légal et attirant l'attention sur l'irrémédiable erreur judiciaire. Ainsi Robespierre : « L'homme doit être pour l'homme un objet sacré […] Je viens prier non les dieux mais les législateurs, qui doivent être les organes, les interprètes de lois éternelles que la divinité a dictées aux hommes, d'effacer du code des Français les lois du sang qui commandent les meurtres judiciaires et que réprouvent les mœurs et la constitution nouvelle. Je veux bien prouver que la peine de mort n'est pas la plus réprimande des peines et qu'elle multiplie les crimes plus qu'elle ne les prévient. » Il n'empêche que durant la dictature de quarante jours du même Robespierre, la guillotine ne cessa de fonctionner. Du 10 juin au 27 juillet 1794, mille trois cent soixante-treize têtes tombèrent « comme des tuiles » : le vocabulaire des bâtisseurs est de Fouquier-Tinville en personne. Ce fut l'apogée de l'application légale de la peine de mort en France. La justice révolutionnaire aurait exécuté entre trente mille et quarante mille condamnés[120].

---

120. *Cf.* M. Monestier, *Peines de mort. Histoire et technique des exécutions capitales des origines à nos jours*, Paris, Le Cherche-Midi éditeur, 1994, p. 209 *sq*. et p. 212.

La prétention à la technicité indolore et à l'égalité démocratique s'allia pourtant d'emblée, dans l'esprit des responsables, à des spéculations métaphysiques. Dans des discours sacramentaux et solennels, ils ennoblissent la charge inconsciente, dépressive et érotique de la décapitation, et l'interprètent implicitement comme une « œuvre au noir » : puisqu'on n'attaque à la tête que ce qui est haut et céleste, faire tomber une tête signifierait qu'on prépare un autre « au-delà ». A l'instar de l'expérience alchimique, la décapitation devient ésotériquement nécessaire, indispensable à l'émergence d'une nouvelle tête, d'une nouvelle ère. On entend cette *valeur positive*, accordée au sinistre événement, dans les propos justifiant la décapitation de Louis XVI. Le 13 novembre 1792, Saint-Just peut déclarer : « Les mêmes hommes qui vont juger Louis ont une république à fonder. Pour moi, je ne vois pas de milieu : cet homme doit régner ou mourir… Je dis que le roi doit être jugé en ennemi ; *que nous avons moins à le juger qu'à le combattre.* » Le 3 décembre 1792, Robespierre affirme : « *Il n'y a pas ici un procès à faire. Louis n'est point un accusé, vous n'êtes point des juges.* Vous n'avez point une sentence à rendre pour ou contre un homme, mais une mesure de salut public à prendre, un acte de providence nationale à exercer[121]. » Il ne s'agit donc pas de « procès » ni de « juges », mais d'une suspension du jugement qui en appelle immédiatement à un spiritualisme sommaire.

Le corps du roi, qui fut sacralisé par la tradition et par le monarque lui-même, sera transformé par les Montagnards en monstruosité : « Les rois sont dans l'ordre moral ce que les monstres sont dans l'ordre physique », dit Grégoire le 21 septembre. Royalistes et révolutionnaires s'accordent en fait sur la valeur religieuse de l'événement : les uns dénonçant le blasphème, les autres saluant l'alchimie salvatrice. Pourtant, en y déchiffrant le « plus grand acte de *puissance sociale* » (Cabanis), les révolutionnaires avouent qu'ils effacent les résonances psychiques et humaines de l'assassinat, et mélangent la transformation *sociale* avec la manipulation *symbolique*. Une hypnose nationale envahit les Français et les esprits les plus cultivés n'y échappent pas, qui prêtent au roi une obscure prémonition martyrologique de la catastrophe finale : « Le roi se rendit à pied jusqu'à l'autel élevé à l'extrémité du Champ-de-Mars […] Quand il monta les degrés de l'autel, on crut voir la victime sainte s'offrant volontairement au sacrifice […] Depuis ce jour, le peuple ne l'a plus revu que sur l'échafaud », écrit Mme de Staël[122]. Plus romain, Marat se félicite de ce qu'il croit être la « joie sereine » du peuple contemplant « la tête du tyran [qui] vient de tomber sous le glaive de la loi », et salue « une fête religieuse ». On assiste en effet à une « syncope de sacralité[123] », qui ne suspend une religion qu'avec l'ambition d'en fonder aussitôt une autre. Mais cette nouvelle religiosité est d'un imaginaire pauvre, d'une symbolique rudimentaire : le passage à l'acte lui tient lieu de culture et de justice.

On a pu comparer la liesse populaire devant ce spectacle aux rites préhistoriques du crâne et au repas totémique. Le moins qu'on puisse dire est que la comparaison n'est pas à

---

121. *Cf.* C. Levalois, *Symbolisme de la décapitation du roi*, Guy Trédaniel, 1993, p. 44. Nous soulignons.

122. *Considérations sur les principaux événements de la Révolution française*, Paris, t. II, 1818, cité par D. Arasse, *La Guillotine dans la Révolution*, catalogue de l'exposition, Vizille, 1987.

123. D. Arasse, *op. cit.*, p. 47.

Fig. 40. Anonyme, *Acte de Justice du 9 au 10 Thermidor*.

l'avantage des modernes. Sa rhétorique graveleuse, le refoulement ou le déni de la mort prennent souvent l'aspect médiocre et infantile de la grivoiserie. Quelques gravures insistent tragiquement sur les « formes acerbes » de cette époque dantesque (fig. 40). Moins nombreuses, semble-t-il, que les images royalistes, la plupart des figurations sont des caricatures républicaines représentant la tête de Louis XVI. L'estampe la plus répandue et imitée en France et à l'étranger est signée de deux pseudonymes, « Fious » pour le dessinateur, et « Sarcifu » pour le graveur. Une imagerie redondante caractérise ces productions qui se bornent à figurer trois sujets essentiels : on exhibe la tête coupée sur la place de la Révolution telle une tête de Méduse, commentent certains historiens actuels ; on grave le portrait du guillotiné hors de tout contexte narratif, pour le plaisir voyeuriste de la vengeance « sacrée » ; on accompagne le roi dans sa descente aux Enfers.

Il arrive que de minces efforts soient tentés pour rattacher l'acte d'exhibition de la « puissance sociale » à la tradition biblique. Ainsi, *Louis XVI le traître lis ta sentence* fait allusion au festin de Balthazar[124], dans l'inscription visible sur le mur, en vertu d'une interprétation « révolutionnaire » des mots du prophète MENE et TEQUEL. La main qui fracture le mur annonce la ruine de la monarchie, et la plume traduit la prophétie biblique en proclamant : « Dieu a calculé ton règne et y a mis fin / tu as été mis dans la Balance et tu as été trouvé trop léger… » *Ecce Custine* s'acharne sur le comte qui avait participé aux Etats généraux et reçu le commandement de l'armée révolutionnaire du Rhin, puis du Nord, avant de se brouiller avec le Comité de salut public et d'être condamné pour trahison. Le héros populaire châtié aura, comme le roi, la tête coupée et offerte « aux mânes de nos frères sacrifiés par le traître ». L'allusion à la Passion du Christ, *Ecce homo*, était déjà présente dans des gravures exhibant l'abolition de la royauté sous l'aspect de la décapitation du roi et portant le titre *Ecce veto* : l'auteur de la gravure semble établir une comparaison, sinon une équivalence, entre « cette interdiction » (de la monarchie) et « cet homme » (éternel et divin). Pareille implication, pour le moins ambiguë, trahit la fascination sacrilège et, plus qu'une héroïsation du monarque, la mythification inconsciente de ce « sang impur » qui « abreuve nos sillons ».

Une excitation verbale accompagne le recouvrement maniaque de l'horreur ; la farce sémantique enjolive les progrès de la technique : la « sainte guillotine », la « monte-à-regret », le « rasoir national », le « raccourcissement patriotique », le « vasistas », la « veuve », la « cravate à Capet », la « lucarne », la « bécane », le « massicot », la « machine à raccourcir », mais aussi « Louison » ou « Louisette », et même « Mirabelle » puisque Mirabeau avait soutenu le projet. En fin de compte, l'hommage à Guillotin s'imposa, ce devait être guillotine, définitivement.

Des résistances, bien faibles, se laissent çà et là deviner. On a eu du mal à trouver un artisan pour réaliser le funeste hachoir. Le charpentier officiel du gouvernement, Guidon, a

124. Daniel V, 24-28.

103

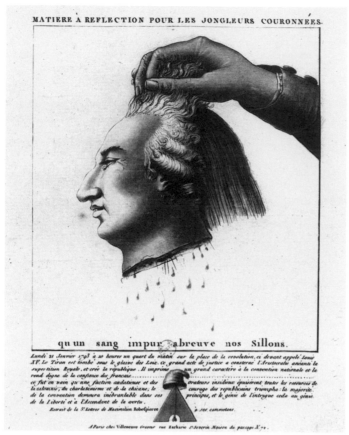

31 École française, *Tête coupée de Louis XVI*,
Paris, Bibliothèque nationale de France.

préparé un devis exorbitant : la tradition des compagnons charpentiers ne leur interdisait-elle pas de travailler à des instruments de supplice ? On a fini par recruter à Strasbourg un Allemand, Tobias Schmidt, facteur de clavecins et musicien à ses heures. La machine à décapiter devait être fabriquée dans les règles de l'art : vous aurez la tête coupée avec la précision du clavecin !

Sous prétexte d'intérêt scientifique, il fallait que la fébrilité morbide se propage. On assistait au spectacle, on aimait le goût du sang, mais on se posait tout de même des questions scientifiques : une tête coupée ne continuait-elle pas à vivre ? Combien de temps ? Après l'exécution de Charlotte Corday, un témoin observa : « La tête de la suppliciée, depuis assez longtemps séparée du corps, et qui était tenue à bout de bras par le bourreau, fut frappée sur une joue par un de ses aides. Son visage traduisit une indignation sur laquelle il n'y avait pas à se méprendre[125]. » De quoi susciter des manipulations, qui n'allaient pas manquer de se poursuivre au XIXᵉ siècle, sous le scalpel des chirurgiens allemands, curieux d'explorer « les problèmes de vie autonome d'une tête » ? Il fallut un décret de Frédéric-Guillaume pour interdire « toute expérience sur les corps des personnes décapitées ».

Le bourreau lui-même, Sanson, se montre plus sensible que beaucoup d'autres à la détresse de ses victimes et à la vulgarité de la populace, au point de sceller dans un journal aux accents romains et au style concis les instants funèbres dont il fut le mécanicien. Après l'exécu-

---

125. *Cf.* M. Monestier, *op. cit.*, p. 231.

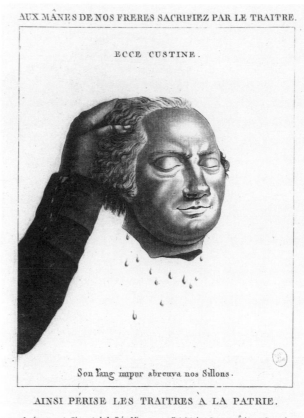

AUX MÂNES DE NOS FRERES SACRIFIEZ PAR LE TRAITRE.

ECCE CUSTINE.

Son lang impur abreuva nos Sillons.

AINSI PÉRISE LES TRAITRES À LA PATRIE.

28 Aoust 1793. L'an 2.e de la République une indivisible, à 10 heurs 30 minutes du matin.

32 École française, *Ecce Custine*, Paris, musée Carnavalet.

tion du roi, de la reine, des Girondins, celle de Mme du Barry le bouleverse presque. Les supplications de la pauvre femme, réfugiée à Londres, puis rentrée à Paris et dénoncée pour être guillotinée, lui arrachent un conseil : il lui suggère… de prier. L'ancienne favorite du roi ne parvient qu'à bredouiller : « Mon Dieu, mon Dieu », avant de proférer cette phrase que nous reprenons souvent aujourd'hui : « Encore un moment, messieurs les bourreaux, encore un moment, je vous prie ! » « Là-haut, écrit Sanson, elle hurlait encore, on devait l'entendre par-delà la rivière. Elle était bien effrayante à regarder. Enfin, ils sont parvenus à la boucler, et ce fut fait. Après, on a exécuté les autres. » Le bourreau n'ignore ni le sang qui coule et coagule entre les madriers, sous la guillotine, et que lapent les chiens, ni les hystériques qui jettent des pierres, de la boue et des excréments sur les charrettes chargées de ravissantes jeunes filles, ni l'insolence des prisonniers désormais indifférents à la mort banalisée et qui, tel le commandant Montjour-dain, se pressent pour en finir et plaisantent sur cette « liberté » où, « par ordre de la patrie », « une foule perd la tête ». « J'ai pu m'habituer à l'horreur que nous excitons, mais s'accoutumer à mener à la guillotine des gens tout prêts à vous dire "Merci", c'est autrement difficile. » « En vérité, à les voir tous, juges, jurés, parvenus, on les croirait malades d'une maladie qu'il faudrait bien appeler le *délire de la mort* », conclut cliniquement Sanson[126].

126. *Cf.* Henri-Clément Sanson, *Sept générations d'exécuteurs, 1688-1847*, Paris, 1862 et 1863, qui comprend le journal tenu au jour le jour par son grand-père Charles-Henri Sanson, pendant la Révolution. Réédité sous le titre *La Révolution française vue par son bourreau,* Paris, éd. de l'Instant, 1988.

Seul le marquis de Sade, ennemi farouche de la guillotine qu'il dénonce, trouve une rhétorique d'excès et d'ironie qui, comme sur une autre scène, dévoile les fantasmes érotiques sousjacents à la machinerie, pour les exténuer dans la beauté soudaine d'une phrase. Lorsque le pouvoir des rois s'écroule avec celui des prêtres, l'autorité paternelle défaillante expose les héros du plaisir à la tyrannie supposée infinie… des femmes : l'Etre suprême en méchanceté, serait-ce elle, la méchante Présidente ? Les amants sadiens ne recourent que très rarement à la barbare décollation : dans les quelque 148 paragraphes de la quatrième partie des *Cent Vingt Journées de Sodome* (1782-1785), texte écrit *avant* la guillotine, il n'y en a qu'une, perpétrée par un certain Cornaro dans le bordel vénitien de Juliette et de la Durand. Et s'ils s'amusent à découper longuement une tête au canif, c'est celle d'une femme qui s'impose comme objet de premier choix. En effet, il faudra au moins un quart d'heure de raffinements appliqués pour que « la belle tête de Julie tombe enfin comme celle d'une jolie rose aux efforts redoublés de l'aquilon ». Sans pleurer, mais en riant peut-être, l'obsession sadienne sature et évide le crime, hallucination absurde.

Aux antipodes de ce rire froid, et en inscrivant l'horreur dans les plis de l'âme ressuscitée, Chateaubriand porte le deuil intimiste des têtes tranchées en écrivant sa magistrale récusation de la Révolution. « La Révolution m'aurait entraîné, si elle n'eût débuté par des crimes : je vis la première tête portée au bout d'une pique, et je reculai. Jamais le meurtre ne sera à mes yeux un objet d'admiration et un argument de liberté ; je ne connais rien de plus servile, de plus méprisable, de plus lâche, de plus borné qu'un terroriste. […] Ces têtes, et d'autres que je rencontrai bientôt après, changèrent mes dispositions politiques ; j'eus horreur des festins de cannibales, et l'idée de quitter la France pour quelque pays lointain germa dans mon esprit », avouent les *Mémoires d'outre-tombe*. Ou encore, cette quête d'un sourire sur la mâchoire exhumée de Marie-Antoinette : « Je n'oublierai jamais ce regard qui devait s'éteindre sitôt. Marie-Antoinette, en souriant, dessina si bien la forme de sa bouche, que le souvenir de ce sourire (chose effroyable !) me fit reconnaître la mâchoire de la fille des rois, quand on découvrit la tête de l'infortunée dans les exhumations de 1815[127]. » Et cette décapitation enfin, toute en métaphores vengeresses, de Robespierre lui-même : « A sa pâleur [Robespierre], à la strideur de ses dents, à sa bave sanguinolente, sa tête avait l'air d'avoir été coupée. Un cadavre présidant sans tête, par esprit d'égalité, aux décapitations[128]. » Le génie du christianisme et le romantisme triomphant s'avancent vers nous avec Rancé conservant amoureusement, dans sa chambre à la Trappe, la tête de Mme de Montbazon[129]. Réplique amoureuse et mystique à la cruauté des piques révolutionnaires ? La phrase de Chateaubriand qui, comme la maîtresse de Rancé, s'en va « à l'infidélité éternelle », ne cesse de hanter, avec les événements lugubres qui la portent, les hauts lieux de la littérature française. Ainsi, tout près de lui, Stendhal. Qui ne se souvient de Mathilde de La Mole ? La tête de son ancêtre Joseph de Boniface, seigneur de La Mole, exécuté en place de Grève en 1574, fut recueillie, semble-t-il, par sa maîtresse Marguerite de Navarre. Mathilde elle-même baise amou-

---

127. Terminés en 1841, les *Mémoires d'outre-tombe* furent publiés en 1848-1850 ; édition de la Pléiade, Paris, Gallimard, t. I, 1951, respectivement p. 145, 171 et 167.

128. *Notes et pensées,* cf. *Mémoires d'outre-tombe,* édition du Centenaire, Paris, Flammarion, 1949, p. 231.

129. La *Vie de Rancé* fut écrite après les *Mémoires,* en 1844, par un Chateaubriand qui semble s'identifier, dans sa vieillesse, à l'abbé réformateur de la Trappe, prolongeant dans le silence et l'ascèse le culte alchimique de la tête de sa maîtresse.

reusement la tête tranchée de Julien Sorel. Rouge et noire, la mémoire de la guillotine se diffracte dans l'histoire de France et sa descendance littéraire…

Dans ce contexte à la symbolique chargée, on mesure mieux que l'abolition en 1981 de la peine de mort, qui se confondait en France avec la guillotine, ne saurait nous faire oublier que cette décision ne recueille toujours pas aujourd'hui l'adhésion de la majorité nationale. Un sondage *France-Soir* de 1972 indique que 63 % des Français sont favorables au maintien tant de la peine de mort que du droit de grâce[130]. Les résultats n'ont guère évolué depuis l'abolition : en 1993, 56 % des vingt-cinq/trente-quatre ans et 60 % des trente-cinq/quarante-neuf ans étaient favorables à la peine de mort[131]. Quels que soient les arguments conjoncturels en faveur de cette remise en cause, il n'est pas vain de rappeler quelques-uns des combats les plus fervents que des écrivains français ont livrés contre la décapitation.

Victor Hugo fut de ceux-là :

« Ô terreur ! au milieu de la place déserte,
Au lieu de la statue, au point même où leurs yeux
Cherchaient le Bien-Aimé triomphal et joyeux,
Apparaissaient, hideux et debout dans le vide,
Deux poteaux noirs, portant un triangle livide […]
Quatre-vingt treize – chiffre on ne sait d'où venu.
C'était on ne sait quel échafaud inconnu […]
Et tout semblait hagard ; tant la machine affreuse,
Rouge comme un carnage et noire comme un deuil,
Debout entre l'énigme et l'homme, sur un seuil
Qui peut-être est le ciel, peut-être la géhenne,
Contenait de néant, d'épouvante et de haine ! »

Cette image de la guillotine, qui fait suite à sa première évocation, par Hugo, dans *Le Dernier Jour d'un condamné* (1829), est accompagnée d'un dessin de l'écrivain, *Justitia* (1857).

Entre les deux poteaux nommés Pouvoir et Démence,

« Une pourpre semblable à celle qui ruisselle
Et qui fume le long du mur des abattoirs,
Filtrait de telle sorte entre les pavés noirs
Qu'elle écrivait ce mot mystérieux : Justice.
On devinait que l'âpre et farouche bâtisse,
Calme, définitive, inexprimable à voir,
Avait été construite avec du désespoir[132]… »

130. *Cf. L'Abolition de la peine de mort*, Paris, La Documentation française, 1987.
131. Enquête SOFRES, *L'Etat de l'opinion*, 1994, présenté par O. Duhamel et J. Joffré, Paris, Le Seuil, 1994.
132. *Cf.* V. Hugo, « L'Arrivée », *Le Livre épique, La Révolution,* in *Poésie,* « L'Intégrale », Paris, Le Seuil, t. II, 1972, p. 783-784.

33 Victor Hugo, *Justitia*, Paris, maison de Victor Hugo.

On regardera ce dessin en lisant aussi *L'Echafaud* :

« …Sur quoi donc frappe l'homme hagard ?
Quel est donc ton mystère, ô glaive ? – Et mon regard
Errait, ne voyant plus rien qu'à travers un voile,
De la goutte de sang à la goutte d'étoile[133]. »

Lorsque son fils Charles s'engagea dans le combat contre la peine de mort et se vit renvoyé devant la cour d'assises pour son article dans *L'Evénement*, Victor Hugo prononça le 10 juin 1851 un plaidoyer mémorable. Tout en privant, au passage, son fils de la paternité de ses idées – nul n'est à l'abri d'une « décapitation » symbolique ! – : « S'il y a un coupable, ce n'est pas mon fils, c'est moi… Moi qui, depuis vingt-cinq ans, ai défendu en toute occasion l'inviolabilité de la vie humaine[134]. » Et en savourant cette hypothèse que, si Louis XVI avait aboli la peine de mort, sa tête ne serait pas tombée, Victor Hugo salue néanmoins le courage de Charles : « Mon fils, tu reçois aujourd'hui un grand honneur… » Il s'indigne contre « ce reste des pénalités sauvages » qu'est la guillotine, il fulmine : « Tenez, monsieur l'avocat général, je vous le dis sans amertume, vous ne défendez pas une bonne cause […]. Vous avez contre vous l'intime résistance du cœur de l'homme ; vous avez contre vous tous les principes à l'ombre desquels, depuis soixante ans, la France marche et fait marcher le monde : l'inviolabilité de la vie humaine, la fraternité pour les classes ignorantes, le dogme de l'amélioration, qui remplace le dogme de la vengeance ! Vous avez contre vous tout ce qui éclaire la raison, tout ce qui vibre dans les âmes, la philosophie comme la religion, d'un côté Voltaire, de l'autre Jésus-Christ[135]. »

Charles acquitté, les arguments du grand orateur ne réussirent pas pour autant à abolir la barbarie. Beaucoup d'autres engagements abolitionnistes devaient suivre, parmi lesquels celui émanant de la sensibilité de Lamartine : « Nous n'avons qu'à nous prononcer si, dans notre état actuel de garantie et d'administration sociale, nous n'avons pas, indépendamment de l'échafaud, une force défensive et répressive surabondante, pour prévenir et intimider le criminel […]. La peine de mort est l'instinct brutal de la justice matérielle, l'instinct du bras qui se lève et frappe parce qu'on a frappé. Et c'est parce que c'est vrai pour l'humanité à l'état d'instinct et de nature, que cela est faux pour la société à l'état de raison et de moralisation[136]. »

L'engagement aussi de la logique douloureuse, exprimé par Albert Camus : « Elle [la guillotine] est une peine, certainement, un épouvantable supplice physique et moral, mais elle n'offre aucun exemple certain, sinon démoralisant. Elle sanctionne, mais elle ne prévient rien, quand elle ne suscite pas l'instinct de mort… Pour simplifier, disons que notre civilisation a perdu ses seules valeurs qui, d'une certaine manière, peuvent justifier cette peine et souffre au contraire de maux qui nécessitent sa suppression. Autrement dit, l'abolition de la peine de mort devrait être demandée par les membres conscients de notre société, à la fois pour des

---

133. *Cf.* « Les Grandes Lois », *La Légende des siècles*, in *Poésie*, « L'Intégrale », Paris, Le Seuil, t. II, 1972, p. 800.
134. *Cf. Procès de « L'Evénement »*, Paris, La Librairie nouvelle, 1851, p. 23, fig. 75.
135. *Ibid.*, p. 28.
136. Lamartine, *Discours sur l'abolition de la peine de mort*, Paris, Charles Gosselin et Furne, 1837.

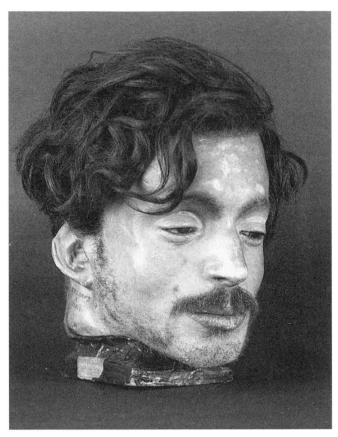

34 Maison Tramond, *Moulage en cire de la tête de Pranzini*,
Paris, musée de la Préfecture de Police.

raisons de logique et de réalisme [...] depuis trente ans, les crimes de l'Etat l'emportent de loin sur les crimes des individus [...]. Interdire la mise à mort d'un homme serait proclamer publiquement que la société et l'Etat ne sont pas des valeurs absolues, décréter que rien ne les autorise à légiférer définitivement, ni à produire l'irréparable[137].»

Aujourd'hui, la guillotine a disparu de la réalité française, mais a-t-elle quitté les esprits ? Si elle hante toujours la culpabilité nationale, elle flatte aussi la fierté maniaque en période de dépression populaire. Des partis politiques s'autorisent des plaisanteries lugubres en évoquant son spectre, et les vengeances de tous bords sont prêtes à demander le retour de la peine de mort.

Car, pour paraphraser Lacan, ce qui est effacé de l'imaginaire et du symbolique risque de resurgir dans le réel. A l'inverse, c'est la profusion symbolique et imaginaire qui peut avoir une chance de mettre à mal les tentations de passage à l'acte dans le réel. En ce sens, et quels qu'en soient les complaisances et les risques, les visions capitales exposées ici, ces économies graphiques, ces figurations qui saturent et épuisent les significations latentes de l'acte capital pourraient être regardées comme une résistance intime à la «démocratie» de la guillotine. A côté des rêveries cathartiques ou esthétiques auxquelles elles nous invitent, préservons aussi en elles cet effet de réel. Après tout, si l'art est une transfiguration, il a des conséquences politiques.

137. A. Camus, *Réflexions sur la guillotine*, Paris, Calmann-Lévy, 1957, p. 146, 167, 175.

Pouvoirs de l'horreur

Le pouvoir de l'horreur est contagieux. Il *figure* mais il *défigure* aussi : source d'un nouveau rebond de nos représentations qui transpercent les formes, volumes, contours et font apparaître les battements de la chair. De la défiguration à l'expressionnisme, à l'abstraction, au minimalisme – et retour. Lorsque Grünewald peint une *Tête d'homme* chauve, glabre et grimaçante, il inscrit dans cette effigie qui tire une langue stupéfaite, dans ces yeux fauves plissés et dans la peau fripée des joues une agonie imbécile, jusqu'au plaisir morbide. Fascination et abjection, extase et vomissement – la douleur n'a ni sujet ni objet : entre les deux, elle corrompt et se propage[138]. Mais Grünewald ne pouvait pas savoir qu'une vision identique allait s'imposer, en 1903, à Picasso, avec sa *Tête de femme criant*. La bouche sans langue et la tête comme coupée, la femme se renverse un peu en arrière, ses yeux sont plus douloureux, l'horreur éprouvée se dessine, incurvée, invaginée : l'avidité tourne à la contemplation extatique. Entre-temps, sobre et symboliste, Puvis de Chavannes trace au crayon noir, à la plume et à la sanguine, rehaussés de gouache blanche, un orgasme au bord des larmes, à moins que ce ne soit une souffrance qui se donne du plaisir. Plus près de nous, qui ne connaît la tête de Marilyn Monroe mise en série, ou sa bouche prélevée et multipliée par Andy Warhol : la plus séduisante des stars à l'usage de milliards de spectateurs, à moins que ce ne soit le suicide au bord des lèvres ?

35

36

37

La souffrance n'est pas la plus humaine des expériences, comme le pense Dostoïevski, ni la plus animale parce que la plus immaîtrisable, comme le laisse entendre Georges Bataille. Entre la vigilance du jugement et l'immersion dans les cellules, en doublure noire du plaisir, il existe une transition. Je la comparerais à la pensée : non pas au raisonnement-calcul qui combine, argumente et tranche, mais à l'effraction du sensible dans les signes, à l'impression des signes dans le sensible. A notre époque, où l'on raisonne suivant la logique binaire des ordinateurs, nous sommes quelques-uns, après Hannah Arendt, à dénoncer la suspension du jugement, certes, mais plus fondamentalement, avec Heidegger, à tenter de réveiller le cheminement de la pensée, son « économie ». N'est-ce pas

138. *Cf.* notre *Pouvoirs de l'horreur*, *essai sur l'abjection*, Paris, Le Seuil, coll. Points, 1980.

Fig. 41. Andy Warhol, *Marilyn Monroe Diptych* (détail), 1962, Londres, Tate Gallery.

111

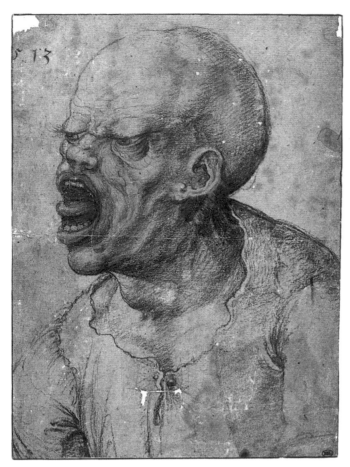

35 Grünewald, *Tête grimaçante*, Paris, musée du Louvre.

37 Pierre Puvis de Chavannes, *Tête de femme renversée*,
Paris, musée du Louvre, fonds du musée d'Orsay.

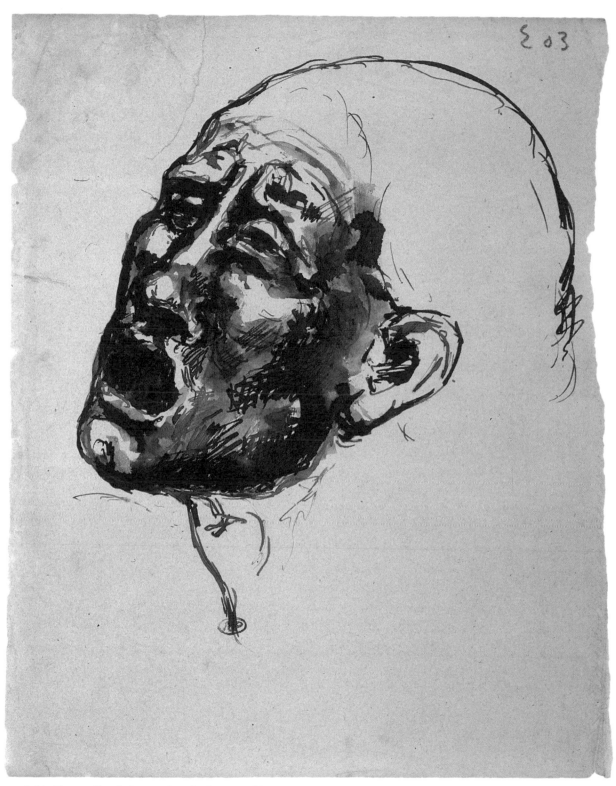

36 Pablo Picasso, *Tête de femme criant*, Paris, musée Picasso.

précisément ce *passage de la pensée* dans la souffrance et l'érotisme, qui fut pressenti de tout temps, par-delà la mainmise des religions, comme étant l'essence du sacré ? Transition, transitoire et transitionnel, le sacré est pour cela même éphémère, fragile, insaisissable. A le fixer, on le transforme en dogme, quand ce n'est pas en figuration criarde. L'état frontalier que signifient les têtes coupées de Grünewald-Picasso-Puvis de Chavannes est pourtant également l'indice de cette transfiguration-là.

On ne s'étonnera pas de voir apparaître les décollations au milieu des schismes et des discordes – autres façons de séparer, de se séparer, de décoller. Dante l'avait déjà dit, lorsqu'il plaça ses décapités dans la neuvième bolge du huitième cercle de l'Enfer. « Qui pourrait jamais, même sans rimes, redire à plein le sang et les plaies / que je vis alors[139]. » Fauteurs de schismes et de discordes s'y retrouvent, tous amputés de bras, de jambes, de nez et, comble de l'horreur : « Je vis, en vérité, et crois encore le voir, / un corps aller sans tête. » Ce décapité n'est autre que le troubadour Bertrand de Born, chantre de l'amour courtois, qui eut le malheur de donner « les mauvais conseils au jeune roi ». Comme dans une onomatopée ou dans un reflet en miroir, ceux qui « séparent » sont, chez Dante, « séparés » : les dissidents et autres agents de la coupure, amoureuse, religieuse, politique, auront la tête coupée. « Pour avoir divisé deux personnes si proches / je porte hélas mon cerveau séparé / de son principe, qui est dans ce tronc », explique le personnage du troubadour expert en amours et jeux de mots, dans les vers de l'auteur de *L'Enfer,* avide de comédies humaines.

La décollation devient-elle l'emblème de la division sociale, historique ? Ou bien l'aveu brutal de nos fractures internes, de cette instabilité intime qui provoque les mouvements, mais aussi les crises ? Autoperception d'un déséquilibre fondamental, de cet « œuvre au noir » qu'est l'être parlant, divisé, irréconcilié ?

Rien de plus facile que le mot de « folie » pour désigner la discorde essentielle, notre schisme latent, pour s'en débarrasser, le diagnostiquer chez les autres, et ne pas perdre la tête soi-même. Les *Trois têtes de fous* de Stefano Della Bella, graveur florentin talentueux et prolifique, ne sont ni risibles ni repoussantes. Bien loin de sa réputation de petit maître habile et expéditif, Stefano Della Bella affirme ici son « indépendance d'homme du XVIIᵉ siècle, libre, curieux », d'une « culture contradictoire, au croisement des recherches italiennes et françaises[140] ». Comme les nains de la *commedia dell'arte,* comme chez Bruegel et Callot, le burlesque ici est apprivoisé : il ne divertit pas, il médite au fur et à mesure que se précise une caricature familière, les traits d'un proche, mon propre visage tel que je le vois quand je ne cache rien.

La *Jeune Idiote* de Paul Klee est un masque sonore : les couleurs résonnent – nez rouge, yeux bleus, du marron tout autour ; les hachures colorées jettent un voile sur lui comme pour atténuer le cri de l'oiseau. Homme ou enfant, la naïveté est idiote avec ses yeux ronds, mais ce n'est pas si souvent que le maître du Bauhaus se permet une métaphore aussi pure, aussi tendre, aussi peu géométrique. Une inquiétante étrangeté nous réconcilie, devant la tête flot-

38

---

139. *La Divine Comédie, L'Enfer,* chant XXVIII, trad. fr. J. Risset, Paris, Flammarion, 1985.

140. *Cf.* Fr. Viatte, *Inventaire général des dessins italiens. II. Dessins de Stefano Della Bella, 1610-1664,* Paris, éd. de la Réunion des musées nationaux, 1974, p. 20.

38 Paul Klee, *Masque de jeune idiote*, Paris, musée national d'Art moderne.

tante de cette chouette égarée, avec notre congénitale débilité. Il faudrait l'ajouter aux indices majeurs de l'*Unheimlich* que Freud diagnostique dans la panique sacrée que provoque l'épilepsie, dans la peur d'être enterré vivant, dans le goût pour évoquer l'esprit des morts, dans l'angoisse de se perdre au sein d'un quartier de prostituées[141].

La colère, folie banale s'il en est, ne manque pas de vous faire perdre la tête, et trouve naturellement sa place en Enfer. C'est du moins ce que pense Delacroix, dont les coléreux pareils à ceux de Dante[142] sont des *Têtes de damnés*, des « mangeurs de boue ». Les traits ravagés d'une rage trouble : que reste-t-il d'un visage noyé par la vase d'un impuissant ressenti-

39

141. *Cf.* S. Freud, *L'Inquiétante Etrangeté et autres essais*, Paris, Gallimard, 1985.
142. *L'Enfer*, chant VII, v. 106-126.

39 Eugène Delacroix, *Têtes de damnés*, Paris, musée du Louvre.

40 Girolamo Miruoli, *Etude pour un masque*,
Paris, musée du Louvre.

41 Camillo Procaccini, *Tête d'homme barbu*,
Paris, musée du Louvre.

ment ? Bizarrement, logiquement, en contrepoint à ces physionomies submergées surgit, en bas de la feuille, le poète à figure de Janus : Dante/Virgile nous proposent une tout autre façon de traiter les indécidables ambiguïtés de l'esprit humain. La colère ne vous dévore plus la tête ; en s'écrivant, elle profile des décisions sévères.

Avez-vous remarqué que le masque, faux visage, terrifie les jeunes enfants, même quand ses traits rient ? C'est sans doute qu'avec lui s'insinue un décollement intrinsèque. Et le trouble s'aggrave si le masque ajoute, par exemple, à son rire, l'expression dégoûtée d'un vieillard dégoûtant, aux joues gonflées et aux traits sinueux. Le cadre tout en oiseaux, volutes, coquillages et feuilles d'acanthe peut bien venir de l'école de Vasari, comme l'habileté des traits, larges et courbes ici, brefs et rapides là, parallèles ou perpendiculaires pour marquer le volume : rien n'y fait. Cette *Etude pour un masque* de Girolamo Miruoli reste une pure horreur. **40** Son air de satyre près de s'esclaffer n'a rien à voir avec la souffrance paternelle, compassionnelle du barbu de Camillo Procaccini. On ne se laisserait pas volontiers emporter dans son **41** sommeil. Noble contagion d'une vieillesse douloureuse qui, des volutes généreuses de sa pilosité, nous protège de toutes les sorcelleries méduséennes.

Les *Deux têtes d'homme mort* d'Auguste Raffet m'ont toujours paru hésiter entre la pas- **42** sion homosexuelle et le croquis du médecin légiste en salle d'autopsie. J'apprends sans surprise que l'artiste s'est procuré à l'hôpital militaire la tête d'un jeune soldat qui venait de mourir,

42 Auguste Raffet, *Deux têtes d'homme mort*, Paris, musée du Louvre.

qu'il l'a peinte trois jours durant dans son atelier, tandis que la décomposition du modèle suivait son cours. Amateur des accidentés de chemins de fer, des « cadavres rôtis » comme on les appelait gracieusement à l'époque, ce cher Raffet a eu la sagesse de se consacrer aux campagnes révolutionnaires et impériales à la fin de sa vie. Et dire qu'on prend pour des nouveautés scandaleuses les installations de viande de vache pourrie dans nos modernes Biennales de Venise ou d'ailleurs ! Sans parler des anonymes, plus nombreux qu'on ne croit, et de toutes les périodes, qui se passionnent pour les têtes de guillotinés, les électrocutés sur les chaises électriques, les condamnés à mort chimique par seringues interposées, les héros des procès télévisés, les mises à mort en clips... La technique varie ; le voyeurisme, lui, ne cesse de peindre, de sculpter, de photographier.

Fig. 42. Théodore Géricault,
Têtes coupées,
collection particulière.

Fig. 43. Théodore Géricault,
Tête de naufragé,
Besançon, musée des Beaux-Arts.

Fig. 44. Théodore Géricault,
Naufragé de la Méduse,
Besançon, musée des Beaux-Arts.

43 Odilon Redon, *C'était un voile, une empreinte*,
Paris, Bibliothèque nationale de France.

Dans un style plus décadent, plus nostalgique, le XIXᵉ siècle, avec Odilon Redon, revient **43**
à la véronique ou au suaire pour célébrer les tourmentes d'une sainte face qui hésite entre
Byzance et le romantisme.

Obsession de la mort pour obsession de la mort, je préfère la *Tête coupée dite de supplicié*
de Géricault, celle de Stockholm, celle de Paris et ses dessins à la pierre noire (fig. 42). La tête
(fig. 43), d'après nature, d'un rescapé du naufrage de *La Méduse,* père de l'enfant mort, n'a pas
le cou coupé, mais traduit le supplice dans le regard et les lèvres. Tandis que le corps agonisant
en arc (fig. 44) suggère le plaisir sadomasochiste du peintre et du modèle, dans ce monde de la
douleur qui fut la terre promise de Géricault. Emprunts aux hôpitaux, fragments anato-
miques, têtes de cadavres, «ravissement et pitié» des voix italiennes des *castrati* — le peintre ne
s'est rien épargné; la science, toute la science a été très sérieusement et minutieusement convoquée chez lui. Pourtant, au-delà du naturalisme, la détresse de l'homme s'épanouit dans les

44 Arnulf Rainer, *Couronne*, Francfort, collection particulière.

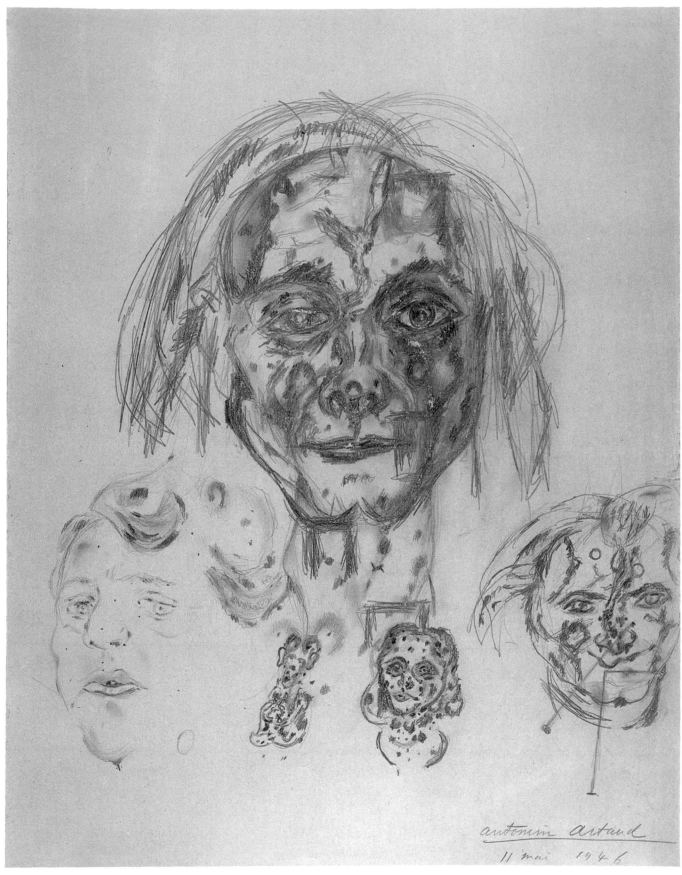

45 Antonin Artaud, *Autoportrait*, Paris, musée national d'Art moderne.

tableaux et les gravures du maître, d'une sensualité ombrageuse et cependant transparente, offerte, transcendée. Transcendée dans quoi ? Non plus dans le culte de la mort auquel succombent beaucoup de ses confrères mineurs, mais dans celui de la forme, du volume, de cette transition entre le noir et la lumière qui, secrètement, cesse d'être humaine pour se colorer d'une vibration cosmique dans l'art de Géricault.

Car tel est le pouvoir de l'horreur : il subjugue, il fait des adeptes, il crée des sectes. On commence par en être l'explorateur, et voilà qu'on en devient le fidèle. Le passage se fige, la pensée et le risque qui guidaient initialement le trait, sournoisement se protègent en perversion, en dogmatisme, en idéologie marginaliste. Le sort des avant-gardes modernes se joue dans cette ambiguïté qui ne date pas d'hier. Comment y échapper ? Tout simplement par le talent qui ne succombe pas à l'objet, qui esquive le fétiche et ne se laisse pas fasciner par ce qui se passe en dehors du dessin ou du tableau. Qui s'obstine à poursuivre l'« économie » et la « figuration » *avec* l'horreur, mais *pour* « elles-mêmes ». Ne serait-ce pas du formalisme ? De l'art pour l'art ? Ne vous pressez pas. Ce serait un défi plutôt lancé à l'horreur par l'invention d'une forme inouïe, qui ne s'épargne pas l'abjection mais nous refait un regard, pour que nous la voyions d'un œil neuf. Du « talent » ? « Simplement » ? Façon de parler, pour vous inviter à observer la persistance, chez les anciens comme chez les modernes, de la vieille fidélité à l'entaille, qui à la fois aggrave et allège la violence. Est-ce un Christ qui pleure ? La tête coupée de saint Jean ? Une peinture peignant la peinture qui ruisselle ? La mélancolie moderne de l'homme pressé ? La distraction du trait chez Arnulf Rainer est, en définitive, une impitoyable éraflure, qui s'innocente en suspension, en délicatesse. Une passion qui *pleut* : couronnement de l'artiste.

Le visage d'Artaud rayonne de malice, loin au-dessus de la folie de ses femmes, en bas, au travers de la bonne femme en lui, entre la gauche et la droite asymétriques de cette face de schizo qu'il se moque bien d'être, tant qu'une force, un souffle, une précision taillent le papier, disposent ombre et lumière, captent les ressemblances, tordent les apparences. « Je vous ai fait le visage d'un vieil empire des temps barbares », dit l'écrivain à Paule Thévenin, pour décrire le portrait qu'il a fait d'elle[143]. C'est l'irréconciliable lui-même, vieil empire convulsif de « douleurs errantes et d'angoisses », qu'Artaud fouille plutôt qu'il ne dessine depuis 1945, avec cette cruauté de foreuse qui commence par marteler un trou délimité d'un trait noir, et finit par lui arracher un visage. « Le visage humain est une force vide, un champ de mort[144]. » L'écriture à elle seule ne suffira pas à forcer le vide de ce temps barbare, il faudra la transe du corps tout entier pour en saisir enfin la vérité. Par le dessin, sol et supplément du langage.

Complice de ce champ de mort gravé en pleine figure, voici un scalp pourrissant. Crâne préhistorique, trophée totémique, ou horreur écorchée de mes rêves, mon visage à moi ? Un visage mortuaire d'Arnulf Rainer n'est pas vraiment mort, il vit dans l'intimité de tous les effrois.

D'un geste sûr et railleur, Picasso avait peint une série de décollations en 1927. Déjà, en 1901, il donnait à voir un *Coupeur de têtes*, à mi-chemin entre la fête foraine et l'échafaud. Serait-ce le peintre lui même ? J'ai toujours eu l'impression que ses portraits de femmes exhi-

143. *Cf.* P. Thévenin et J. Derrida, *Antonin Artaud, dessins et portraits*, Paris, Gallimard, 1986, p. 36.
144. Juin 1947, catalogue de l'exposition à la galerie Pierre, Paris.

46 Arnulf Rainer, *Tête de vieillard - Tête de momie,* Paris, musée national d'Art moderne.

47 Pablo Picasso, *Scène de décollation*, Paris, musée Picasso.

48 Pablo Picasso, *Le coupeur de têtes*, Paris, musée Picasso.

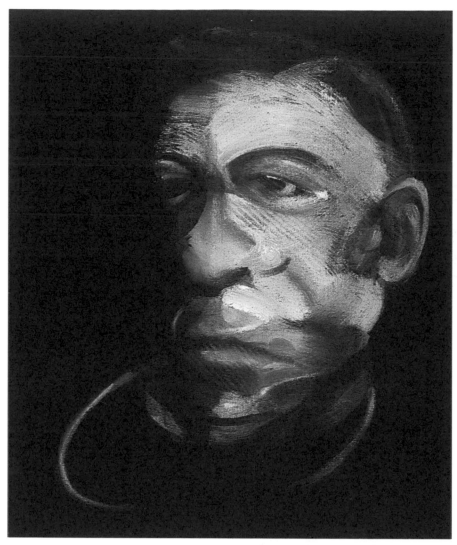

49 Francis Bacon, *Portrait de Jacques Dupin*, Amiens, musée de Picardie.

baient des têtes coupées, et par qui d'autre sinon par l'artiste lui-même ? Des têtes coupées ou plutôt de féroces Salomé métissées de saint Jean, souffrant et précurseur d'une improbable promesse. Des femmes héroïques en tout cas, offrant leur propre face sur un plateau et dansant avec elle. Etrange fusion entre un martyre au féminin et sa glorieuse sanctification par le pinceau du peintre qui l'épouse et l'opère. Trop polyvalentes pour n'être que d'un seul côté ou d'un seul sexe, ces têtes de femmes chez Picasso sortent d'une fastueuse décollation. Pure hypothèse. J'étais prête à l'admettre, jusqu'à ce que je découvre le prestidigitateur et les scènes de carnaval, le coupeur de têtes et les scènes de décollation dans les œuvres du jeune peintre. Les femmes de Picasso et saint Jean ne seraient donc pas incompatibles. D'ailleurs, il suffit de comparer un Picasso et un Bacon pour se convaincre que l'Espagnol est plus proche du supplice de saint Jean, tandis que le Britannique semble plus intimement christique. La chair tout entière, à commencer par le visage, souffre l'entaille de l'horreur, mais c'est bien la coupure qui structure l'univers de Picasso : le dessin tranchant, la couleur qui surgit, une surrection virile. Les arrondis et les volumes suaves s'engendrent seulement à partir de ces incisions. Au contraire, la violence de Bacon est creusée dans les transitions nerveuses, dans l'implosion des muscles, dans les hémorragies internes, bouches, œsophages, intestins, cavités broyées. Les corps de Bacon, les visages de Bacon n'ont ni la tête tranchée ni aucune entaille, c'est leur masse tout entière qui est torturée comme sur une croix, jusqu'à la transsubstantiation, en boucherie ou en peinture.

Mais, incisé ou implosé, le pouvoir de l'horreur serait peu de chose sans l'horreur du féminin. Le destin de Salomé, qui prépare des visions plus intrinsèques, plus imprégnées du féminin chez les artistes du XIXe siècle, en est la preuve éblouissante. Salomé est la femme sublime, la castratrice dont rêve le mâle qui éprouve quelques difficultés à jouir, c'est-à-dire plutôt tout le monde. Elle devient l'héroïne du décadentisme en manque de valeurs, la fée de sa spiritualité chrétienne repeinte aux charmes du paganisme et des ésotérismes ambiants. Barrès, D'Annunzio, Péladan, Lorrain, Swinburne ne se lassent pas de revisiter le supplice de la décollation, avec Salomé au centre du spectacle. Chargés des charmes brumeux du symbolisme, Gustave Moreau, Huysmans et Félicien Rops participent à ce culte d'une Ève apocalyptique. Oscar Wilde et Aubrey Beardsley glorifient les fantômes à tête coupée et, toujours, la fatale Salomé, divine castratrice. Apologie de la femme ? Hymne à sa suprématie ? Gloire d'un féminisme émancipateur ? Les apparences sont, ici plus qu'ailleurs, trompeuses. Sous la luxure diabolique de ces décadences latines, les évocations de Salomé offrent surtout aux protagonistes mâles un prétexte à la dérision et à l'exaltation morbides. La fille d'Hérodiade préside aux célébrations sacrilèges de ces « valeurs » qui manquent déjà si cruellement en cette fin de siècle que les décadents tentent de les restaurer… en blasphémant. Salomé devient de même une métaphore obsédante pour les femmes peintres, comme Jeanne Jacquemin qui affectionne les têtes dolentes, les feuilles mortes et les pierreries baignant dans l'eau sanglante de calices imposants. Ces préciosités, qui se prétendent philosophiques et eschatologiques, se complaisent dans le mauvais goût, cachant mal la misère sexuelle et la crise morale de ce qu'on croit être une « fin de l'histoire » et qui n'épargnent ni les arts plastiques ni la littérature[145].

Dans cette production abondante et très symptomatique pour ceux qui voudraient faire la socio-psychologie de la fin du siècle, se détache cependant l'humour, quand ce n'est pas la virtuosité stylistique des maîtres. Au cœur du raz-de-marée spiritualiste, Villiers de l'Isle-Adam revient au « réalisme dans la peine de mort », pour se moquer de la « guillotine d'un peuple d'hommes d'affaires », et rappeler que « la Loi n'a pas à donner à celui qu'elle punit l'exemple du cynisme[146] ». Dans un esprit tout différent de celui des décadents, « L'étonnant couple Moutonnet », petite nouvelle du même auteur[147], se moque de la fidélité de deux époux qui repose sur le désir pas très secret de chacun des protagonistes de faire guillotiner l'autre : les surréalistes se sont beaucoup amusés de ce bref écrit.

145. *Cf.* J. de Palacio, « Motif privilégié au jardin des Supplices. Le mythe de la décollation et le décadentisme », *Revue des sciences humaines*, n° 153, janvier-mars 1974, p. 39-62.

146. *Cf.* « Le réalisme dans la peine de mort », in *Œuvres complètes*, Paris, Gallimard, Bibl. de la Pléiade, t. II, 1986, p. 449-458.

147. *Ibid.*, p. 405-409.

Les œuvres de Breton et d'Aragon sont elles aussi traversées d'un étrange culte du féminin. Diverses sources, représentant une féminité « détraquée » mais aussi machinale et sadique, intraitable et envoûtante, inspirent Breton qui se réfère à Gustave Moreau, remonte à Salomé, Hélène et Dalila, non sans puiser aussi dans le grand-guignol. Une pièce médiocre, intitulée *Les Détraquées*, met en scène un crime crapuleux commis à l'époque dans un pensionnat de jeunes filles et imputé à Solange, l'amie de la directrice, nymphomane et sadique. Le portrait de l'actrice Blanche Derval qui en interprète le rôle sera brossé précisément par Breton dans *Nadja*. La Solange de *Poisson soluble* est une fée extralucide autant qu'un être des bas-fonds, « discrète comme le crime [...], sa main crispée sur un revolver[148] ». *Le Paysan de Paris*[149] d'Aragon poursuit une féminité fantasmatique et monstrueuse, habitée par une violence acéphale, « un principe hors-la-loi, un sens irrépressible du délit, le mépris de l'interdiction et le goût du saccage ». « La femme est dans le feu, dans le fort, dans le faible, la femme est dans le fond des flots[150]. » Lorsque Aragon, en pleine crise sentimentale et politique, écrit *La Défense de l'infini*[151], il crée l'étonnant personnage d'Irène qui prend le relais de ces héroïnes fatales, descendantes des Salomé et sœurs du crime. Côtoyant un grand-père impuissant dans l'image duquel semble se mirer l'impotence du narrateur, Irène, qui est la fille d'une Victoire, sorte d'Hérodiade virile, apparaît surtout comme l'alter ego féminin de l'écrivain. Le plaisir des mots, c'est elle. Comme une Salomé qui danse avec les mots, cette « kleptomane de la volupté » jouit et dit son plaisir. Elle « pense sans grand détour que l'amour n'est pas différent de son objet, qu'il n'y a rien à chercher ailleurs. Elle le dit au besoin d'une façon très désagréable, directe. Elle sait être grossière et précise. *Les mots ne lui font pas plus peur que les hommes, et comme eux ils lui font parfois plaisir.* Elle ne s'en prive pas au milieu de la volupté. Ils sortent d'elle sans effort, dans leur violence. Ah ! l'ordure qu'elle peut être. Elle s'échauffe, et son amant avec elle, d'un vocabulaire brûlant et ignoble. Elle se roule dans les mots comme dans une sueur. Elle rue, elle délire. Ça ne fait rien, c'est quelque chose, l'amour d'Irène[152]. » L'homme est tragique, *exit* l'homme. L'Un est annulé, demeure l'excitation hystérique. A la sortie impotente du Héros succède une narration en collage, consacrée à la jouissance d'Hérodiade. Irène ou les métamorphoses de Salomé-Hérodiade.

Alimenté par la guillotine, ce féminin fantasmatique qui hante la crise religieuse du XIXᵉ siècle est au fondement d'une esthétique de l'*impersonnel* et de sa spiritualité. « Aimer, que veux-tu, n'est pas une question de personne », écrira Aragon dans *La Femme française*[153] (1923). Flaubert et Mallarmé avaient frayé le passage par la cruauté, non plus de leur « style »,

---

148. *Cf.* A. Breton, *Œuvres complètes*, Paris, Gallimard, Bibl. de la Pléiade, t. I, 1988, p. 136.

149. Paris, Gallimard, 1926, rééd. Folio, 1978.

150. *Ibid.*, p. 135, 209, 249.

151. Le manuscrit en fut brûlé par l'auteur en 1928, mais partiellement et clandestinement publié sous le titre *Le Con d'Irène*. Il est reparu récemment, avec des fragments retrouvés, sous le titre initial, chez Gallimard, en 1997.

152. Aragon, « Le con d'Irène », in *La Défense de l'infini*, Paris, Gallimard, 1986, p. 87-88. Nous soulignons.

153. *Cf. La Fin du libertinage*, éd. augmentée, Paris, Gallimard, 1964, p. 240.

mais de ce que Roland Barthes devait appeler leur « écriture chargée et pourtant neutre », qui devint la concrétion d'un meurtre.

L'*Hérodias* de Flaubert, le dernier des *Trois contes,* est l'ultime œuvre publiée du vivant de l'écrivain. Il ne restera plus que *Bouvard et Pécuchet*, inachevé, mais peut-on achever la bêtise ? Le 21 janvier 1877, Flaubert écrit : « Je suis malade de la peur que m'inspire la danse de Salomé ! Je crains de la bâcler. » Mais il ajoute, en songeant à la décollation, cette phrase qui n'est pas une simple plaisanterie de fils de médecin : « J'ai besoin de contempler une tête humaine fraîchement coupée. » Préoccupé par sa propre impuissance et par une mort prochaine, Flaubert doute de la qualité de son texte (« Il y manque je ne sais quoi », écrit-il le 31 décembre), mais la figure divine unifiant les trois contes (*Un cœur simple, Saint Julien l'Hospitalier* et *Hérodias*) lui donne un souffle qui transcende le documentarisme des autres œuvres par un mélange de volupté et d'illumination. Loin de témoigner cependant d'un quelconque regain d'optimisme, comme on a pu le dire, ces trois contes, et tout particulièrement *Hérodias*, dessinent un carrefour où se tient l'écrivain à la fin de sa vie, pris dans une double identification : avec l'insolence du désir féminin d'une part, et de l'autre la promesse ouverte par le sacrifice de l'homme. Dans un décor précieux qui doit beaucoup aux recherches archéologiques de Clermont-Ganneau, à la *Vie de Jésus* de Renan, à *La Légende dorée* et à Flavius Josèphe, sans oublier les scènes de la vie de saint Jean Baptiste sculptées sur le tympan de la façade nord de la cathédrale de Rouen – où aucun détail exotique n'est laissé au hasard, il n'est pas jusqu'aux noms arabes et juifs des étoiles que Flaubert demande à un ami documentaliste de lui épeler –, l'écrivain fait évoluer un Antipas craintif sur fond de débat religieux entre Pharisiens et Sadducéens. C'est l'origine du christianisme qui fascine l'auteur de *Salammbô,* la lascive complicité d'Hérodias avec sa fille Salomé lui permettant de mettre en valeur l'intransigeance d'une autre emprise, celle qu'exerce Iaokanann (saint Jean-Baptiste), promis à un glorieux avenir où, de toute évidence, l'auteur, malade, aspire à s'inscrire.

L'histoire racontée par Flaubert, comme le texte biblique, met en scène le conflit entre deux pouvoirs, et si l'homme choisit indubitablement celui du prophète, l'écrivain semble davantage emporté par le vice irrésistible des femmes. Voici Salomé : « Sous un voile bleuâtre lui cachant la poitrine et la tête, on distinguait les arcs de ses yeux, les calcédoines de ses oreilles, la blancheur de sa peau. Un carré de soie gorge-de-pigeon, en couvrant les épaules, tenait aux reins par une ceinture d'orfèvrerie. Ses caleçons noirs étaient semés de mandragores, et d'une manière indolente elle faisait claquer de petites pantoufles en duvet de colibri [...]. Ses pieds passaient l'un devant l'autre, au rythme de la flûte et d'une paire de crotales. Ses bras arrondis appelaient quelqu'un, qui s'enfuyait toujours. Elle le poursuivait, plus légère qu'un papillon, comme une Psyché curieuse, comme une âme vagabonde, et semblait prête à s'envoler[154]. » La femme ailée de Félicien Rops rappelle cette psyché-papillon. Simple instrument d'Hérodias, la magicienne dansante n'est pourtant qu'une « enfant » qui « zézaye » ; au moment décisif ou Hérode lui demande son vœu, elle est près d'oublier le nom de Iaokanann. Et voici le Prophète, dont le narrateur nous a déjà fait entendre les dures imprécations, après

154. G. Flaubert, *Trois contes*, Paris, Gallimard, Folio classique, 1973, p. 129-130.

50

l'assouvissement du désir féminin : « La tête entra ; et Mannaeï la tenait par les cheveux, au bout de son bras, fier des applaudissements […]. Ils l'examinèrent. La lame aiguë de l'instrument, glissant du haut en bas, avait entamé la mâchoire. Une convulsion tirait les coins de la bouche. Du sang, caillé déjà, parsemait la barbe. Les paupières closes étaient blêmes comme des coquilles ; et les candélabres à l'entour envoyaient des rayons[155]. »

Est-il bien sûr que Flaubert, joaillier fasciné par ces deux scènes de fascination, ait vraiment fait son choix ? Laquelle des deux préfère-t-il ? Seule l'intervention des disciples décide de la chute du récit, et de la suite christique de l'histoire : « Et tous les trois, ayant pris la tête de Iaokanann, s'en allèrent du côté de la Galilée. Comme elle était très lourde, ils la portaient alternativement[156]. » Telle est la dernière image publiée que nous laisse l'auteur de *Madame Bovary* : une tête coupée. Il meurt à Croisset, le 8 mai 1880, d'une… hémorragie cérébrale. Salomé ou saint Jean-Baptiste ? Salomé ou Flaubert ? Saint Jean-Baptiste ou Flaubert ? Alternativement. « Comme elle était lourde, ils la portaient alternativement. »

Mais c'est l'elliptique Mallarmé qui parvint à sauver l'ennemie jurée de Jean-Baptiste des petites perversités où les symbolistes et les décadents avaient enfermé sa fille. Il consacra à Hérodiade un hymne superbe et sibyllin, en or, aurore, robe, arôme, ombre, eau morte, pourpre, horloge, trompette, suaire, rougeur, plumage, Hérode, érotisme, rondeurs, horreurs et autre effroi… Toute une orfèvrerie musicale qui imprime à jamais dans la mémoire de la langue française ces vers éternels : « J'aime l'horreur d'être vierge et je veux / Vivre parmi l'effroi que me font mes cheveux[157]… » Au troisième volet de ce triptyque, dédié à Hérodiade, surgit un laconique « Cantique de saint Jean » qui tranche sur la volubilité de la reine par la sobre inscription de cette lucidité corporelle, où réside peut-être la véritable élection de la sainteté et son énigme même.

> « Et ma tête surgie
> Solitaire vigie
> Dans les vols triomphaux
> De cette faux
>
> Comme rupture franche
> Plutôt refoule ou tranche
> Les anciens désaccords
> Avec le corps[158]. »

---

155. *Ibid.*, p. 133.

156. *Ibid.*, p. 134.

157. *Cf.* Mallarmé, *Œuvres complètes,* Paris, Gallimard, Bibl. de la Pléiade, 1945, p. 47.

158. *Ibid.*, p. 49.

50 Félicien Rops, *L'initiation sentimentale*,
Paris, musée du Louvre, fonds du musée d'Orsay.

51 Félicien Rops, *La grande lyre*,
Paris, musée du Louvre, fonds du musée d'Orsay.

Quel sacré saint Jean, ce vigilant Mallarmé, baptiste solitaire des désaccords avec le corps. Oh ! Hérodiade…

Mais tandis que Villiers, Flaubert et Mallarmé résistent à tous les pouvoirs de l'horreur au féminin, sans pour autant les esquiver, le XIXᵉ siècle voit la contagion se propager. La grande lyre de l'art ne serait-elle pas entre les mains de La Femme (majuscule), dont le trône repose sur un parterre de crânes ? Le fantasme est de Félicien Rops. A l'époque où Charcot développe ses recherches sur l'hystérie (1881), peu avant l'intervention de Freud, cette glorification de la « maîtresse femme » au croisement de la mystique chrétienne et des cultes diaboliques croit relever d'une inspiration baudelairienne. Félicien Rops célèbre dans l'auteur des

51

131

52 Lucien Lévy-Dhurmer, *Vague furieuse* ou *Méduse*,
Paris, musée du Louvre, fonds du musée d'Orsay.

Fleurs du mal « l'amour de la forme cristallographique première : la passion du squelette[159] ».
Huysmans pourtant, tout aussi décadent, reste d'une férocité intransigeante à l'endroit du
peintre de Namur : « une hantise de la saloperie pour la saloperie [...], onanisme mental [...],
hystérie mentale [...], délectation morose[160] ». La Femme, créature ailée, papillon de nos
rêves ? Toujours selon Félicien Rops, elle se pose en envers
symétrique et décoré de la toujours présente Méduse, qui
continue de faire peur dès qu'on quitte la surface des hom-
mages hypocrites (voir Lévy-Dhurmer).

52

    Odilon Redon, qui n'a pas peur de l'horreur phallique
(fig. 45), finit par vendre la mèche : Salomé ou pas, une femme

53

aura la tête tranchée comme un œuf à la coque. Mais est-ce

159. Lettre à Poulet-Malassis, fin mai 1864, *Mercure de France,* 1er octobre 1933,
p. 48.

160. J.-K. Huysmans, in *L'Art moderne. Certains*, Paris, U.G.E. 10/18, 1986,
p. 290-292.

Fig. 45. Odilon Redon, *L'homme cactus*,
New York, Ian Woodner Family Collection.

53　Odilon Redon, *L'œuf*, Paris, Bibliothèque nationale de France.

bien une femme ? Au point où nous en sommes, la complaisance décadente pour le tranchoir nous mène à l'œuf de l'unisexe, ou du pas de sexe du tout, qui ne deviendra une spécialité populaire qu'à la fin du XXᵉ siècle.

Rien n'empêche, entre-temps, l'éternel cheminement de l'horreur méduséenne, y compris sous l'aspect d'une petite fille, à condition qu'on lui peigne une tête clouée. Fantasme vengeur de Günter Brus contre quelle déesse mère ? Ou encore, mais de manière autrement séduisante, sous une voilette brodée de femme fatale, entre messe noire et bordel, dans une photographie de E. Steichen.

C'est Fautrier, pourtant spécialiste de jeunes égéries érotiques et torturées, qui parvient, dans l'avarice d'un masque aux yeux vides, à toucher la douleur d'une lépreuse sur le point de passer. Sans voilette ni papillon, ce fossile d'une souffrance préhistorique, la décollation faite femme, vous invite à aller voir derrière le masque.

En contrepoint, Picasso – qui a beau taillader les visages de femmes dans les portraits – se plaît à camper un inébranlable buste féminin dont on ne se lasserait pas d'admirer les cheveux confondus avec un gigantesque nez. Et ce cou de danseuse qui se souvient d'avoir été

54

55

56

57

133

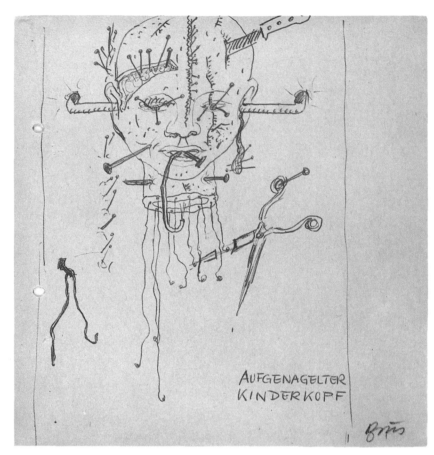

54 Günter Brus, *Tête d'enfant clouée*, Paris, musée national d'Art moderne.

55 Edward Steichen, *Gloria Swanson*,
Paris, Bibliothèque nationale de France.

56 Jean Fautrier, *Les yeux*, Paris, musée d'Art moderne de la Ville.

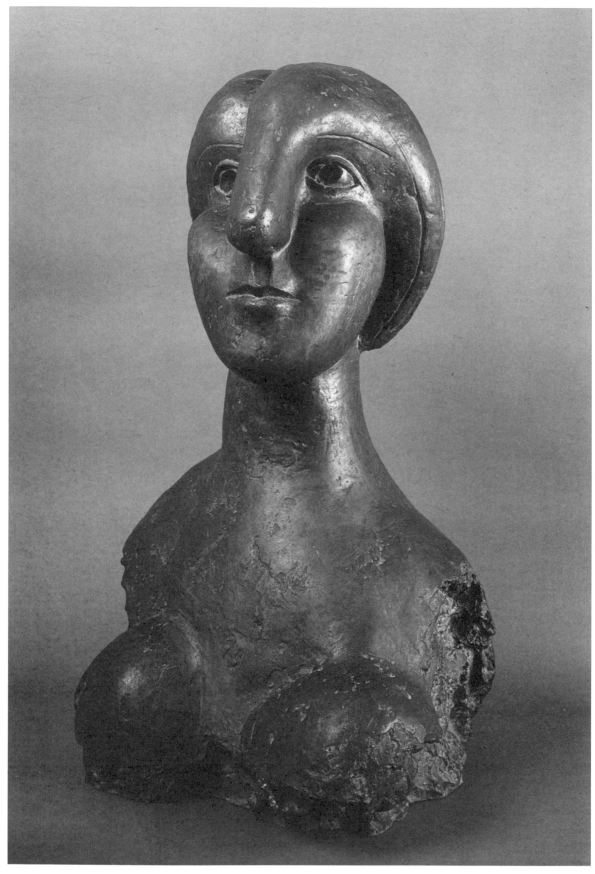

57 Pablo Picasso, *Buste de femme*, Paris, musée Picasso.

taureau, pour s'apprêter à tenir tête à son « coupeur de têtes ». Vision capitale que cette horreur sublime de la féminité archaïque : l'artiste sait d'expérience qu'il colle à la source de la représentation, et il nous fait voir qu'*elle* ne se laissera pas faire.

Le cinéma ne sera pas en reste. Il prendra le relais de l'histoire de la peinture, et donc, immanquablement, de la décollation. Surtout de la décollation. Tout film policier essaie de s'en approcher, maladroitement, n'importe comment, mais il essaie. Quelques-uns vont droit aux têtes coupées. *Le Fantôme de Canterville* d'Oscar Wilde (réalisé par Jules Dassin avec Charles Laughton); et jusqu'à *La Sentinelle*, d'Arnaud Despléchin; sans oublier le *Dialogue des carmélites,* par Philippe Agostini et le père Bruckberger, d'après Bernanos. Complaisance avec l'horreur? Pouvoir? Démystification? Allez-y voir vous-mêmes (vidéo en boucle n° 1).

Au fur et à mesure que l'image mobile envahissait les écrans et se frayait son chemin vers ce visible absolu qu'est la visibilité de l'horreur – le film par excellence étant un film d'horreur, comme l'a démontré Hitchcock –, la culture moderne mettait en évidence une familiarité inattendue des femmes avec la mort et le carnage, bien au-delà de l'aisance cruelle qu'avaient manifestée Judith, Hérodiade et Salomé. Toujours quelque peu *étrangère* aux épreuves phalliques, une femme se laisse facilement submerger par la perte et la séparation qu'elle inonde de ses larmes : c'est l'ivresse de la pleureuse qui annonce toutes les tombes, jusqu'à celle du Christ dont on se souvient qu'elle fut découverte, vide, par Marie-Madeleine, une de ces femmes pionnières du deuil. Pourtant, c'est la même étrangeté qui permet à une femme de visionner froidement les détails minutieux d'une mutilation ou d'une mise à mort; elle sous-tend l'angoisse scientifique des « reines du polar » qui excellent dans les salles d'autopsie et cassent les prix du marché du livre.

Au risque de choquer, je mettrais dans la même perspective la contribution féminine majeure de Melanie Klein à la psychanalyse. Après Abraham et Freud, mais de manière beaucoup plus sûre et élaborée, elle insista sur la pulsion de mort et ses effets destructeurs dans les positions schizoparanoïdes et dépressives de la petite enfance[161]. De Sabina Spielrein[162] à Marion Milner[163] et Piera Aulagnier[164], les femmes psychanalystes explorent les violences catastrophiques de la psychose. Surtout, elles accompagnent les états limites en se *donnant*, par une adhésion contre-transférentielle exceptionnellement intense et fine. C'est dire que les pleureuses et les détectives savent apporter leurs talents tout aussi bien à la thérapie. Pourtant, c'est dans le récit du crime que culmine cette familiarité du génie féminin avec le trauma de la mise à mort et du deuil. D'Agatha Christie à Patricia Highsmith, ou plus crûment encore à Patricia Cornwell, nombreuses sont les visiteuses gourmandes des hauts lieux

161. M. Klein, *Essais de psychanalyse*, Paris, Payot, 1967; *La Psychanalyse des enfants*, Paris, PUF, 1959; *Envie et gratitude et autres essais*, Paris, Gallimard, 1978; *L'Amour et la Haine*, Paris, Payot, 1978 (avec Joan Rivière).

162. *Cf. Sabina Spielrein entre Freud et Jung,* éd. par M. Guibal et J. Nobécourt, Paris, Aubier-Montaigne, 1981, et S. Spielrein, « Extraits inédits d'un journal », *Le Bloc-notes de la psychanalyse,* 3, Genève, Georg Editeur, 1983, p. 147-170.

163. *Une vie à soi* (1934), Paris, Gallimard, 1988; *L'Inconscient et la peinture*, Paris, PUF, 1976; *Les Mains du dieu vivant, compte rendu d'un traitement psychanalytique* (1969), Paris, Gallimard, 1974.

164. *La Violence de l'interprétation*, Paris, PUF, 1975.

du carnage qui retracent, avec un sang-froid inouï, les aventures des lames tranchant les têtes et les états d'âme.

Incapables d'humour, dit-on, les femmes s'avèrent excellentes dans ce genre grinçant d'humour absolu qu'est le désir de savoir : de savoir non pas d'où viennent les enfants (car tel serait le fondement de toute curiosité, selon Freud, curiosité saturée désormais par les diverses techniques de procréations artificielles et autres clonages), mais d'où vient le désir de l'être humain de tuer son prochain. Cette exploration romanesque de l'énigme fondamentale et notamment de la décapitation, qui déchaîne fantasmes et savoirs, apparaît comme un retournement de la souffrance subie ; comme son élaboration cathartique, non par un déplacement vers l'érotisme, mais par une observation minutieuse des logiques et de l'économie de la violence même. Il n'est pas indifférent que, contrairement à la saisie immédiate de l'horreur par l'*image,* ce soit dans une vision bâtie de mots, c'est-à-dire dans une visibilité fantasmatique toute tissée des incertitudes et des polyvalences imaginaires du *langage,* que s'élabore de préférence cette confrontation féminine avec le trauma de la mise à mort. En effet, à la différence des peintres, ce sont les mots et la narration qui éclairent ces exploratrices des noires cavernes psychiques. Dans la voie qu'elles s'ouvrent ainsi, leurs règlements de comptes n'épargnent ni l'homme usurpateur et criminel plus ou moins dissimulé dans la mascarade sociale, ni l'autre femme dont celle qui écrit essaie de se dégager. Le passage à l'acte meurtrier étant l'envers de la dépression, c'est en l'imaginant, en l'écrivant, que le roman policier, et sa floraison féminine surtout, les traverse. Ainsi, ma Pauline, la grise orthophoniste de *Possessions,* meurtrie d'une perte précoce, s'acharne sur le cadavre de Gloria, comme elle n'a pas pu le faire sur une autre, sur sa mère. « La lame comprime la chair rigide du cou. La peau du cou vieillit la première chez une femme ; tous les matins, Pauline pince cette pomme cuite, s'agace plus ou moins tendrement de la voir brunie, faner, s'affaisser. La carnation de Gloria est plus fraîche, était plus fraîche, bien que les deux femmes aient eu à peu près le même âge, mais cette jeunesse encore si fière d'elle-même, la veille, est aujourd'hui raidie, quasi congelée. Allez savoir pourquoi c'est le cou qui prend de l'âge le premier. Les amants y flairent les parfums les plus suaves, encore ambrés du suc viscéral, mais allégés par l'attraction des yeux, du jour. Les nourrissons s'y nichent, préférant ces vallonnements aérés à la tiédeur sibylline des seins et des ventres. La tête lui impose son poids, verticale aberration juchée en équilibre surnaturel au sommet d'une tige qui s'obstine à défier la pesanteur ainsi que la souplesse horizontale des quadrupèdes. On ne sait pas combien il est fatigant de tenir debout avec amants, bébés, et une tête qui doit penser à tout ! Cumul agréable parfois, glorieux si l'on veut, mais fatigant, très fatigant. Le cou s'en ressent, il assure, il accuse. Le cou est l'organe le plus sournoisement, le plus monstrueusement féminin. A l'opposé du gros orteil qui, dans les deux sexes, accumule les souffrances du corps pesant et trahit les misères du caractère, le cou – chez les femmes seulement – ajoute aux usures masculines les indices d'un esprit lâche ainsi que ceux d'une vie sans issue. Et finit par révéler cette tendance perpétuelle à s'effondrer qu'on appelle stupidité – toute-puissance de l'inertie et du laisser-aller. Impossible à maquiller, il faudrait lifter, couper, recoudre. Ou simplement enlever, trancher. [...] C'est facile de découper un corps de femme quand on est une femme. Ce n'est rien. On se connaît si bien ! Ça ne mérite ni douleur ni compassion. On sait par où passer, quel lambeau de peau décoller, dans quelle articulation s'enfoncer, quel cartilage briser. Quelle honte réveiller, quelle peine attiser, quelle susceptibilité piétiner, quelle jalousie gratter, quelle envie tarir, quel désir contrarier, quelle mort répéter – répéter inlassablement et empêcher de s'apaiser. On s'acharne sur soi, mais à distance : on se protège, on survit tandis que l'autre trépasse, disparaît dans le néant qui l'a constituée de tout temps, de toute évidence. On renaît, on repart. Plus impersonnelle, plus sûre. "Je" est mort, vive personne ! Personne n'est cruel. Personne ne jubile. Ce qui vous paraît un carnage est tout simplement un acte chirurgical, neutre. La dépression agie neutralise la cruauté. La dépression agie est une sorte de pensée, un substitut de pensée, tout aussi froide et efficace[165]. »

Ecrire la décollation – comme la peindre – serait ainsi une méditation sur la dépression et, de ce fait, une renaissance. On comprend dès lors que le roman policier comme ces visions capitales soient des genres *optimistes*.

165. *Possessions*, *op. cit.*, p. 269-272.

58 Ecole lombarde, *Tête de saint Jean-Baptiste*, Paris, musée du Louvre.

Le visage et l'expérience des limites

Ce n'est pas seulement parce que vous risquez de la perdre que votre tête est précieuse. Loin de moi l'idée d'insinuer que seule la décollation, réelle et imaginaire, puisse conduire l'artiste, ou quiconque, à embellir le visage. Pourtant, la menace ou la promesse de l'invisible confèrent à l'expression une beauté idéale dont le masque mortuaire constitue la limite paralysée.

L'histoire du portrait jusqu'aux écorchures modernes qui l'ont relayé nous montre ce que certains écrivains, voyageurs au bout de la nuit, essaient de faire entendre. Figé, mobile, échangé, vu du dedans ou du dehors, le visage échappe à la saisie. « Il y a une quantité de gens, mais il y a encore beaucoup plus de visages, car chacun en a plusieurs [...] il arrive aussi que leurs chiens sortent avec [...]. J'étais terrifié de voir un visage par l'intérieur, mais je redoutais cependant bien davantage encore d'apercevoir la tête nue, écorchée, dépourvue de visage[166]. » « De toute façon, elle [Dirty] était fascinante. Mais l'expression du visage m'avait échappé[167]. » « Je grandis en force et en sagesse, mais je restais toujours aussi laid quoique orné d'un système pileux discontinu, mais toujours très développé. En fait, j'avais la tête de la Victoire de Samothrace[168]. » Et le plus définitif, Artaud : « Ce qui veut dire / que le visage humain / n'a pas encore trouvé sa face[169]. »

A cette incertitude affolante ou prometteuse, le désir de conserver la tête d'un homme qui vient de trépasser ajoute une illusion d'apaisement. Ce n'est pas encore un cadavre, l'homme vient tout juste de basculer dans le néant. Il vous suffit de saisir cette délivrance et votre art frôle la placidité des dieux. Deux ans avant sa mort, le Sévillan Llanos y Valdés mûrit le style de Herrera et de Zurbarán dans sa *Tête coupée de saint Paul* (fig. 46). La tourmente du martyre doucement se détend pour atteindre une gravité idéale. La tête imaginaire par excellence serait sans doute la tête que le peintre imagine offrir aux regards quand il n'aura plus de regard.

Fig. 46. Sebastiano de Llanos y Valdés, *Tête de martyr décapité*, Paris, musée du Louvre.

166. R. M. Rilke, *Les Carnets de Malte Laurids Brigge, Œuvres en prose,* Paris, Gallimard, Bibl. de la Pléiade, 1993, p. 436-438.

167. G. Bataille, *Le Bleu du ciel,* Paris, J.-J. Pauvert, 1971, p. 144.

168. B. Vian, *Eléments d'une biographie de Boris Vian* (avantageusement connu sous le nom de Bison Ravi), lettre à M. Hirsh (Gallimard) du 20 juin 1946 pour *L'Ecume des jours*, repris dans la plaquette accompagnant le coffret de disques *Boris Vian intégral*, vol. 1, Disques Jacques Canetti, 1964.

169. A. Artaud, *Le Visage humain,* publié par la galerie Pierre à l'occasion de l'exposition des dessins du poète, juillet 1947.

C'est ainsi, peut-être, que Solario embellit son saint Jean-Baptiste et peint sur le visage du Précurseur décapité, par-delà la séduction de l'*Etude* que nous avons déjà vue, un abandon enfantin, la confiance du nourrisson qui dort, bouche ouverte. Dans le spectacle fatigant que nous offrons à longueur de journée tout au long de notre vie, le sommeil est l'expérience la plus propice à la beauté du visage. Les yeux à fleur de tête, comme plongés dans le puits des rêves, et les traits détendus des morts qui enfin peuvent ignorer la culpabilité, vous rendent le mythe de la résurrection presque plausible. La mort est sans aucun doute irreprésentable. La preuve en est cette *Tête en marbre de saint Jean*, d'une perfection académique avec un soupçon de bizarrerie maniériste, qui n'est qu'une tête de paradis.

Lorsque Paul Delaroche perd sa femme en 1845, le culte du christianisme victimaire avec ses saintes martyres fondatrices fut le seul à le consoler, époque oblige. Cependant, si la disparition impose au veuf un visage inoubliable de sa femme morte, la vision s'en laisse à peine deviner. Ose-t-il seulement l'affronter ? la laisser à découvert ? L'empreinte du Christ s'y substitue par le truchement de la double véronique que nous propose le peintre : le mandylion du Sauveur, qui est déjà une impression, est destiné à « s'imprimer » à son tour sur les traits cachés de la défunte, et à les effacer. La surimpression idéale protège-t-elle ou empêche-t-elle de voir ?

Produit de ce respect féroce qui oblige à thésauriser la dernière expression – à la décoller, à l'archiver –, le masque mortuaire pourrait être la deuxième mort du vivant, la définitive. L'effigie funéraire du visage d'un compositeur, en contrepoint à sa musique, est presque aussi absurde que le crâne de Descartes enfant. Quelle est cette dévotion qui se contente, pour toute musique, d'une tête morte ? Il ne reste même pas la tonalité du regard, rien qu'une face pétrifiée par le trépas, anonyme à force d'être adorée. Dans la course au sacré, à l'éphémère de l'art sonore les arts du visible opposent la permanence, ce qui les mue en quintessence du monument

59 Paul Delaroche, *Sainte Véronique*, Paris, musée du Louvre.

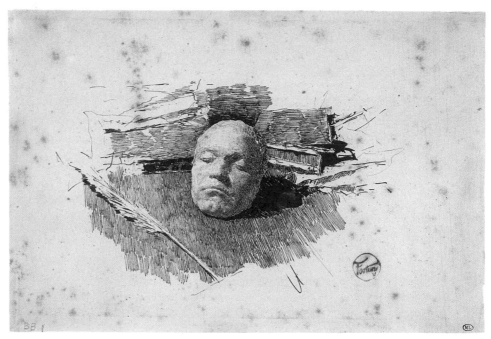

60 Mariano Fortuny, *Le masque de Beethoven*, Paris, fonds du musée d'Orsay.

61 Mariano Fortuny, *Deux masques*, Paris, fonds du musée d'Orsay.

60, 61

tombal. Vous vous souvenez des masques mortuaires de Pascal, de Proust... Le *Masque de Beethoven* de Mariano Fortuny nous trouble surtout parce que le regard avoue ici sa compétition avec l'éternité : à la limite, le visible n'aurait pas d'autre destination, il serait fait pour devenir une relique de sépulcre. Face à ce Beethoven sinistrement masqué et deux fois mort, nous savons cependant que rien n'est perdu si tout ou rien aboutit à une image. Les mythes passés revivront de nouvelles vies, les oublis des basses époques n'y feront rien, ça reviendra, peu importe sous quelle forme ou dans quel état, le regard objectivé a devant lui l'infini de la durée.

Regardez, nous sommes en plein XIXe siècle, mais les canons prestigieux des icônes christiques aux chevelures méduséennes viennent de se hisser sur une colonne : ils s'éternisent.

62 Odilon Redon, *Tête coupée sur une colonne*,
Paris, musée du Louvre, fonds du musée d'Orsay.

63 Gaëtan Gatian de Clérambault,
Morphologie du costume drapé, Paris, musée de l'Homme.

Rien n'empêche le suaire byzantin de se métamorphoser en une tête sculptée posée non sur un plat, mais sur un pilastre romain, par la grâce des mains de la nouvelle Salomé qu'est Odilon

62   Redon (voir sa *Tête coupée sur une colonne*). La mort est hors-temps, nul ne peut la voir ; on devra se contenter d'en varier les visions capitales. Culte absolu ou ultime vengeance ?

Prenons une femme voilée : est-elle la femme protégée et vénérée que prétend nous désigner le tchador ? Ou une femme sacrifiée, décapitée, emmurée ? J'observe la morphologie

63   du drapé ; j'y vois une conque, un cercueil, je veux bien croire qu'il y a là une femme, mais enterrée vivante.

64   Tout autre est la *Voilette* de Seurat : une traversée du deuil, un passage hors des frontières du visible. La caresse du crayon noir sur une texture granuleuse fait pressentir plus qu'elle ne cache une peau irisée, une démarche vibrante. Le torse légèrement incliné, de grâce ou de vertige, la tête voilée de deuil ou de pudeur, l'héroïne inconnue distille une élégance altière. On pense aux voiles aquatiques des marbres de Corradini (fig. 22). Le visible est ici entièrement résorbé au-delà, alors que simultanément l'au-delà diffuse dans le visible. Méthode froide, aucune poésie, revendiquait Seurat. Tels Mallarmé et Schönberg, il réussit, comme le musicien de Thomas Mann, à diffuser « l'essence magique de [la] musique dans la

64 Georges Seurat, *La voilette*,
Paris, musée du Louvre, fonds du musée d'Orsay.

raison humaine ». Non : dans la face humaine. Une tête féminine se promène à travers la musique des traits, mais elle demeure triplement incognito : sous la voilette, sous la capote repliée de la voiture qui l'enveloppe de sa masse noire, dans le geste musical de l'artiste. Est-ce une version tout en délicatesse de cet insaisissable féminin qui ne pourrait que fondre dans le regard de l'homme, comme un morceau de sucre (« Mais les femmes, allez vous rappeler les femmes ! Les distinguer. On se souvient bien d'un morceau de sucre, mais le distinguer d'un autre ! […] j'imagine, voilà, je ne me souviens plus, j'imagine. Le pire oubli, qu'imaginer. C'est oublier jusqu'au fait de l'oubli même[170] »)? La *Voilette* de Seurat m'apparaît comme la tête imaginaire absolue, hors concours, la beauté jouant avec les frontières de l'oubli.

Le geste décapitant n'a certainement pas disparu dans ces expériences aux limites de nos visions capitales. Mais il a pris un masque. Il s'était déjà gracieusement dissimulé dans la collerette qui, chez François Clouet, se métamorphose en un austère bavoir à la barbe de Marie Stuart; de quoi mettre en valeur une tête qui sera tranchée (fig. 47). Il s'égaie en froufrou chez François Quesnel, qui fait reposer les charmes discrets d'une inconnue (fig. 48) sur un plat

170. Aragon, *Blanche ou l'oubli,* Paris, Gallimard, 1967, p. 54-55.

Fig. 47. François Clouet,
Portrait de Marie Stuart, Paris,
Bibliothèque nationale de France.

Fig. 48. François Quesnel,
Portrait de femme (détail),
Paris, musée du Louvre

Fig. 49. Pablo Picasso,
Femme à la collerette,
Paris, musée Picasso.

vaporeux de fronces soyeuses et amidonnées. De même, dans un des Picasso les plus tendres – la *Femme à la collerette* (fig. 49), ma préférée –, Marie-Thérèse Walter prête son beau visage au peintre, pour qu'il le dépose sur un plat-collerette à la saint Jean. Tout à son geste tranchant qui taillade le nez et les yeux, l'artiste baigne néanmoins ce visage aimé dans une palette d'ocres, l'abrite dans l'escargot d'un chapeau de paille, l'embrasse dans la malice de ses traits enjoués et de ses coups de pinceau. Un triomphe de la tête et de l'amour en somme, que cette *Femme à la collerette*, dans une décollation dont il ne reste plus que l'humour. Ici, le visage féminin ne se dérobe nullement. Il ne se dissout pas dans la méchanceté des caricatures dont Picasso ne se prive pas, et qui ne sont pas sans rappeler celles de Céline (« Les femmes, ça se décline à la cire, ça se gâte, fond, coule, boudine, suinte sous soi… c'est horrible la fin des cierges, des femmes aussi[171] »). Il ne disparaît pas non plus dans l'éparpillement mercurien d'un « panthéisme espiègle et douloureux », impressionniste (« Je voudrais lui reparler du mercure… […] elle reste pas en place… elle bondit, pirouette en lutin… […] quels jolis cheveux!… quel or!… quelle gamine!… […] Elle me parle… c'est de l'oiseau… Je comprends pas tout… […] je serais mort délicat[172]… »). Non, chez Picasso, la violence de l'érotisme est préservée, mais elle glisse du visage sur le plat de collerette, tandis que l'entaille, qui ne cesse d'opérer, visionne une intimité aimée, une écorchure aimante.

Je regarde la *Femme à la collerette* comme la face ensoleillée de l'ombre qu'est le Chat du Cheshire. Vous vous souvenez de ce cher chat dans les *Aventures d'Alice au pays des merveilles* (fig. 50)? La Reine, comme il se doit, ne connaît qu'une seule façon de résoudre les difficultés, grandes ou petites : « Qu'on lui tranche la tête! », ordonne-t-elle. Elle sait de quoi elle parle, comme toutes les reines qui en savent long sur la décollation. Quand, dans la série des décapitations ordonnées par la souveraine, arrive le tour du Chat, un problème insoluble se pose cependant : « Le point de vue du Bourreau, c'était que l'on ne pouvait trancher une tête en l'absence d'un corps d'où l'on pût la détacher. » Le Chat en effet n'a pas de corps… « Le point de vue du Roi, c'était que tout être possédant une tête pouvait être décapité, et il fallait cesser de dire des sottises. » « Le point de vue de la Reine, c'était que si l'on ne prenait pas une décision à l'instant même, elle allait faire exécuter tous les assistants. » Pendant qu'Alice suggère qu'on demande son avis à la Duchesse, propriétaire du Chat, « la tête du Chat se mit à s'effacer

171. *Féerie pour une autre fois,* Paris, Gallimard, 1952, p. 16.

172. Encore Céline, *Le Pont de Londres,* Paris, Gallimard, 1964, p. 36.

le Roi et la Reine qui parlaient tous à la fois tandis que les autres gardaient le silence et paraissaient très mal à l'aise.

Dès qu'ils eurent aperçu Alice, ils l'appelèrent pour trancher la question, et lui expliquèrent leur point de vue respectif.

Mais il était très difficile de comprendre ce qu'ils voulaient dire. L'argument du Bourreau était qu'il n'est pas possible de couper une tête si elle n'est pas rattachée à un corps, qu'il n'avait encore jamais rien

107

Fig. 50. Lewis Carroll, *Le Chat du Cheshire*, Paris, Bibliothèque nationale de France.

et, lorsque le Bourreau revint en compagnie de la Duchesse, ladite tête avait complètement disparu[173] ».

Qu'une femme puisse être une reine, comme Hérodiade ou Salomé, une duchesse possédant des chats ou des enfants, ou même une Alice exploratrice de l'autre côté du miroir, il n'empêche, j'ai l'intime conviction qu'elle demeure fondamentalement, aux yeux des voyeurs, un Chat du Cheshire. On voit sa tête mais on ne voit pas son être, qui est son corps parlant : on s'en sert, bien sûr, mais cela n'a rien à voir. A force de voir cette tête-là, on ne peut que lui en vouloir et vouloir la couper. Mais oh ! surprise, si l'on s'avise de commettre l'acte capital, on ne trouve plus ni le corps ni la tête. Le bourreau s'aperçoit que la tête féminine a rejoint l'être auquel elle avait d'ailleurs toujours appartenu. Il ne reste plus au bourreau, à la Reine et au peintre qu'à graver, sur la surface vacante, leurs propres états d'âme. A halluciner, à représenter, à créer la culture. De ce côté-ci du miroir (vidéo en boucle n° 2).

Certains voudraient faire comme le Chat du Cheshire : effacer leur tête, se soustraire au monde visible. Ils n'y parviennent pas tout à fait, ils se réfugient à la limite, ils explorent les limites. Ainsi, les *Pleurants*. Ayant quitté le tombeau du duc de Berry, qui fut endommagé par un transfert à la cathédrale de Bourges en 1756, puis vandalisé à la Révolution, les vingt-cinq pleurants rescapés continuent de cacher leur visage, comme s'ils redoutaient, plus que la guillotine, le tranchant du regard, des miroirs et autres spectacles. Dans le même esprit d'isolement volontaire et de retrait compact au fond de soi, Rodin affirme qu'un homme n'a pas besoin de sa tête pour marcher : alias saint Jean-Baptiste[174], alias le paysan italien Pignatelli, alias le mouvement de deux pas en un, l'« Homme qui marche » est une construction composite de fragments exprimant la virilité mouvementée d'une chair tout entière devenue visage[175]. Degas imagine de son côté qu'une ballerine peut se passer de sa tête pour danser (fig. 51). Cézanne lui-même, en voisin gourmand des Celtes d'Entremont avec lesquels nous avons commencé ce voyage (fig. 9 et 10, et cat. 4 p. 31), aimait avoir des fruits et des crânes à caresser sous sa main tandis qu'il peignait la montagne Sainte-Victoire. Les crânes moulés en pyramide (fig. 52) sont des crânes qui voient, dit Ph. Sollers, en contrepoint à l'œil qui écoute de

65

66

173. L. Carroll, *Les Aventures d'Alice aux pays des merveilles*, Paris, Gallimard, Bibl. de la Pléiade, 1990, p. 157.

174. Marcelle Tirel, secrétaire de Rodin à partir de 1906, raconte que le sculpteur s'écria : « Je ne ferai plus rien d'autre. Je ferai des antiques… », et passant près d'un moulage de *Saint Jean* qu'il conservait dans son atelier, il le décapita. Ainsi est né l'*Homme qui marche. Cf.* M. Tirel, *Rodin intime, ou l'envers d'une gloire*, éd. du Monde nouveau, 1923, p. 106.

175. « The unity comes from Rodin's own virility […] it is a kind of self-portrait », écrit Henry Moore in Albert E. Elsen, avec la collaboration de Henry Moore, « Rodin's "Walking Man" as seen by Henry Moore », *International Journal of Modern Art*, avril 1967, p. 29.

Fig. 51. Edgar Degas, *Femme se frottant le dos*, Paris, musée d'Orsay.

65 Etienne Bobillet et Paul Mosselman, *Pleurants,* Paris, musée du Louvre.

66 Auguste Rodin, *L'homme qui marche*, Paris, musée Antoine Bourdelle.

Claudel. Si un crâne ne voyait pas, qui d'autre le ferait, de l'autre côté du miroir ?

Ce message des moines pleurants, Rodin-Degas-Cézanne ne l'ignorent pas, mais ils l'ont transfiguré : longue vie à la transfiguration ! Ils croient aux corps, Rodin, Degas et Cézanne. Ou plutôt l'art moderne commence lorsque les artistes s'autorisent à ne croire qu'*à leur propre façon* de figurer l'économie des corps et de l'être. Ils abandonnent alors le spectacle, ils infiltrent les limites des apparences, ils y retrouvent une *sorte de visage* qui n'a pas encore trouvé sa *face*, qui ne la trouvera jamais, mais qui ne cesse de chercher mille et une façons de voir. C'est de cette intimité-là

Fig. 52. Paul Cézanne, *Pyramide de crânes*, Suisse, collection particulière.

qu'ils nous font rêver, chercheurs sensuels de l'incarnation visible, du chemin de l'incarnation.

Que l'expérience intérieure soit une transsubstantiation qui nécessite une décollation de la tête, une traversée de la conscience pour que s'y révèle le brasier du vide – personne ne l'a affirmé avec plus de risques que Georges Bataille. Lorsque, pour lutter contre le fascisme qui associe la rationalité économique aux horreurs du désir de mort, il en appelle à une transvaluation de l'humain, c'est la figure de l'Acéphale qui fixe son extase. Dans la foulée de Nietzsche et en pratiquant une sociologie du sacré comme si elle était une maladie plutôt que la cadette des sciences, le triumvirat Bataille-Leiris-Caillois fonde le Collège de sociologie et la revue *Acéphale*[176]. Il s'agit d'invoquer la probabilité d'une liberté humaine qui fausserait compagnie à la rationalité servile, fût-elle économique ou totalitaire. L'essence religieuse de l'homme est alors prise pour cible, non pas pour être annulée mais pour être rendue à sa nécessité avide. Le « collège » affirme en substance que le « moi » désirant est aussi un « moi » capable d'illusion, et que la religion célèbre cette double « nature », mais sous le régime de la prohibition ou du crime (« tu ne désireras pas », « tu ne tueras pas ») : « ... le problème fondamental de l'être même a été suspendu lorsque la subversion agressive du *moi* acceptait l'illusion comme la description adéquate de sa nature[177] ». Il s'agira de déculpabiliser la religiosité ou plutôt le sacré – en les dissociant de la religion et de la sacralisation. Pour ce faire, on commencera par réhabiliter la négativité hégélienne, le *néant,* la *mort* et jusqu'au *sacrifice*. Il importe, face aux contraintes consciencielles du servage, de les *vivre* non pas comme limites coupables, mais comme conditions internes à la vie pour autant qu'elle est une vie qui symbolise, et en ce sens seulement, une vie sacrée. « [...] l'homme-dieu apparaît et meurt à la fois comme pourriture et comme rédemption de la personne suprême, révélant que la vie ne répond à l'avidité qu'à la condition d'être vécue sur le mode du *moi* qui meurt [...][178] ». Pour-

176. Quatre numéros de cette revue ont été publiés : n° 1, 24 juin 1936; numéro double, 21 janvier 1937; n° 3-4, juillet 1937. *Cf.* Denis Hollier, *Le Collège de sociologie, 1937-1939,* Paris, Gallimard, 1979, rééd. Folio, 1995; G. Bataille, *Œuvres complètes,* Paris, Gallimard, t. I, 1970.

177. G. Bataille, *Sacrifices,* in *Œuvres complètes, op. cit.*, t. I, p. 93.

tant, ce moi qui meurt pour l'autre se contente de préserver la plénitude d'un dieu. Au contraire, un sacrifice supplémentaire sera nécessaire : contre l'« ipséité » et l'« horreur d'être Dieu », et même contre l'« acceptation » de la mystique, s'impose la révolte du « jet-hors-de moi », la jouissance extatique aspirant à « un infini idéalement brillant et vide », « le moi s'élevant à l'impératif pur, vivant mourant pour un abîme sans paroi et sans fond[179] ». Comment réaliser cette autre liberté, « sans paroi et sans fond », sinon en sacrifiant la plénitude de ce moi et de son Dieu, aussi bien que de leur corollaire que sont la raison et la nécessité ?

En écoutant l'ouverture du *Don Juan* de Mozart, pendant qu'André Masson « s'agite heureusement et chante » dans la cuisine, Georges Bataille imagine la transmutation de l'humain cherchant une autre version de la liberté, ressourcée au désir et au jeu. « L'homme est cependant libre de ressembler à tout ce qui n'est pas lui dans l'univers. Il peut écarter la pensée que c'est lui ou Dieu qui empêche le reste des choses d'être absurdes. » Et il le visionne comme un Acéphale. Alors que le peintre crée les interventions graphiques d'*Acéphale*, l'écrivain précise cette soustraction de l'homme à sa tête ainsi :

« L'homme a échappé à sa tête comme le condamné à la prison. Il a trouvé au-delà de lui-même non Dieu qui est la prohibition du crime, mais un être qui ignore la prohibition. Au-delà de ce que je suis, je rencontre un être qui me fait rire parce qu'il est sans tête, qui m'emplit d'angoisse parce qu'il est fait d'innocence et de crime : il tient une arme de fer dans sa main gauche, des flammes semblables à un Sacré-Cœur dans sa main droite. Il réunit dans une même épuration la Naissance et la Mort. Il n'est pas un homme. Il n'est pas non plus un dieu. Il n'est pas moi mais il est plus que moi : son ventre est le dédale dans lequel il s'est égaré lui-même, m'égare avec lui et dans lequel je me retrouve étant lui, c'est-à-dire monstre[180]. »

Un « être » qui n'a plus sa tête, privé de conscience et d'interdits, ni homme ni dieu, ni anthropomorphe ni religieux, un surhomme en somme qui réclame une liberté exorbitante… La lucidité l'emporta sur cette ivresse bataillienne où résonnent son débat avec Descartes, sa complicité avec Nietzsche et Heidegger – puisque le « collège » renonça au sacrifice humain pourtant un instant envisagé. *Acéphale,* gravé et écrit, est pour cela même bien plus qu'un symptôme. « Acéphale est la Terre. La terre sous la croûte du sol est feu incandescent. L'homme qui se représente sous les pieds l'incandescence de la terre s'embrase. Un incendie extatique détruira les patries. Quand le Cœur humain deviendra feu et fer. »

Sur notre terre enserrée par la technique, menacée par la violence totalitaire, Acéphale rappelle la puissance des désirs contre laquelle tient tête notre capacité de représentation. Il s'insurge contre l'entêtement de la religion, notamment monothéiste ou monocéphale, à condamner l'hétérogénéité ou l'abjection embrasées de la chair. A contrario, cependant, il signale la monstruosité à laquelle peuvent conduire le désir s'il est décapité de toute vigie, l'horreur perverse de la violence sexuelle tout autant que du fascisme. Enfin, il ouvre une

178. *Ibid.*

179. *Ibid.*, texte publié le 3 décembre 1936.

180. G. Bataille, « Le Labyrinthe », in *Acéphale*, n° 1, 24 juin 1936, repris in *Œuvres complètes, op. cit.*, t. I, p. 445.

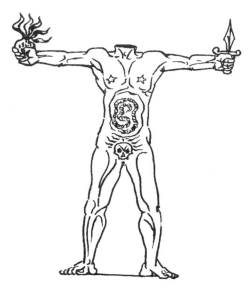

Fig. 53. André Masson, *Acéphale est la terre...*,
paru dans la revue *Acéphale,* n° 1, juin 1936.

marge étroite dont ni la psychanalyse ni l'art moderne n'ont encore mesuré les plaisirs et les dangers : celle d'une autre version de la liberté, qui n'est pas le calcul de la conscience, mais l'excès du moi débordé par l'inconscient se livrant à l'autre, par-delà les limites et les interdits, dans la jouissance et l'extase. L'expérience esthétique serait-elle, dans l'univers de l'Acéphale, le versant solidaire du fascisme ou, au contraire, sa seule véritable antithèse ? Ou, plutôt, si la monstruosité consiste précisément à vouloir « un être qui ignore la prohibition », la liberté que compose Mozart ne résiderait-elle pas plutôt, non dans l'effacement des interdits, mais dans le renoncement à l'engrenage des sacrifices ? Dans l'avidité de la joie par-delà la perte inaugurale, une joie qui perd jusqu'à la complaisance sacrificielle elle-même ? Sans l'oublier, mais sans la réaliser compulsivement non plus, en la dépensant simplement dans la profusion des représentations ? L'utopie libératrice de la liberté extatique, dont nous avons tellement besoin pour ne pas mourir d'ennui virtuel devant nos internets branchés sur les vrais-faux krachs des marchés boursiers, serait alors atteinte non pas dans le sacrifice que représente l'Acéphale, mais... par la virtuosité, infinie et vide, de la représentation elle-même, lorsqu'elle se consacre à visionner le sacrifice qui nous habite. Comme l'exposition que vous êtes en train de visiter. Dans cette voie, l'Acéphale aura été une impasse fertile, dont ceux qui aiment de la pensée le danger d'être ne cesseront de scruter la plaie ouverte (fig. 53).

Car le sacré, ou la nostalgie qui nous en reste, s'avère résider, après tout, non pas dans le sacrifice, ni dans telle tradition religieuse ou esthétique, mais dans cette expérience spécifiquement humaine, unique et âpre, qu'est *la capacité de représenter.*

Et la déesse mère, dans ces visions capitales poussées à bout ? Que deviennent le mirage

181. Roman en cent quarante-sept images (reproduction de collages) accompagnées de légendes, précédé d'un avis au lecteur d'André Breton. *Cf.* Société française du livre, éd. de l'Œil, 1956.

fabuleux, le pôle archaïque des dépressions qui nous appellent à parler et penser, la figurine préhistorique primordiale, la tête de Méduse, de Gorgone, de Jézabel, jusque sous la forme de leur conjuration phallique, des maîtresses femmes, des Judith, des Salomé ? Que reste-t-il du fin fond du sacré ? Qu'en font-ils, l'homme et la femme, lorsqu'ils savent d'où *ça* vient ?

Ils se rappellent. Ils passent et repassent. Et ils en rient. « La femme 100 têtes[181] » de Max Ernst (fig. 54) n'est peut-être pas la figuration la plus géniale de ce clin d'œil indispensable, sans lequel le sacré est franchement tuant, tandis que l'absence de sacré se résout en robotique. Mais cette horrible pochade, naïve, vulgaire, surréaliste, qui se moque des femmes, des têtes, des décollations, des fascinations, des horreurs et de leur capital de croyances, nous permet néanmoins de ne pas oublier nos visions capitales. Et peut-être de mourir de rire non sans garder la tête froide, sous l'emprise de nos fantasmes, de nos religions anciennes ou modernes, toujours tenaces et d'un ridicule achevé. Ne l'achevons pas trop vite, cette vision sacrée. Levons la tête, restons de passage.

Fig. 54. Max Ernst, *La lune est belle,*
dans «La femme 100 têtes», 1929,
Paris Bibliothèque nationale de France.

Catalogue des œuvres exposées

Le présent catalogue a été établi, au département des Arts graphiques du musée du Louvre,
par Laura Angelucci, Lori Casotti, Sandra Cerniul, Cédric Gourlay, Emmanuelle Gueneau, Petra Hertwig,
Claudia Simone Hoff, Elizabeth Lawrence, Maureen Marozeau, Amélie Marty, Ornella Matarrese, Clara Pujos,
Ebba Scholl, Caroline See, Anna Sermonti, Maike Sternberg, Carole Tardivon, Chloë Théault, Katrin Wohlleben,
Hsiao-Shao Yeh et Yvonne Ziegler.
A Régis Michel les auteurs du catalogue tiennent à exprimer
leur gratitude profonde pour l'acuité de son conseil et la générosité de son savoir.

Les notices sont classées dans l'ordre alphabétique des artistes.
Les numéros en gras renvoient aux illustrations.

Cristofano ALLORI
(Florence, 1577 – Florence, 1621)

11

Etude pour la tête d'Holopherne
Pierre noire. H. 0,294; L. 0,210.
Historique
F. Baldinucci, III, fol. 77; Pandolfini; F. Strozzi; acquis en 1806; marque du Louvre (L. 1886). Inventaire 28.
Bibliographie
Shearman, 1979, p. 6, note 30; Goguel, in cat. exp. 1981-1982, p. 102 sous le n° 58; Chappell, 1984, p. 80 sous n° 25.
Expositions
Paris, 1958, n° 40; Rome, 1959, n° 46.

24

Etude pour Judith et Holopherne
Pierre noire, sanguine, pastel rose et jaune avec gouache et craie blanche sur papier bleu. Annoté au verso, au crayon : *Cristofalo Allori*. H. 0,218; L. 0,292.
Historique
F. Baldinucci, III, fol. 78; Pandolfini; F. Strozzi; acquis en 1806; marque du Louvre (L. 1886). Inventaire 30.
Bibliographie
Thiem, 1977, p. 19, note 47, pl. XII et p. 331; Shearman, 1979, p. 6, note 31; Chappell, 1984, p. 80 sous n° 25.
Exposition
Paris, 1981-1982, n° 58.

Paris, musée du Louvre,
département des Arts graphiques.

Ces deux feuilles portent une ancienne attribution à Cristofano Allori, donnée par Baldinucci en 1673, lors de la rédaction du catalogue des dessins de la collection Médicis. Il s'agit d'études préparatoires pour le tableau de *Judith et Holopherne* de la Galleria Palatina au palais Pitti de Florence (Inv. 1912 n° 96; Goguel, in cat. exp. 1981-1982), où l'artiste a peint sa maîtresse, *la Mazzafirra*, sous les traits de Judith, et s'est peint lui-même sous ceux d'Holopherne. « S'avançant alors vers la traverse du lit qui était à la tête d'Holopherne, elle en retira son cimeterre et, s'approchant du lit, elle saisit la chevelure et dit : "Fortifie-moi, Seigneur, Dieu d'Israël, en ce jour ! " Elle le frappa au cou par deux fois de toute sa force et lui coupa la tête » (Judith, XIII, 1-10). Un dessin des Offices (Inv. 913 F; Cantelli, 1974, n° 3), qui associe les esquisses des trois compositions de *Judith, David* et *Le martyre de saint Etienne*, permet de proposer une datation antérieure à 1613 pour le tableau du palais Pitti. Les nombreuses versions mentionnées dans les sources contemporaines (Chappell, 1984, p. 120) attestent la renommée du tableau qui fut d'emblée tenu pour un chef-d'œuvre de la peinture florentine du Seicento. Allori fit plusieurs dessins préparatoires à la composition qui sont aujourd'hui partagés entre le Louvre et les Offices (Cantelli, *op. cit.*, p. 45; Prosperi Valenti Rodinò, 1977, n° 77, pour une version moins élaborée que la feuille du Louvre). Dans la peinture, la dichotomie entre le naturel du geste ou du regard de « la belle petite veuve féroce » (Chappell, *op. cit.*, p. 78) et le naturalisme effrayant des traits d'Holopherne, obsession constante dans la peinture d'Allori, a fait définir Judith comme « si elle était la femme d'un boucher qui ramène à la maison la tête d'un veau » (Hillard, 1853, cité dans Chappell, *op. cit.*, p. 78).

L'*Etude pour la tête d'Holopherne* (Inv. 28), sombre autoportrait de l'artiste en victime d'une des figures féminines les plus impitoyables de l'Ancien Testament, s'insère naturellement dans la pratique florentine de l'étude d'après nature, et dans la tradition picturale de l'autoportrait (Caravage avec la tête de Goliath et, au féminin, Artemisia Gentileschi et Lavinia Fontana sous les traits de Judith). La ligne grasse de la pierre noire souligne, chez la victime, un accablement qui confine à la soumission. Judith, au contraire, exhibe son trophée avec ostentation. Rêve biblique ou rêve symbolique ? Holopherne est le bouc émissaire d'un rite avoué d'émasculation.

L'autre dessin du Louvre (Inv. 30) est une étude de détail de la manche gauche et du poing de Judith tenant une touffe de cheveux de l'Assyrien. Un dessin semblable, mais moins fini, est conservé aux Offices (Inv. 7862 F; Pizzorusso, 1978, n° 35). Sur la feuille du Louvre, l'artiste trace avec une grande maîtrise la main serrée de Judith et, à côté, la manche volumineuse de son habit.

Ces deux études sont caractérisées par un effet de réalisme qui doit beaucoup à l'usage du pastel. Ces œuvres se placent dans la tradition de « vérité » qui caractérise le dessin florentin. La forme pleine et ronde, associée au rendu précis des surfaces, est en contradiction avec l'atmosphère quasi surréelle qui entoure les détails étudiés, comme des métonymies presque abstraites du théâtre de la castration.

Ornella Matarrese

Antonin ARTAUD
(Marseille, 1896 – Paris, 1948)

45

Autoportrait
Crayon sur papier. H. 0,630; L. 0,490. Signé et daté en bas à droite.
Historique
Collection du docteur Ferdière; acquis le 21 mai 1997 par le Centre Georges-Pompidou; Inventaire AM 1997-48.
Bibliographie
Dequeker, décembre 1959, n° 63-64; Mèredieu, 1984, p. 69; Rowell, 1996, p. 12-13; Thévenin et Derrida, 1986, p. 51.

Expositions
Les Sables-d'Olonne, 1980, n° 1 ; Paris, Centre Georges-Pompidou, 1987, n° 37 ; Saint-Etienne, 1990, n° 3 ; Marseille, 1995, n° 47.

Paris, musée national d'Art moderne, Centre Georges-Pompidou, cabinet des Arts graphiques.

Visage perdu au centre de la feuille, cet autoportrait d'Artaud cesse « d'être un objet à reproduire pour devenir [...] le théâtre même d'une guerre d'où il sortira dévasté, haletant » (Thévenin, 1986, p. 35). Daté du 11 mai 1946, juste avant la sortie définitive de l'asile de Rodez, ce dessin transcrit selon Deleuze (1979, p. 286-287) toute la schizophrénie d'Artaud : le visage est percé, rongé, sans réelles limites. D'une violence niant tout esthétisme, puisque « c'est par la seule douleur pure que les choses sont toujours venues » (Artaud, *Cahiers de Rodez* [avril-mai 1946], 1985, XXI, p. 237), il semble tenter d'aller derrière la façade de l'être humain pour révéler une vérité mystique. La genèse de cet autoportrait fut décrite par un interne à l'hôpital psychiatrique de Rodez, collaborateur du docteur Ferdière et ami d'Artaud, Jean Dequeker : « De la rage créatrice avec laquelle il a fait sauter tous les verrous de la réalité et tous les loquets du surréel, je l'ai vu crever aveuglément les yeux de son image » (1959, p. 24). Mais est-ce Artaud vu par lui-même, les autres vus par Artaud, ou bien Artaud vu par les autres ? Paule Thévenin (*op. cit.,* p. 34) suppose que l'artiste a voulu laisser paraître le visage d'une de ses grand-mères dans le sien. Une même ambiguïté subsiste à propos des autres personnages qui forment une auréole mystique autour du visage d'Artaud. La légende qui accompagnait le dessin lors de sa première publication en 1959 dans *La Tour de Feu (Autoportraits d'Antonin Artaud)* laisse penser que l'écrivain aurait fait un second autoportrait, ce dont doute P. Thévenin (*ibid.*, p. 51). Selon elle, la surveillante principale de l'hôpital, Mme Régis, croit se reconnaître dans le deuxième croquis à partir de la gauche. Florence de Mèredieu voit plutôt dans l'autoportrait d'Artaud l'effigie de Ferdière, directeur de l'asile de Rodez, entouré de son équipe médicale, dans laquelle serait représentée, à gauche, la responsable de la pharmacie de Rodez, Mme Rouquette (1984, p. 69). P. Thévenin rejette totalement cette idée (*op. cit.*, p. 51-52). La feuille, énigmatique, fait en tout cas se croiser « l'extrême subjectivité et l'ironique objectivité qui caractérisent certains états de folie » (Foucault, 1961, p. 536).

Les dessins d'Artaud, qui passa onze ans de sa vie en hôpital psychiatrique, sont autant de témoignages du chaos de son être. Il met alors en scène cette expérience intérieure, constituant par là une glossolalie graphique, « une autre langue du corps » (Camus, 1996). Les portraits, commencés dès son transfert à Ivry en 1946, portent en eux « une espèce de mort perpétuelle » (Artaud, in cat. exp. Paris, 1947). Visions prémonitoires, ils sont un « compendium des innombrables signes qui l'ont griffé au cours d'une vie passée et présente, mais aussi à venir » (Thévenin, *op. cit.*, p. 37). Catharsis dont la violence purge le spectateur de ses troubles intérieurs, l'œuvre d'Artaud devient sa propre

thérapie ; il tente ainsi d'exorciser ses obsessions religieuses, sexuelles, morbides, relatives à la guerre, et les électrochocs prescrits par le docteur Ferdière. Ce traitement, violemment contesté, non sans raison, par les proches du poète, fut complété par de nombreuses drogues qui devaient soigner la maladie d'Artaud, malaisément diagnostiquée. La destinée du poète, analogue à celle de Van Gogh, le « suicidé de la société », auquel il s'identifiait, « était de marcher sur le bord de l'abîme » (Rowell, 1996, p. 15) : entre la dépression et l'hallucination.

Chloë Théault

Francis BACON
(Dublin, 1909 – Madrid, 1992)

49
Portrait de Jacques Dupin
1990
Huile sur toile. H. 0,355 ; L. 0,305. Signé, daté et titré au revers : *Portrait of Jacques Dupin / Bacon 1990.*

Historique
Commande de l'Etat ; Fonds national d'art contemporain ; inventaire F.N.A.C. 2990 : dépôt au musée de Picardie en 1992, Amiens. Inventaire M.P. 92.5.1.D.

Bibliographie
Nuridsany, 1991, note 78, repr. ; Borel et Kundera, 1996, p. 153 ; musée de Picardie, 1992, p. 73.

Exposition
Nice, 1992, p. 66-67.

Amiens, Fonds national d'art contemporain, en dépôt au musée de Picardie.

« Qu'est-ce, en effet, qu'une œuvre peinte qui ne possède pas la capacité d'obséder ? » demande Michel Leiris (1987, p. 6). Ainsi Bacon tente-t-il de dévoiler l'identité profonde du modèle, à coups de distorsions puissantes, qui donnent au faciès un lyrisme patibulaire : « ce que je veux faire, c'est restituer le modèle dans le système nerveux, c'est le rendre aussi fort qu'on le trouve dans la vie » (Bacon, 1976, I, p. 34). L'Etat français, qui, depuis 1984, commande aux artistes des effigies de personnalités vivantes afin de leur rendre hommage, avait demandé à Bacon de faire un portrait. Le peintre, dont l'œuvre, dès les années 1950, tourne autour du thème de la figure, « notre plus grande obsession [étant] nous-mêmes » *(ibid.),* accepta sous condition de peindre un ami de longue date. Il choisit l'écrivain et poète français Jacques Dupin (né en 1927), auteur de textes sur Braque, Mirò ou Tàpies. Appartenant à la génération de jeunes poètes des années cinquante, avec Yves Bonnefoy et André Du Bouchet, Dupin fut très lié à René Char et Francis Ponge. C'est à l'occasion de l'exposition londonienne consacrée à Giacometti en 1959 qu'il rencontre Bacon, dont il organisera trois expositions. Bacon place son modèle sous une lumière crue, « dans la crudité de midi – sommet du jour et *heure de vérité* » (Leiris, 1987, p. 7). Le visage de Jacques Dupin se détache, lumineux, sur le fond uni et sombre, traité en aplat. « Chez Francis Bacon la toile a donc ses parties bouillantes, où

règne une effervescence, en opposition avec ses parties neutres, où il ne se passe rien » (*ibid.*, p. 10). L'expressivité du tableau n'en est que plus grande : « [...] pareilles œuvres aident puissamment à sentir ce que pour un homme sans illusions est le fait d'exister » (*ibid.*, p. 18). La tête de Dupin est celle du « dépossédé de tout paradis durable » (*ibid.*, p. 19) ; son regard est celui d'un homme inquiet, mélancolique ou décontenancé par ce qui se joue devant lui. Pour brosser ce portrait, Bacon utilisa des photomatons, car « la nature qui parle à l'appareil photo est une nature différente de celle qui parle à l'œil » (Benjamin, 1931).

L'œuvre s'inscrit dans la dernière période de Bacon, peintre autodidacte qui n'avouait pour influences que celles de Picasso et du surréalisme : période ambiguë où s'assagit, voire s'appauvrit, la tension expressive qui caractérise l'artiste au travers de ses déformations, lesquelles ne sont qu'un moyen de transcender l'apparence. Mais le masque de Dupin, nez camus, joues écrasées, oreille saillante, a la gravité funèbre d'une effigie rituelle qui s'affranchit du corps. Si la référence aux œuvres du passé est constante dans l'œuvre de Bacon, sa peinture, dépouillée de tout côté sacré, rapproche le spectateur du tableau. Aussi, bien que la mise sous vitre, destinée à lisser la facture picturale, soit une mise à distance, Leiris considère que le tableau est « une espèce de boîte dans laquelle, idéalement, sera inclus le spectateur [...] promu au rang de voyeur » (*op. cit.*, p. 8).

Chloë Théault

Hans BALDUNG, dit Baldung Grien
(Gmünd, Souabe, 1484 ou 1485 – Strasbourg, 1545)

1
Etudes de têtes
Plume et encre brune. H. 0,290 ; L. 0,180. En bas à droite, annotation apocryphe (calligraphie du XVIe siècle) difficilement déchiffrable : *Baldung/inv. fe (?).* Filet d'encadrement à la plume et encre noire. Collé en plein.

Historique
E. Jabach (L. 2961) ; entré dans le Cabinet du Roi en 1671 ; marques du Louvre (L. 1899 et 2207) ; Inventaire 18611.

Bibliographie
Parker, 1924, p. 20, 21 ; Baldass, 1928, p. 402, repr. p. 404 ; Demonts, 1937-1938, I, n° 38, pl. 11 ; Koch, 1941, I, n° 18, p. 76 ; Knappe, 1961, p. 74 ; Oettinger et Knappe, 1963, n° 35, repr. p. 85 ; Bacou et Calvet, 1968, n° 21 ; Bernhard, 1978, n° 118 ; Osten, 1983, p. 46, 47, 53 et 114.

Expositions
Karlsruhe, 1959, n° 111 ; Washington, 1981, n° 16, repr. ; Paris, 1991-1992, n° 128, repr.

Paris, musée du Louvre, département des Arts graphiques.

Cette feuille, qui est l'une des plus grandes que l'artiste ait dessinées, regroupe dix-sept têtes, vues de face, de trois quarts, de profil ou en raccourci, ainsi que des études de bras, de mains et de manches. Bien que les figures ne se trouvent pas dans un contexte narratif défini, un système d'éclairage uniforme, une proportion quasi identique, des hachures parallèles et la disposition circulaire des éléments les insèrent dans un cadre d'une unité certaine. Baldung a dessiné des physionomies très différentes : enfants, adultes, figures laïques ou profanes (la Vierge, saint Pierre, l'ange…), laides ou belles, parfois idéales, et dont le graphisme varie à chaque fois. L'artiste montre une particulière dilection pour le traitement des chevelures et des barbes, qui intensifie l'expression psychologique tout en évoquant le mouvement. Il s'attache ainsi aux physionomies dont la déformation est poussée jusqu'à la caricature ; effet accentué par le caractère insolite de la mise en page. C'est une des raisons pour lesquelles A. Shestack (in cat. exp. Washington, 1981, p. 3) voit dans l'art de Baldung un exemple remarquable du courant expressionniste qui domine l'art allemand au début du XVI⁰ siècle. K.A. Knappe rapproche le dessin du cycle de vitraux que Baldung fit pour l'église de Großgründlach (daté de 1505-1506) et d'un autre dessin du Louvre, *Feuille d'études à cinq têtes* (Koch, 1941, I, nᵒ 17), où Koch avait déjà noté (*ibid.*, p. 76) qu'une tête d'homme à droite, la bouche ouverte, offre des analogies avec notre feuille. Il existe aussi une parenté stylistique avec *La Vierge assise donnant le sein* de la même collection (*ibid.*, nᵒ 19). Sur le visage de la Vierge se retrouve le sourire gracieux de la femme représentée de trois quarts dans l'angle supérieur droit du dessin, sous le bras monumental. Ces têtes sont donc des leitmotive dans l'œuvre de Baldung, qui utilisait sans doute ces collections de physionomies comme un répertoire permanent d'études. Par le style, on tendrait à dater l'œuvre de 1507, époque où l'artiste travaillait encore dans l'atelier d'Albrecht Dürer à Nuremberg. La petite feuille de vigne, au bas de la composition, nous donne un autre indice chronologique : le peintre l'ayant utilisée pour la première fois en 1505, elle n'apparaît que sur les dessins qui datent des années 1505-1507. Il semble que Baldung s'en soit servi comme d'un emblème (cat. exp. Washington, 1981, p. 110).

Claudia Simone Hoff

Baccio della Porta,
dit Fra BARTOLOMEO
(Florence ?, 1472 – Florence, 1517)

10
Chemin de croix
Plume et encre brune, traits de sanguine, sur papier blanc. H. 0,140 ; L. 0,196.
Historique
Ch. Rogers (L. 625) ; A.-Ch. His de La Salle (L. 1333) ; don en 1878 ; marque du Louvre (L. 1886). Inventaire RF 471.
Bibliographie
Tauzia, 1881, p. 21 nᵒ 15 ; Berenson, 1903, II, nᵒ 488 ; Gabelentz, 1922, II, nᵒ 379 ; Berenson, 1938, nᵒ 488 ; Berenson, 1961, nᵒ 488 ; Fahy, 1969, p. 145-146, fig. 12 ; Fahy, 1974, p. 58 ; Fischer, 1986, p. 38, 51 ; Fischer, 1990, p. 100, 105, note 125.
Expositions
Paris, 1955, nᵒ 6 ; Paris, 1994-1995, nᵒ 2.

Paris, musée du Louvre,
département des Arts graphiques.

Selon Vasari, Fra Bartolomeo, moine au monastère de San Marco, « montra dès l'enfance du goût et des dons pour le dessin » (éd. 1989, V, p. 120) ; de l'artiste, on croit connaître plus d'un millier de feuilles (Fischer, 1986, p. 11). Both de Tauzia nota jadis que ce dessin était inspiré d'une gravure de Martin Schongauer, *Le Portement de Croix* (Lehrs, 1925, nᵒ 26). Les gravures des écoles du Nord, qui se répandirent en Italie dès les années 1490, exercèrent en effet une influence considérable sur les artistes toscans durant le XVI⁰ siècle (Fischer, 1986, p. 24). Fra Bartolomeo s'est borné à citer les personnages principaux tandis que la gravure de Schongauer fait apparaître davantage de figures à l'arrière-plan ; le dessin a de ce fait un impact plus direct. Le Christ, même s'il n'est pas au milieu de la composition, reste l'élément central de l'œuvre, en raison de sa frontalité, que le suaire redouble. Tous les autres personnages sont présentés de profil. Marie, debout, et Véronique, assise, semblent avoir une attitude sereine, tandis que le Christ et son bourreau esquissent un mouvement vers la droite. Selon la coutume de l'époque, le dessin est exécuté à la plume et à l'encre, technique évoquant assez bien le mouvement et le rythme (Fischer, 1986, p. 11-12). Les draperies, dont varient les nuances de noir et de blanc, sont très travaillées (hachures, traits fins). On retrouve dans ce dessin la délicatesse que B. Berenson avait déjà remarquée dans l'art de Fra Bartolomeo (1938, I, p. 158). La feuille paraît dater d'avant 1500 (Gabelentz, 1922, nᵒ 379 ; Bacou, in cat. exp. Paris, 1955, p. 2 ; tous deux ne donnant aucun argument chronologique). E. Fahy (1969, p. 146) le situe vers 1490, vu la popularité de l'art graphique des pays du Nord jusqu'à Florence à cette époque. On peut comparer la feuille avec un dessin du même artiste, *Deux études pour un Christ et une étude d'une Madeleine pour un « Noli me tangere »* (Offices, Florence), que C. Fischer (1986, nᵒ 22), soulignant la finesse, la précision et la technique de l'œuvre (crayon noir, plume, rehauts de blanc), date aussi d'avant 1500. L'élégance des figures, les contrastes de lumière et la noblesse des drapés sont en rapport étroit avec le dessin du Louvre.

Claudia Simone Hoff

Entourage d'Alonso BERRUGUETE (?)
I⁰ moitié du XVI⁰ siècle

8
Corps sans tête
(Etude pour une Crucifixion)
Plume et encre brune. H. 0,260 ; L. 0,190. Doublé.
Historique
P.-J. Mariette (L. 1852) ; J.-E. Gatteaux (L. 852) ; legs en 1881 ; marque du Louvre (L. 1886). Inventaire RF 1077.
Bibliographie
Joannides, à paraître.

Paris, musée du Louvre,
département des Arts graphiques.

Classée parmi les anonymes florentins du XVI⁰ siècle, cette feuille semble plutôt devoir être attribuée à l'entourage de Berruguete (Paredes de Nava, vers 1489 - Tolède, 1561), qui vécut en Italie de 1507 à 1518. Actif à Rome dans l'atelier de Michel-Ange (vers 1508), Berruguete montre des « affinités spirituelles et plastiques » avec son maître, tout en gardant une inventivité propre et originale (Boubli, 1994, p. 22). Il apprendra de Michel-Ange la technique de la plume, chère aux sculpteurs, qui produit des traits fins, parallèles et croisés. Mais si, dans l'étude du Louvre, on ne retrouve pas la même liberté de composition et la même fluidité de la ligne, on notera pourtant la technique et la dramaturgie propres à cet artiste. L'auteur scrute avec réalisme un torse viril : les jambes et les bras sont à peine ébauchés par des traits cursifs, mais la tête est absente. L'artiste, attentif au détail, rend bien les effets de la lumière rasante, mais s'arrête à l'attache du col, où il crée une sorte de « trou blanc », pour suggérer avec violence le néant de la tête. Le contraste entre le buste, qu'assombrit la plume, et la tête, abstraction totale et cercle vide, qui est le nœud de la composition, rend plus dramatique encore la figure étudiée. Pourtant ce *Corps sans tête* garde une certaine plasticité, qui renvoie aux études à la plume d'après Michel-Ange, si largement diffusées dans les milieux artistiques de Bologne, Florence, et Rome (Joannides, in cat. exp. Washington, 1997). L'imprécision relative de l'anatomie suggère une datation vers le milieu du XVI⁰ siècle, alors que Berruguete travaillait encore, et que la pratique des ateliers s'éloigne, surtout à Florence, des études d'après nature.

Ornella Matarrese

Etienne BOBILLET
(connu en 1453)

Paul MOSSELMAN
(connu à partir de 1441 – † 1467)

65
Pleurants
Albâtre veiné. H. 0,395 ; L. 0,14 ; P. 0,115.
Historique
Elément du cortège des funérailles du tombeau de Jean de France, duc de Berry († 1416) ; commerce d'art, Paris (ex-collection Germain Seligmann) ; acquis par arrêt à l'exportation, 1972 (arrêté du 26 janvier 1972). Inventaire RF 3004.
Bibliographie
Baron, 1996, p. 206, repr.
Exposition
Dijon, 1971, nᵒ 91, pl. 37.

Paris, musée du Louvre,
département des Sculptures.

Autrefois situé dans la Sainte chapelle du palais ducal de Bourges, le tombeau de Jean de France, duc de Berry († 1416), endommagé par un transfert à la cathédrale de Bourges (1756), puis par le vandalisme de la Révolution, se résume aujourd'hui à quelques fragments du soubassement, une dalle en marbre noir surmontée d'un gisant à l'effigie du prince (toujours dans la crypte de la cathédrale) et vingt-cinq pleurants, rescapés d'une série de quarante qui ornait le soubassement du tombeau, et désormais répartis dans différentes collections (il existe une reconstitution approximative du tombeau faite par Paul Gauchery, vers 1910, au palais Jacques-Cœur de Bourges). Commencée en 1405, la construction du tombeau subit plusieurs interruptions : la première à la mort du prince et la deuxième à la mort de son maître d'œuvre, Jean de Cambrai (1438). Charles VII commanda l'achèvement de l'ouvrage, qui fut entrepris après 1450 par Bobillet et Mosselman (la variété de l'exécution, qui est de facture inégale, atteste la présence d'une plus grande équipe), mentionnés dans les comptes de l'Argenterie le 15 mai 1453 lors d'un passage du roi René à Bourges, en tant qu'« ymaigiers [qui lui ont fait visiter] [...] certain ouvrage que ils font d'albâtre pour la sépulture de feu monseigneur de Berry » (Pradel, 1957, p. 142). Le roi René mentionne à propos de l'achèvement de son propre tombeau deux « Flamands » *(sic)* qui étaient « les meilleurs ouvriers qui soient en ces marches de par deça » *(ibid.,* p. 143) Malgré une mention de Mosselman à la guilde de pierre de Bruxelles en 1441 (Duverger, 1933, p. 55) et son travail à Rouen sur le décor en bois sculpté des stalles de la cathédrale, selon les comptes du procureur de la fabrique (1458-1467), les deux artistes engagés par le roi, qui ne sont pas documentés, jouissaient sans doute d'une importante réputation. Contrairement aux pleurants de Jean de Cambrai dont le dos est lisse, le corps hiératique, les formes simples mais stylisées, celui-ci se distingue par la ronde-bosse, la précision des détails (notamment du missel), la complexité du drapé, mais surtout une dimension émotionnelle que crée le visage entr'aperçu sous le capuchon en signe volontaire d'isolement. L'influence de Claus Sluter est indéniable, car elle se caractérise par la théâtralité des cortèges, recréant l'atmosphère des funérailles, et par l'individualisation des pleurants, propice à une certaine intimité psychologique.

Maureen Marozeau

Pierre BRÉBIETTE
(Mantes, vers 1598 – Paris, 1650)

6

Persée et Méduse

Sanguine. H. 0,236 ; L. 0,189.

Historique

Ch.-P. de Saint-Morys ; saisie des Émigrés en 1793 ; remise au Museum en 1796-1799 ; marque du Louvre (L. 1886). Inventaire 21122.

Bibliographie

Guiffrey et Marcel, 1927, II, n° 1747 ; McAllister Johnson, 1968, p. 181, fig. 30. ; Thuillier, 1996, p. 287-88, fig. 48.

Exposition

Paris, 1984, n° 70.

Paris, musée du Louvre,
département des Arts graphiques.

D'après la mythologie, la Gorgone/Méduse avait le pouvoir de transformer en pierre quiconque la regardait. Aussi Persée recourt-il au reflet du bouclier de Minerve pour éviter son regard mortel. Les objets magiques, tel ce bouclier

qui se fait miroir, sont donc des « talismans » qui permettent à Persée de décapiter le monstre (Vernant, 1985, p. 78). En s'appropriant la face de la Méduse, il parvient à fuir les deux autres Gorgones survivantes, dont le regard n'est pas mortel. La Méduse, que la tradition représente avec une chevelure de serpents et de crocs qui suggèrent des traits virils, apparaît ici sous l'espèce désirable d'une femme charnue. Brébiette recourt au canon rubénien pour cette sanguine qui date des années de sa maturité (1633-1638). Graveur inspiré, mais peintre méconnu, Brébiette, élève de Lallemand, fut profondément marqué par le maniérisme français. Après avoir mené une vie hasardeuse à Rome, il revint à Paris, où il se maria en 1626 avec Loyse de Neufgermain, fille du poète Gaston d'Orléans. Sa production, dont une grande part brûla dans l'atelier de l'ébéniste Boulle en 1720, se fit alors abondante et diverse : Brébiette n'avait ni règle fixe ni genre propre. Cette feuille, qui contraste avec ses autres gravures, lesquelles témoignent de son « rêve poétique » d'un « monde léger et libre où règne l'amour » (Thuillier, 1996, p. 56), montre la Gorgone endormie sur un rocher, les serpents et les cadavres pétrifiés suggérant un danger immédiat. C'était, semble-t-il, un projet d'illustration pour les *Métamorphoses d'Ovide* de Robinot (1640). La composition fit ensuite partie d'un ensemble d'illustrations pour les *Tableaux des Vertus et des Vices*, commandé par M. Favereau, conseiller à la Cour des Aides, qui mourut en 1638, mais l'ouvrage fut achevé par Michel de Marolles qui le publia sous un autre titre : *Tableaux du temple des Muses* (1655), dont on ne connaît plus que trois compositions pour *Echo, Cygnus* et *Méduse* (le nôtre), ces deux dernières étant seules gravées (Thuillier, *op. cit.,* p. 287). Elle est fort représentative du travail de Brébiette, qui préférait le dessin à la peinture. Son thème central, tout empreint de maniérisme, est, selon le mot de Vernant, « celui de l'œil, du regard, de la réciprocité du voir et de l'être-vu » *(op. cit.,* p. 77).

Petra Hertwig et Chloë Théault

Günter BRUS
(Né à Ardning, 1938)

54

Tête d'enfant clouée
(1967-1968)

Encre et stylo bleu sur papier. H. 0,210 ; L. 0,200.

Historique

Achat du musée national d'Art moderne, Centre Georges-Pompidou, 1984. Inventaire AM 1984-794 D.

Exposition

Paris, 1993, sans numéro.

Paris, musée national d'Art moderne, Centre Georges-Pompidou.

N'ignorant ni les autoportraits percés d'Artaud ni les primitifs des Pays-Bas, où figurent les instruments de la Passion, la *Tête* de Brus, traversée de clous et de couteaux, est régie par un trait net, franc, sec, et pour tout dire... tranchant. L'œuvre date des années 1967-1968, après la

naissance de la fille du peintre, Diana, en 1967. Le titre, qui n'est pas sans évoquer l'*INRI* de la Crucifixion, ferait partie du *Zeichenlied* (Chant du dessin) cher à Brus. Le compagnon d'Otto Mühl et de Schwarzkogler transgresse ainsi les tabous du christianisme et le culte de l'enfance, en bafouant tous les repères de l'esthétique traditionnelle « Pollock rend visible le tissu nerveux, les points névralgiques des courants énergétiques ; Brus, qui après les peintures gestuelles réalisera des actions, ne s'intéresse ni au reflet ni à la réalisation dans l'apparence » (cat. exp. Paris, 1993, p. 21). L'œuvre de Brus, qui tourne autour des thèmes tragiques de la naissance et de la mort, de l'érotisme et du mystère, a de fait une résonance intérieure qui lui donne un vaste pouvoir de révélation. Marqué par les impressionnistes et par Van Gogh, Munch ou Kirchner, Brus étudia dès 1957 à l'académie des Arts appliqués de Vienne qu'il abandonne en 1960, au motif que la peinture ne s'apprend guère. L'artiste n'a jamais recherché l'appartenance à aucun groupe, social ou professionnel. Son expérience du service militaire, de 1960 à 1961, véritable traumatisme, provoqua une première rupture dans sa vie et dans son travail. Aussi, dès 1962, son propre corps devient une source directe d'inspiration. En 1964, il réalise sa première action, *Ana*, qui sera suivie de quarante autres, toujours plus violentes, mais excluant toute pratique collective. En 1970, prend fin cette expérience de l'actionnisme avec *Zerreissprobe* (Épreuve de résistance). Considérant que « l'Autriche n'a pas seulement produit le forgeron du nazisme, [mais] a en outre posé un couvercle sur sa production » (*Entretien avec Catherine Grenier*, in cat. exp. Paris, 1993), Brus, condamné à six mois de prison, s'enfuit à Berlin, où il demeure jusqu'en 1979. Il produit lors de cet exil, second tournant de sa vie, de nombreux dessins, au crayon noir puis au pastel. Le classicisme de ces pages, très épurées, mi-expressives, mi-intemporelles, les rend, comme ses textes, aisément accessibles à beaucoup (cat. exp. Londres, 1980-1981, p. 37).

Chloë Théault

Atelier de Giacinto CALANDRUCCI
(Palerme, 1646 – Palerme, 1707)

5

Tête de Méduse

Sanguine. H. 0,322 ; L. 0,170. Plume et encre brune, sanguine.

Au recto : *Moïse et les porteurs de grappes.*

Historique

Acquis dans le commerce d'art parisien en 1972 ; marque du Louvre (L. 1886). Inventaire RF 35519 verso.

Exposition

Paris, 1990-1991, n° 32, fig. 44 et p. 131.

Paris, musée du Louvre,
département des Arts graphiques.

Dans l'image de la Gorgone, créature duelle, mi-homme, mi-femme, jeune et vieille, belle et laide, humaine et bestiale, « les cadres ordinaires, les classifications usuelles apparaissent brouillés et syncopés », selon le mot de Jean-Pierre Vernant (1985, p. 79). Ce désordre, qui provoque l'effroi étudié par Freud, atteste le pouvoir castrateur de la Méduse. Face à elle, l'homme se trouve réduit à l'état d'enfance ou d'impuissance. Il est saisi par l'angoisse du manque, qui s'associe, chez Freud, à la découverte du sexe féminin. « Voir la Gorgone, c'est la regarder dans les yeux et, par le croisement des regards, cesser d'être soi-même, d'être vivant pour devenir, comme elle, puissance de mort » (*ibid.*, p. 80). En fixant le regard mortel de la Méduse, le spectateur perd son identité pour devenir autre. Mais sa pétrification, que l'on associe symboliquement à l'érection phallique, le rassure en même temps sur son identité. La multiplication des serpents, qui « se substituent au pénis dont l'absence est la cause de l'horreur » (Freud), traduit un phénomène de surcompensation. La bouche grande ouverte, effrayante, mystérieuse, d'où semble sortir un cri de terreur ou d'angoisse, donne à la Gorgone une apparence de masque mortuaire. Le monstre, décapité par Persée, semble figé dans un dernier sursaut. Mais l'exhibition de l'horreur, explique Freud, permet justement d'éloigner cette horreur de soi-même. Le masque de la Méduse devient donc une sorte de talisman magique utilisé par Persée qui s'en servira pour repousser les deux autres Gorgones. La *Tête de Méduse* n'a pu être datée ni attribuée de manière précise. Si Calandrucci est sans doute l'auteur du dessin au verso, *Moïse et les porteurs de grappes*, la *Méduse* proviendrait plus probablement de son atelier. L'artiste, né à Palerme en 1646, y fut élève de Pietro del Po, puis, à partir de 1666, travailla à Rome, afin de compléter sa formation artistique, dans l'atelier de Maratta, dont il reprit les schémas stylistiques. Vers la fin du siècle, il devint plus sensible au chromatisme. Pascoli, son principal biographe, considère cependant que ses œuvres ont la « couleur des olives » et qu'il n'est qu'un artiste médiocre. Calandrucci travailla fréquemment pour des commanditaires privés, dont le marquis Pallavicini. Il revint en Sicile à la fin de sa carrière, en 1705, pour mourir à Palerme deux ans plus tard.

Petra Hertwig et Chloë Théault

Luca CAMBIASO
(Moneglia, 1527 – El Escorial, 1585)

20

*Mercure s'apprêtant
à trancher la tête d'Argus*
Plume et encre brune. H. 0,390; L. 0,258.
Historique
P.-M.-G. Grimod, comte d'Orsay (L. 2239); saisie des émigrés en 1793; marque du Louvre (L. 1886). Inventaire 9307.
Exposition
Paris, 1983 (hors cat.).

Paris, musée du Louvre,
département des Arts graphiques.

Cette esquisse, rapide et synthétique, fut exécutée par Cambiaso probablement vers les années 1560, durant la période majeure de son activité, alors qu'il s'intéressait de très près à la sculpture. Ce peintre génois, dont l'œuvre est proli-

fique, commença son apprentissage dans l'atelier de son père, et subit à cette époque la fascination des fresques de Perino del Vaga et du génie de Giulio Romano. Un voyage à Rome et à Parme dans les années 1540 lui permit d'étudier l'œuvre de Michel-Ange, Raphaël, Corrège et Parmesan. Ce *Mercure et Argus* du Louvre est une première variation sur un sujet tiré des *Métamorphoses* d'Ovide (I, v. 668-721). Le messager de Jupiter soulève son épée et s'apprête à trancher la tête du géant Argus, renversé sans défense sur le rocher : « [...] tandis que la tête s'incline, il la frappe de son épée recourbée à la jointure du cou et la fait rouler, toute sanglante, au bas de la roche, dont elle souille les flancs escarpés. »

Il est intéressant de souligner le caractère unique de ce thème dans l'œuvre de Cambiaso, la composition n'ayant pas été copiée ni réinterprétée par les élèves du maître, selon l'usage. S'il existe plusieurs versions graphiques de *Mercure et Psyché* qui s'avèrent de qualité inégale (Edimbourg, National Gallery; Florence, Offices; Paris, Louvre, Inv. 9308 et 9309; coll. particulières), le seul *Mercure et Argus* qu'ait dessiné Cambiaso est, sauf erreur, celui du Louvre, qu'omet pourtant la monographie de Suida-Manning en 1958, qui fait toujours référence. La comparaison avec la peinture exécutée sur le même sujet (cat. exp. Gênes, 1956, n° 23, coll. particulière) fait ressortir la différence de style et de qualité entre les deux œuvres, bien qu'elles illustrent deux moments différents de l'épisode mythologique. La vigueur du trait et la violence du geste se perdent dans les formes arrondies et dans les suggestions quasi corrégiennes de la peinture. D'évidentes analogies existent entre la figure et le *Persée* de la collection Suida-Manning (cat. exp. Houston, 1974, n° 11). Raffaello Soprani, biographe attitré des artistes génois (1674), ne cite aucune peinture de Cambiaso sur le thème.

Ornella Matarrese

Bernardo CAVALLINO (?)
(Naples, 1616 – Naples, vers 1656)

25

La servante de Judith
Sanguine. H. 0,230; L. 0,180.
Historique
P.-J. Mariette (L. 1852), vente 1775 n° 728; E. J. von Dalberg; acquis par le musée en 1812. Inventaire AE 1749.
Bibliographie
Cassani, 1984, II, p. 136; Monbeig-Goguel et Vitzthum, 1967, p. 14; Simane, 1994, p. 52-54.
Exposition
Naples, 1984, p. 136, repr.

Darmstadt, Hessisches Landesmuseum.

Issu de la collection Mariette où il était mentionné sous le titre d'*Etude de vieille femme*, ce dessin fut d'abord attribué au peintre napolitain Massimo Stanzione (1585-1656) (Vitzthum, 1971), dont on connaît les tableaux sur le même sujet dans les musées de Manchester, *Salomé avec la tête de Jean-Baptiste*, et de New York

(Metropolitan Museum), *Judith avec la tête d'Holopherne*. Mais Jan Simane (1994, p. 52-54) a tout récemment attribué la feuille à Bernardo Cavallino (1616-1656). Bien que l'œuvre graphique des deux artistes soit encore peu connue, leur confrontation manifeste des différences notables dans leur manière : style détaillé, concerté, calculé, où prime l'expression physiognomonique chez Cavallino, trait vivace, impulsif et nerveux chez Stanzione. Bernardo Cavallino est connu, parmi les artistes napolitains, pour son style élégant et lyrique. Ce feuillet reflète le style des dessins napolitains de la première moitié du XVIIe siècle. De première importance pour l'attribution à Cavallino du dessin de Darmstadt est la comparaison avec l'*Immaculata* du peintre à la Pierpont Morgan Library (coll. Janos Scholz). Cette étude, qui prépare le tableau de Caen, est, avec le dessin d'*Héliodore chassé du Temple* (Ontario, Art Gallery), le seul dessin que l'on attribue avec certitude à Cavallino. Plus significatif encore est le rapprochement avec les deux images peintes de *Judith et Holopherne* (Londres, coll. Brinsley Fort et Naples, musée de Capodimonte). Outre la similitude iconographique, un même modèle semble avoir inspiré l'artiste pour les différentes versions de la servante âgée à l'allure plébéienne, et la bouche ouverte du général décollé prouve l'attrait du peintre pour ce motif iconoclaste, qui est récurrent dans son œuvre peint.

Lori Casotti et Emmanuelle Gueneau

Gaëtan Gatian de CLERAMBAULT
(Bourges, 1872 – Montrouge, 1934)

63

Morphologie du costume drapé
Photographie. H. 0,385; L. 0,280.
Historique
A la mort de Clérambault, en 1934, le fonds photographique fut légué à l'Assistance publique de Paris, puis en 1938, au musée de l'Homme; Inventaire n° 735-851.

Paris, musée de l'Homme, Photothèque.

D'abord étudiant à l'Ecole des Arts décoratifs, qu'il fréquenta pendant deux ans, Gaëtan de Clérambault décida, contre l'avis de sa famille, d'étudier la médecine. C'est ainsi qu'en 1905, il fut nommé médecin-adjoint à l'Infirmerie spéciale des aliénés de la préfecture de police de Paris, puis médecin-chef en 1920. Durant la Première Guerre mondiale, il se fait affecter au front et part pour le Maroc, où il est promu médecin-major. En 1917, Clérambault s'établit à Fez, où il séjourne jusqu'en 1920 pour cause de convalescence, à la suite d'une blessure de guerre. C'est alors qu'il entreprend des études sur les draperies arabes et commence sa collection de photographies. Ce corpus d'images, prises par Clérambault lui-même entre 1915 et 1920, atteste avec éclat son intérêt pour les costumes orientaux, qui s'épanouit dans une collection pléthorique (on a parlé de 45 000 clichés). Seul le drapé, ses inflexions, ses contours retiennent la curiosité du photographe, qui sait inventer pour ses modèles des postures précieuses aptes à susciter des plis inattendus. Mais le psychiatre sait aussi se faire l'interprète de la psychologie profonde en attirant l'attention, dès 1908, sur *La passion érotique des étoffes chez la femme*, à laquelle il dédie un ouvrage désormais célèbre. Les étoffes ne sont pas des matières mortes. Elles possèdent des qualités érotiques qui déclenchent chez certaines femmes des « sensations sexuelles intenses » auxquelles Clérambault réserve une place analogue à celle du premier amant (Papetti, 1981, p. 60) : l'étoffe est un objet de désir. Bien que l'on ait pu voir dans ces rêveries le besoin d'oublier les carences d'une mère, le drapé signifie pour d'autres une espèce de suaire, et le fait même de se voiler d'un linge blanc, qui vaut signe de deuil en terre d'Islam, est une façon projective, pour Cléram-bault, d'évoquer le souvenir de sa sœur morte quand il n'avait que cinq ans, et ses rapports conflictuels avec sa mère. De retour à Paris, l'aliéniste donne à ses frais des cours de drapé, à l'Ecole des Beaux-Arts, de 1923 à 1926, et plusieurs conférences à la Société d'ethnographie de Paris. Mais, dans les deux cas, il ne fait aucun usage de ses photographies marocaines, ce qui suggère qu'elles témoignent d'une tout autre vérité que celle de l'ethnographie. En 1934, Clérambault se suicide, chez lui, d'un coup de revolver dans la bouche. Motif officiel : malgré une opération de la cataracte, ses troubles oculaires n'ont pas disparu, et pour ce grand voyeur, sans vue, pas de vie. Dans ses photographies, la jouissance fétichiste de Clérambault, qui ne relève pas d'un voyeurisme ordinaire, est facile à comprendre : ces formes drapées nous fixent à leur tour sans nous voir. Et nul n'échappe à cette fascination tenace, qui est comme un regard où manqueraient les yeux.

Amélie Marty

Eugène DELACROIX
(Charenton-Saint-Maurice, 1798 – Paris, 1863)

39
Têtes de damnés
Mine de plomb. Filigrane : *Napoléon le grand empereur et roi*, entourant en médaille le buste de profil, à l'antique, de Napoléon lauré. H. 0,224 ; L. 0,200.
Historique
Atelier Delacroix, vente, Paris, 1864, sans doute partie du n° 306 (6 feuilles) (L. 838a) ; E. Moreau-Nélaton ; legs en 1927 ; marque du Louvre (L. 1886 a). Inventaire RF 9194.
Bibliographie
Robaut, 1885, sans doute partie du n° 1447 ; Sérullaz, 1952, n° 33, pl. XXI ; Johnson, 1958, p. 228-234, fig. 21 ; Sérullaz, 1963, n° 39 ; Sérullaz, 1984, I, n° 26 ; Bernstein Howell, 1994, p. 15-24, fig. 13.
Expositions
Paris, 1930, n° 235 ; Paris, 1963, n° 38, repr. ; Paris, 1982, n° 21 ; Paris, 1991, n° 127

Paris, musée du Louvre,
département des Arts graphiques.

Formé dans l'atelier de Guérin où il entra en 1815, Delacroix, soucieux de reconnaissance publique, expose à son premier Salon dès 1822. Il songe alors à illustrer Dante, dont il a déjà traduit et étudié quelques vers en 1819. Tandis que ses prédécesseurs – Koch, Pinelli, Girodet – avaient préféré le chant III de *L'Enfer*, où Charon fait passer l'Achéron aux ombres des damnés, le peintre s'attache au chant VIII (v. 31-45), qui décrit la traversée du Styx par Dante et Virgile sur la barque du nocher Phlégyas, assaillie par « les âmes de ceux que la colère vainquit ». Mais au cours de ses recherches préliminaires, son intérêt se reporte sur l'épisode précédant le passage du fleuve infernal : dans le cinquième cercle, Dante découvre les coléreux, embourbés dans le marais – ainsi qualifie-t-il le Styx – « comme porcs dans l'ordure » (chant VII, v. 106-126). Ainsi la feuille du Louvre associe-t-elle l'étude patibulaire des damnés « mangeurs de boue » à celle, physiognomonique, des deux poètes, dont les figures contrastées auraient conduit l'artiste à s'inspirer d'une médaille, représentant Janus, le dieu à deux faces, lithographiée par ses soins d'après les collections de la Bibliothèque nationale. Quant aux âmes maudites, Delacroix insiste sur leur monstruosité, fidèle au texte décrivant explicitement la laideur de ces « gens boueux […] / tous nus et à l'aspect meurtri / [qui] se frappaient, mais non avec la main, / avec la tête, avec la poitrine et avec les pieds, / tranchant leurs corps par bribes, avec les dents » (v. 110-114). Le faciès dévoré par les « fumées chagrines » du remords, ces malheureux ne sont plus, sous le crayon du peintre, que souffrance et terreur.

Emmanuelle Gueneau

Paul DELAROCHE
(Paris, 1797 – Paris, 1856)

59
Sainte Véronique
Huile sur bois. H. 0,280 ; L. 0,490 (surface peinte avec angles supérieurs abattus)
Historique
Legs de Mme Philippe Delaroche-Vernet, veuve du petit fils de l'artiste, 1938. Inventaire RF 1938-82.
Bibliographie
Ziff, 1975, p. 260-61, n° 231, repr. ; Compin et Roquebert, 1986, III, p. 210 ; Caffort, 1990, p. 370.
Expositions
Paris, 1885, n° 117 ; Berlin, 1968, n° 30.

Paris, musée du Louvre,
département des Peintures.

Marqué par le deuil de sa femme en 1845, Delaroche développe sur le tard une inclination pieuse qui privilégie les héroïnes pathétiques du christianisme primitif. Peinture de dévotion privée dans le goût nordique, exécutée vers 1856, sa *Sainte Véronique* participe de cet élan mystique. Quoique l'objet d'une vénération populaire, la sainte n'apparaît pas dans le martyrologe romain, mais passe pour un personnage de légende, que cite pour la première fois l'Evangile apocryphe de Nicodème (ve siècle). Depuis le Moyen Age, la tradition représente invariablement sainte Véronique essuyant le visage du Christ au Calvaire ou déployant devant elle l'« image vraie » *(vera icôn)*. Préférant l'émo-tion, le drame et l'imaginaire à la narrativité, Delaroche peint Véronique prosternée devant le voile, seul attribut signalétique rendant l'image intelligible. Spectral, le suaire apparaît en lévitation – la table qui le supporte est presque invisible –, tandis que la sainte gît inconsciente sur le sol. Héritière des grands modèles baroques du culte des martyrs dus à la Contre-Réforme, comme la *Sainte Cécile* de Stefano Maderno (1600, Rome, Sainte-Cécile), la peinture s'inscrit, à la suite d'Atala et d'Ophélie, dans une atmosphère romantique, que Delaroche avait déjà convoquée avec sa *Jeune martyre* du Louvre (1855). Le peintre corrobore de fait son esthétique du *juste milieu*, où le goût de l'histoire va de pair avec l'emphase du sujet.

Emmanuelle Gueneau

19
Six études
pour la tête de saint Jean-Baptiste
Plume et encre brune. H. 0,283 ; L. 0,396
Historique
Mme Albert Sancholles-Henraux, descendante des peintres P. Delaroche et Vernet ; don en 1971 ; marque du Louvre (L. 1886). Inventaire RF 35 422.

Paris, musée du Louvre,
département des Arts graphiques.

On ne connaît ni la date ni la destination de cette feuille étrange. Une étude pour le plat où repose la tête du saint est conservée au Louvre (RF 35423). On peut aussi rapprocher cette série de têtes des nombreuses études que détient la même collection (RF 35113 à RF 35118, RF 35157 et RF 35158), pour la *Salomé* peinte du Wallraf Richartz Museum de Cologne (1843). Ayant achevé en 1841 son décor monumental pour l'hémicycle de l'Ecole des Beaux-Arts, Delaroche séjourne à Rome, de l'automne 1843 à l'automne 1844, où il vécut une période féconde, en compagnie de sa femme, de ses enfants et de ses élèves les plus proches, comme Hébert. Selon ce dernier, Delaroche est l'homme du « dramatique concentré ». Sa peinture fut souvent qualifiée de froide ou de réservée, la passion y étant restreinte par ses contours incisifs et ses lignes pures. Mais la concentration dramatique n'exclut pas la sensibilité de la facture. Delaroche s'attache au détail de la composition. C'est ainsi que le traitement des plats successifs traduit un goût manifeste pour le pointillisme de l'ornement. L'iconographie du saint est plus traditionnelle : le Baptiste paraît endormi, les yeux clos, le visage apaisé, tel qu'Andrea Solario le représentait à la Renaissance. La thématique religieuse est, dans les années 1840, la perspective centrale de l'artiste, qu'accentue la mort de sa femme en 1845, et qui donne à sa peinture un accent tragique.

Caroline See

Albrecht DÜRER
(Nuremberg, 1471 – Nuremberg, 1528)

3
Trois têtes d'enfants
Pinceau, encre noire, lavis noir avec rehauts de blanc sur papier bleuâtre, fond préparé (lavis brun). H. 0,218; L. 0,379.
Au centre en bas, monogramme de l'artiste et la date : *1506.*
Historique
Abbé de Marolles; acheté par Louis XIV en 1667. Inventaire Cote B 13 réserve.
Bibliographie
Ephrussi, 1882, p. 116; Lippmann, 1894, III, n° 333; Wölflin, 1905, p. 130; Lugt et Vallery-Radot, 1936, n° 8; Winkler, 1957, n° 388; Tietze et Tietze-Conrat, 1937-1938, n° 304; Grote, 1965, p. 56; Strauss, 1974, n°s 1506/10; Panofsky, 1987, n° 736.
Expositions
Paris, 1971, n° 155; Paris, 1977-1978, n° 90; Paris, 1991-1992, n° 47, repr.

Paris, Bibliothèque nationale de France, département des Estampes et de la Photographie.

« Ce qu'est la beauté, je l'ignore », écrivait Albrecht Dürer en 1512 à propos de la forme humaine (cité dans Vaisse et Della Chiesa, 1969, p. 5). Il fut pourtant de ceux qui surent le mieux l'exprimer, dans sa diversité, loin du canon antique. Ces trois têtes ont été exécutées en 1506, au cours du second voyage de Dürer en Italie (1505-1507). L'épidémie de peste qui dévastait Nuremberg à cette époque semble avoir été la cause directe de son départ. Cependant, malgré une renommée déjà bien établie, Dürer entreprend également ce périple dans le but d'assimiler la perspective et la monumentalité de la peinture italienne qui font encore défaut à son esthétique naturaliste. Le critique d'art Charles Ephrussi (qui inspira le Swann « connaisseur » de Marcel Proust), auteur d'un essai sur Dürer, insiste sur le succès remporté par sa *Vierge au rosaire* (Prague, Nàrodni Galerie), commande des marchands allemands de Venise, qui assure définitivement à Dürer l'admiration des peintres vénitiens. Cette œuvre capitale, par laquelle Dürer s'approprie la technique vénitienne, fut l'objet de nombreux travaux préparatoires. « En ce moment unique et privilégié, l'artiste a réussi la synthèse de son dessin puissant et précis avec la magnificence coloriste de Venise » (Panofsky, 1987, p. 172). La finition soignée, la dimension picturale du dessin et sa composition rigoureuse, où prévaut la contorsion de l'enfant du centre, en font une œuvre autonome, mais son sujet l'apparente à une étude, semblable à celles qu'ont pu réaliser de nombreux artistes du Quattrocento, comme Lucca Della Robbia ou Giovanni Bellini pour leurs Vierges à l'Enfant. Malgré leurs expressions parfois grimaçantes, leurs regards pénétrés d'adultes, imposés par le style de l'époque, mais dont Dürer accentue l'aspect mélancolique et inquiétant, ces têtes ont été réutilisées en angelots dans les œuvres italiennes de l'artiste. Selon Lugt, celles de gauche et du centre se retrouvent dans les *putti* de la *Vierge au rosaire*, tandis que Lippmann a mis en évidence l'utilisation de celle de droite dans la

Vierge au serin (Berlin-Dahlem, Gemäldegalerie). Dans les versions finales, les faces d'angelots ont perdu toute difformité. On peut associer ces trois têtes d'enfants aux sept autres (sans doute de la même époque) que possède le Louvre (Inv. 18601 A et B, 18602 A et B, 18607 A et B) et qui auraient été exécutées d'après des modèles en plâtre, selon une technique également employée par Fra Bartolomeo (1472-1517). Nul ne sait pourquoi Dürer prenait plaisir à exagérer la rondeur des crânes enfantins au point de les rendre presque difformes. La tête centrale de notre dessin était initialement plus grosse, comme l'atteste le repentir encore bien visible sur la feuille. La technique utilisée ici (encre noire et rehauts de blanc) est typique de l'école vénitienne, mais la maîtrise graphique ainsi que les légers coups de pinceau, parallèles ou croisés, sont propres à l'artiste.
Clara Pujos

ÉCOLE FRANÇAISE
Fin du XVIIIe siècle

32
Ecce Custine
Gravure à l'eau forte. H. 0,181; L. 0,140. Inscription : *Aux manes de nos frères sacrifiez par le traitre / Son sang impur abreuva nos sillons / Ainsi périse les traitres à la patrie / 28 Aoust 1793. L an 2° de la République une indivisible à 10 heurs 30 minutes.*
Historique
Inventaire Est. Hist. pc. 20B.
Bibliographie
Benoit, in cat. exp. Paris, 1989, sous le n° 546.
Expositions
Vizille, 1987, p. 132; Los Angeles, 1988; Paris, 1989, sous le n° 546.

Paris, musée Carnavalet.

Aristocrate libéral, qui combattit pour l'indépendance américaine, Custine fut l'un des grands généraux de la Révolution. Il disait « s'être fait une loi de n'adopter aucun parti et n'être pas plus du club des Jacobins que du club monarchique ». En octobre 1792, commandant l'armée du Rhin, il s'empara des trois évêchés rhénans (Spire, Worms et Mayence), avant de battre en retraite, avec de lourdes pertes. Attaqué par les Jacobins, soupçonné de trahison, il fut arrêté le 22 juillet 1793 : on lui reprochait d'aspirer à la dictature. Il fut guillotiné le 28 août 1793 sur les instances d'Hébert et de Robespierre lui-même. Cette feuille de propagande, publiée chez Villeneuve en 1793, montre une tête tranchée dont les traits sont paisibles et la bouche presque souriante. La légende fait un usage sarcastique de la mythologie chrétienne (la Passion du Christ), Custine ayant témoigné, dans ses derniers moments, d'une piété ostentatoire. Elle s'inscrit en outre dans un réseau de significations politiquement élaboré. Les citations de la légende se fondent en effet, comme l'a montré Daniel Arasse (in cat. exp. Vizille, 1987), sur les relations du singulier au pluriel, où se joue lexicalement l'antithèse idéologique des *particuliers* et du *Peuple*. Pluriel et singulier trament la nouvelle structure du corps poli-

tique : *le* traître a sacrifié *les* frères, *les* traîtres seront sacrifiés à *la* patrie; d'un singulier à l'autre, du Traître à la Patrie, une transformation s'opère qui garantit le triomphe de la République, car le singulier du Traître n'est que celui d'un *particulier*, quand le singulier de la Patrie est un *collectif*, celui de la volonté générale, c'est-à-dire du Peuple. Au centre de la gravure, les mots cruels d'*Ecce Custine* définissent un présent immédiat qui est celui du châtiment : public, exemplaire et signifiant (Arasse, *op. cit.*, p. 132). Inversement, le passage du subjonctif au passé simple dans *La Marseillaise* – « Son sang impur abreuva nos sillons » – transforme l'exhortation en constat : c'est le triomphe de la République. On ne saurait être plus jacobin...
Amélie Marty

31
Tête coupée de Louis XVI
Gravure à l'aquatinte. H. 0,160 m. L. 0,141 m. Inscription : *Matière à réflection pour les jongleurs couronnées / qu'un sang impur abreuve nos sillons / lundi 21 janvier 1793 à 10 heures un quart du matin sur la place de la révolution, ci-devant appelé Louis / XVI, Le tiran est tombé sous le glaive des loix... Extrait de la 3° lettre de Maximilien Robespierre à ses commetants / A Paris chez Villeneuve Graveur rue Zacharie St-Séverin, maison du passage, N 72.*
Historique
Inventaire Qb1, 1793, 21 Janv. M.101.880.
Bibliographie
Hofmann, 1995, p. 269.
Expositions
Vizille, 1987, n° 152; Los Angeles, 1988, n° 90; Paris, 1989, n° 546.

Paris, Bibliothèque nationale de France, département des Estampes et de la Photographie.

Cette gravure de la Bibliothèque nationale, dont on connaît deux états et une contrefaçon allemande, fut publiée en 1793 par Villeneuve, l'un des éditeurs les plus actifs de la Révolution. Elle montre, de profil, la tête coupée de Louis XVI que présente au peuple la main du bourreau. Le plissement de l'œil et la bouche entrouverte, qui laisse voir les dents, suggèrent la sournoiserie du « tyran » dont la tête est brandie comme un trophée et s'intègre dans la tradition iconographique de Persée tenant la tête de Méduse (Arasse, in cat. exp. Vizille, 1987, p. 45). Cette forme d'exhibition posthume (après la guillotine) semble avoir frappé les spectateurs et l'on peut ainsi la retrouver dans de nombreuses figurations, tel un *Ecce Veto* qui montre la tête seule et d'où dérivent plusieurs estampes du même type consacrées à Custine (voir cat. 32). On notera la présence du niveau, coiffé du bonnet phrygien, symbole de l'égalité; de plus, la légende est extraite d'un texte de Robespierre, dont le discours du 28 décembre 1792 joua un rôle déterminant dans le déroulement et la conclusion du procès du roi (Benoit, in cat. exp. Paris, 1989, p. 422). L'image est donc adressée à deux catégories contradictoires : les adversaires de la Révolution – auxquels est destiné le titre inscrit hors trait en haut de l'image – et les républicains – auxquels s'adresse la légende reprise d'un discours de Robespierre. Cette gravure républicaine, d'obédience jacobine, reprend aussi le dernier vers de l'hymne national : «qu'un sang impur abreuve nos sillons». Le sang de Louis XVI, qui «cimente la liberté», et l'image de sa tête coupée nous soumettent le moment fondateur du baptême de la Révolution. Le chef décollé du roi illustre puissamment l'abolition d'un tabou. La gravure est souvent accompagnée de son pendant, *Louis XVI le traître lis ta sentence*, estampe où l'on voit un bras s'échapper du cachot et rédiger la condamnation du monarque, tandis qu'une note en bas de l'image introduit subrepticement l'instrument de mort : sous la loi d'airain de la République, Louis XVI, héros négatif de la tyrannie monarchique, est passible du même jugement que n'importe quel autre citoyen (Paulson, in cat. exp. Los Angeles, 1988, p. 201).

Amélie Marty

ÉCOLE LOMBARDE
Vers 1550

58

Tête de saint Jean-Baptiste
Marbre. H. 0,270; D. 0,465.
Historique
Collection du sculpteur François Girardon; collection du président Joseph-Antoine Crozat, marquis de Tugny; vente juin 1751, n° 56; collection Edmond Taigny, 1878?; vente Paris, Nouveau Drouot, 19 octobre 1987; préemption en vente publique confirmée par arrêté du 19 novembre 1987. Inventaire RF 4203.
Bibliographie
Lecomte, 1702, II, p. 28; Piot, 1878, p. 838; Middeldorf, 1945, n° 1, p. 218; Souchal, 1973, p. 43; Gaborit, 1988, p. 36.

Paris, musée du Louvre,
département des Sculptures.

Marbre anonyme ayant appartenu au sculpteur Girardon, la *Tête de Saint Jean-Baptiste* allie, selon le critique Eugène Piot – qui fut son seul chantre jusqu'à sa redécouverte par le département des Sculptures du Louvre en 1987 –, l'horreur du sujet à la délicatesse de l'exécution. Piot suggère bien la dualité de l'œuvre «traitée dans la gamme très adoucie de l'art espagnol», qui se distingue selon lui par ses «aspects farouches et sanguinaires» (1878). Si le sujet traité, la décollation du Baptiste, est en effet d'une violence notoire, la tête semble juste «endormie par la mort» *(ibid.)* : l'œil clos traduit une souffrance intérieure tandis que la face exhale une sérénité qu'accentue la blancheur du marbre. Le sens même, symbolique, du décollement – la séparation du corps et de l'esprit – est ici concentré dans le seul visage dont les traits, relâchés, contrastent avec les tourments lisibles sur le front. L'esprit continuerait ainsi d'errer dans les méandres de la réflexion bien que la figure soit figée et inerte. La symétrie de ce marbre à la finesse d'exécution académique rend la composition rigide. L'œuvre, taillée dans un même bloc, associe gracieusement la tête et la coupe, d'où une sensation de calme confortée par la lourdeur rassurante du plat. La facture de ce dernier prend un caractère illusionniste en suggérant

une auréole au martyr. La singularité de l'invention autorise à dater ce marbre, selon Jean-René Gaborit, de la période du maniérisme lombard et à la situer en Italie du Nord. La ressemblance de cette œuvre avec le visage du Christ de la *Pietà* de Michel-Ange (Rome, basilique Saint-Pierre), et les curieuses volutes sous le plat, dignes d'un architecte, firent initialement attribuer cette tête à Michel-Ange. De même, Tolnay (*The Youth of Michelangelo,* Princeton, 1943, cité par Middeldorf, 1945 p. 219) considère que la tête appartiendrait à une statue perdue de Michel-Ange, le *Giovannino*. Mais cette attribution ne semble guère convaincre Jean-René Gaborit pour qui l'œuvre aurait été exécutée par un atelier milanais ou par un artiste établi à Gênes, cette ville se distinguant par sa dévotion à *San Giovanni Decollato*. De nombreuses analogies se retrouvent, notamment, avec la tête de saint Jean de Rogier van der Weyden (*Décollation de saint Jean*, Berlin, Gemäldegalerie). On a aussi proposé en 1988 une attribution à Berruguete, en comparant l'œuvre avec sa *Tête de Christ* au musée des Offices de Florence.

Chloë Théault

ÉCOLE SLAVE
XIII° siècle ?

7

La Sainte Face
Tempera sur bois de pin. H. 0,441; L. 0,401.
Cuvette de l'avers : H. 0,385; L. 0,345; P. 0,50.
Historique
Offerte en 1249 au couvent de Montreuil-en-Thiérache; au XVII° siècle, transférée au monastère de Montreuil-les-Dames dans les faubourgs de Laon où elle resta jusqu'en 1793; transférée en 1803 dans la cathédrale de Laon, Trésor de la cathédrale.
Bibliographie
Grabar, 1931, p. 5-13; Weitzmann, 1960, XI, p. 163-184.
Expositions
Paris, 1988, pl. 1; Paris, 1992-1993, n° 365.

Laon, Trésor de la cathédrale.

Le mandylion de la Sainte Face, exposé dans la chapelle Saint-Paul de la cathédrale de Laon, relève d'une longue histoire qui est tributaire de la tradition chrétienne orientale aussi bien qu'occidentale. Cette peinture slave du XIII° siècle fut envoyée au couvent de Montreuil-en-Thiérache en 1249 par Jacques Pantaléon de Troyes, ancien archidiacre de la cathédrale de Laon et futur pape Urbain IV (1261-1264), à la demande probable de sa sœur Sibylle, supérieure du couvent, comme l'atteste une lettre de l'archidiacre aux sœurs de Montreuil, exhumée par André Grabar (1931, p. 8). L'icône, qui est toujours restée dans la région de Laon, fait partie depuis 1803 du Trésor de la cathédrale. Elle n'a cessé d'inspirer depuis le Moyen Age la dévotion des pèlerins. Selon Michel Rutschkowsky (cat. exp. Paris, 1992-1993, p. 475), son iconographie se rattache à un prototype du VI° siècle qui a disparu, mais joua un rôle important dans la formation de l'art des icônes : ce type d'image était utilisé comme bannière triomphale en tête des

armées impériales, au cours des guerres des VI°-VII° siècles qui opposèrent l'Empire byzantin aux Arabes et aux Perses, non sans contribuer à la popularité de l'image. L'origine surnaturelle des Saintes Faces (qu'on appelle en grec *acheiropoïètes* : «non faites de main d'homme») est liée à la légende d'Abgar, roi d'Edesse en Mésopotamie. Ce monarque fut, dit-on, guéri de la lèpre par l'intervention du Christ qui lui fit don d'un linge à son effigie, avec lequel Abgar s'essuya le visage. Ce miracle a fortement contribué au type définitif de la représentation du Christ comme à la légitimité du dogme chrétien de l'incarnation. Grâce à l'inscription en caractères cyrilliques («image du Seigneur sur le mouchoir») placée au-dessous de la Face et contemporaine de la peinture, le bénédictin Jean Mabillon et le Père Hardouin, jésuite, ont pu établir, au XVII° siècle, l'origine balkanique de l'œuvre. Le mot «Seigneur», au centre de l'inscription, légèrement surélevé, forme une espèce de triptyque avec les deux mots qui l'encadrent (Grabar, *op. cit.*, p. 6). Le monogramme du Christ *(IC XC)* s'inscrit dans les angles supérieurs de la peinture. Le tissu, qui se tend autour de la figure, envahit toute l'icône, à l'exception du cadre. La face du Christ est auréolée d'un nimbe englobant les bras de la croix, qui s'élargissent aux extrémités par un angle obtus, trait caractéristique de l'iconographie orthodoxe : chaque bras porte une tache rouge cerclée de taches bleues. Le visage douloureux du Christ, front contracté, regard triste, renvoie aux souffrances de la Passion. Et les couleurs sombres de la Face, où dominent le brun et le vert olive, les cheveux ondulés, qui sinuent comme des reptiles dans une tête de Méduse, la barbe pointue de même tonalité, contrastent avec les rehauts de lumière qui animent les yeux, le front et le nez. D'après André Grabar, «la facture de l'image est plutôt "picturale" : la tête du Christ est modelée à l'aide de procédés coloristes; les contours sont rares, les lumières ne reçoivent jamais l'aspect de taches de forme géométrique, comme dans tant de fresques et d'icônes orthodoxes» (*op. cit.*, p. 6). L'œuvre est primordiale par son type iconographique et son style virtuose, mais plus encore par sa fonction : elle manifeste l'influence stratégique de la culture byzantine sur l'imagerie catholique.

Anna Sermonti et Sandra Cerniul

Jean FAUTRIER
(Paris, 1898 – Châtenay-Malabry, 1964)

56

Les yeux
Plâtre original. H. 0,140.
Historique
Donation en mémoire de Michel Couturier par ses fils Eric et Philippe, 1989. Inventaire AMS658.
Bibliographie
Engelberts, 1969; Peyré, 1990, p. 397-401.
Exposition
Paris, 1989, p. 25-27.

Paris, musée d'Art moderne de la Ville.

Formé à la Royal Academy et à la Slade School de Londres, Fautrier rentre à Paris vers 1922 et commence à peindre. Ses débuts sont marqués par un art sombre, animé de traits incisifs et de motifs parfois cruels; il frise l'expressionnisme (*Le Sanglier écorché*, 1927, Paris, MNAM). Puis son style évolue, avec la guerre, dans un sens non figuratif. Vanté par Malraux, Paulhan et Ponge, Fautrier s'impose alors comme l'un des créateurs de la peinture dite *informelle* (Tapié, 1951). L'artiste devient célèbre avec la série des *Otages* (1943-1945, huile sur papier marouflé sur toile), qui présente un double intérêt, historique autant que plastique. Fautrier cherche aussi dans la sculpture un moyen d'expression, qui répond à son goût pour le travail des matériaux, mais il ne la pratique qu'à certaines périodes, de 1927 à 1929 et de 1935 à 1943. Ses œuvres sculptées, de traitement allusif et de format réduit, se bornent à une vingtaine de pièces. Toutes les figurines, ou presque, représentent des jeunes femmes entre érotisme et torture – du premier *Nu aux bras levés* jusqu'à l'*Otage* final, en passant par la *Tête striée*. Parmi elles, *Les yeux* de 1940 ont un statut particulier : c'est le seul visage, les doigts ayant profondément creusé les orbites, où soit permis de voir un crâne flétri (plâtre original ici) ou un masque archaïque (tirage en bronze). Cette face lépreuse et sans regard, happée par la mort, laisse transparaître, selon le mot de Malraux, une tangible «hiéroglyphie de la douleur» (*Les Otages*, 1945). L'art n'y est jamais imitation, voire illustration, mais toujours suggestion. A travers cet ensemble de sculptures, dont on ignore souvent l'existence, la période nocturne et la période informelle de Fautrier se rejoignent dans le genre tragique.

Hsiao-Shao Yeh

Mariano FORTUNY Y MARSAL
(Réus, 1838 - Rome, 1874)

60
Masque de Beethoven
Plume, encre brune, encre noire, lavis noir. H. 0,187; L. 0,273.
Historique
Henriette Fortuny; musée du Louvre, acquis en 1950. Inventaire 29821.

Paris, musée du Louvre,
département des Arts graphiques.

L'artiste catalan, dont on conserve plus de deux mille dessins, exécutés dans les techniques les plus diverses, a commencé sa formation artistique dans la tradition nazaréenne à l'école des Beaux-Arts de La Lonja avec Claudio Lorenzale et Pablo Milà y Fontanals. En 1858, il obtient une bourse d'études à l'académie Gigi de Rome, où il s'installe définitivement, non sans arpenter l'Espagne, Paris et le Maroc. Il peint de nombreux tableaux, qui sont essentiellement des portraits aux sujets variés (portraits de familiers, de métiers, de la famille royale, de modèles arabes, etc.) ou des paysages marocains et espagnols. Ses tableaux les plus connus sont *La bataille de Tetuán* et *La Vicaría* (Barcelone, Museo de Arte Moderno; Saragosse, Museo de Bellas Artes; Ainaud de Lasarte, in cat. exp. Castres,

1974, p. 14-15). En 1875, le baron de Davillier écrivit la première biographie détaillée de l'artiste, suivie de nombreux livres et d'essais. José Camón Aznar compare la passion créatrice et l'expérimentation graphique de Fortuny à celles du plus fameux des peintres espagnols, Goya (1974, p. 142). Fortuny montre de face, au milieu de la page, le masque de Beethoven, posé sur une table et encadré par trois livres et une plume, placée en diagonale sur la gauche de l'image. L'artiste accentue l'ombre et la lumière par des hachures à l'encre brune, au lavis noir et à la plume. Les traits immobiles du visage de Beethoven, comme ses yeux fermés et sa bouche hermétique, trahissent l'idée de mort. La littérature évoquée par les livres et la plume, le thème du dessin et le moyen même utilisé par Fortuny évoquent une espèce de syncrétisme esthétique : la fusion des arts.

Anna Sermonti

61
Deux masques
Plume et encre noire, lavis noir. H. 0,168; L. 0,300.
Historique
Henriette Fortuny; musée du Louvre, acquis en 1950. Inventaire 29822.

Paris, musée du Louvre,
département des Arts graphiques.

Dans ces trois masques, Fortuny a étudié trois positions différentes : à gauche, de face; au milieu, renversé; à droite, de profil. Il joue de nouveau avec la lumière et l'ombre, en les soulignant par des hachures à la plume et au lavis noir. Les tons clairs sont moins marqués que dans le dessin précédent, puisqu'il n'utilise pas d'encre brune. Ces deux dessins se placent dans la tradition artistique du XIXᵉ siècle, qui mythifie le musicien allemand, devenu la métaphore du génie artistique, grâce à son originalité créatrice et la forme accomplie de ses compositions. Non seulement Beethoven devient, à cette époque, le sujet de nombreuses œuvres graphiques chez les artistes d'Europe centrale, notamment Stainhauser, Mähler, Klein et Danhauser, mais il est aussi déifié par la littérature romantique européenne, comme l'atteste (entre autres) le grand E. T. A. Hoffmann. La métaphore de Beethoven comme génie pur s'est du reste pérennisé jusqu'à nos jours.

Anna Sermonti

Raffaellino del GARBO
(San Lorenzo a Vigliano, vers 1466 – Florence, 1524)

26
Judith
Plume et encre brune, lavis brun, rehauts de blanc sur pierre noire, papier lavé rose. H. 0,312; L. 0,212.
Annotations fragmentaires à la plume : *[M] isura del pezzo de [...] e a. 9 [...] el pezzo.*
Historique
Ch. -P. de Saint-Morys; saisie des Émigrés en 1793, remise au Museum en 1796-1797; marque du Louvre en bas à gauche (L. 1886). Inventaire 680.

Bibliographie
Berenson, 1961, II, nº 2749 (Sogliani); Pouncey, 1964, p. 285.
Expositions
Paris, 1952, nº 18, repr.; Paris, 1978, nº 3, repr.; Paris, 1992, nº 3, repr.

Paris, musée du Louvre,
département des Arts graphiques.

Artiste à l'identité multiple, Raffaellino del Garbo (dit dei Carli, dei Capponi...) dessinait, selon Vasari, «autant que peut le faire un peintre pour atteindre la perfection» (éd. 1989, V, p. 143). Populaire de son temps, comme le confirment les quatre tableaux jadis à l'église de Santo Spirito (1501-1505, la *Vergine in trono tra Santi* y est toujours; Carpaneto, 1970, p. 22, nº 54), Raffaellino fut sans doute l'élève du Pérugin (après 1481) avant d'assister Filippino Lippi (vers 1490). Il hérita ainsi des traditions ombrienne et florentine à la faveur desquelles son style ne cessa d'évoluer. C'est pourquoi cette *Judith,* autrefois attribuée à l'école de Botticelli, puis à Sogliani, avant que Pouncey (1964, p. 285) ne suggère le nom de Raffaellino, est difficile à dater. On y reconnaît le naturalisme de la facture, inspirée de Lippi, et la délicatesse du ton, proche de Botticelli, qui s'avère surprenante dans un sujet cruel. En plaçant l'héroïne hors du contexte biblique, l'artiste, qui fait abstraction du lieu comme des autres personnages, semble vouloir donner à Judith une dimension plus psychologique que narrative. Tout comme Spranger, il insiste sur la témérité de l'héroïne, dont il met le sabre en évidence, et non la beauté, apte, selon la Bible, à «séduire les yeux de tous les hommes» (Judith, X, 4). Allègre et fière, Judith prend la pose pour admirer son trophée et savourer sa victoire. Le terrible Holopherne, que résume sa tête coupée, semble un vieillard fatigué. Reste à savoir si Raffaellino fit le dessin pour étude, ou s'il avait choisi de peindre la figure solitaire de Judith après le meurtre, voire même sur les remparts de Béthulie, et si la feuille faisait partie du «grand nombre de dessins diffusés par l'un de ses fils à un prix dérisoire» dont parle Vasari, biographe du peintre (*op. cit.,* p. 143).

Maureen Marozeau

Anne-Louis GIRODET
DE ROUCY-TRIOSON
(Montargis, 1767 – Paris, 1824)

29
Etude pour la Révolte du Caire
Fusain et pastel sur papier bistre. H. 0,544; L. 0,663.
Historique
M. Ernest Gariel; don en 1879 (?). Inventaire nº 879-133317.
Expositions
Paris, 1974-1975, p. 149; Los Angeles et Minneapolis, 1993-1994, nº 59, fig. 106.

Avallon, musée de l'Avallonnais.

Episode sanglant de la campagne d'Egypte où s'illustra Bonaparte de mai 1798 à août 1799, la révolte de la population du Caire contre les troupes françaises (21-22 octobre 1798) fut commémorée par Girodet-Trioson dans une toile géante, qui participait du vaste programme de propagande impériale que dirigeait Vivant Denon. Dès le Salon de 1808, Pierre Narcisse Guérin avait exposé l'épilogue de la crise, qui exalte la clémence d'Auguste : *Le pardon du Général Bonaparte aux révoltés du Caire* (Versailles). A Girodet revient la tâche de rendre le dénouement crucial de l'assaut précédent : les soldats français poursuivant les Egyptiens révoltés, qui furent défaits à la mosquée Al-Azhar, quartier général de l'insurrection (*La révolte du Caire*, Salon de 1810, Versailles). N'ayant jamais visité l'Egypte, le peintre s'inspira de recueils savants comme les *Voyages en Egypte et en Syrie* (1787) de Volney ou la *Description de l'Egypte* publiée par Denon en 1809. Dans son interprétation libre de la scène de représailles et de son décor – la répression fut menée par l'artillerie et non par les hussards – Girodet s'attacha aux costumes et aux types humains. Fasciné par les « hordes barbares des fils de Mahomet » selon la formule d'un de ses poèmes intitulé « Le peintre » (publié par Coupin dans les *Œuvres posthumes*, 1829), il travaillait d'après des modèles mamelouks qu'il hébergeait dans son atelier et dont la beauté « l'électrisait » (Coupin, « Notice historique » in *Girodet, op. cit.*). Le pastel d'Avallon – étude préparatoire du groupe central de l'esclave noir et du hussard décapité – paraît construit sur le motif de la spirale : turban serré sur la tête du mamelouk, bras, jambes et draperies inextricablement emmêlés, cheveux tressés du personnage acéphale. Stendhal a dit de cette étreinte morbide : « Figure toi un nid de vipères qu'on découvre en changeant de place un ancien vase, on a peine à suivre le même, si on le regarde longtemps, il fait aller les yeux » (*Journal*, 10 novembre 1810). Mais si la tête de la victime au masque douloureux, brandie par le mamelouk, évoque le sacrifice chrétien, la reprise isolée à la chevelure flottante qu'en fit l'artiste n'est pas sans évoquer une tête de Méduse. Par un comble de raffinement, le peintre a su éviter, dans cette sauvagerie, les pièges du réalisme et de l'hémoglobine : comblant la plaie béante du cadavre au sol, un casque a pris la place du chef décollé.

Emmanuelle Gueneau

Jean-Baptiste GREUZE (?)
(Tournus, 1725 – Paris, 1805)

2

Etudes de têtes d'après l'antique
Sanguine sur papier ivoire. H. 0,415 ; L. 0,534. Annoté sur le montage, en bas à droite, à la plume et encre brune : *Bouchardon*.
Historique
H. Fréau-Bucaille ; acquis en 1980 ; marque du Louvre (L. 1886). Inventaire RF 38618.
Expositions
Paris, 1984, n° 105 ; Lyon, 1984-1985, n° 77 ; Rome, 1988, n° 20 ; Paris, 1989, n° 15.

Paris, musée du Louvre,
département des Arts graphiques.

Seize têtes saturent l'espace de cette feuille d'études. Une succession en cascade de quatre figures présentées chacune sous différents angles met en valeur le volume des formes. Cette mise en page audacieuse ne construit aucun récit mais suggère l'idée d'une série d'études destinées à enrichir un répertoire de formes, où l'artiste puiserait les motifs d'œuvres à venir. Ces figures sont empruntées à quatre reliefs de la colonne Trajane, qui fut redécouverte en Italie au XVI⁰ siècle ; les moulages qu'en fit Girardon pour les collections royales vers 1668 furent exposés au Louvre dès 1700 et, malgré la restitution édulcorée des reliefs romains, ils servirent efficacement le goût de l'antique. Dans l'angle supérieur droit, l'étude se limite à deux profils gauches d'un guerrier dace ; un troisième est porteur du bélier qui menace la porte du camp romain (Froehner, I, pl. 56 ; Reinach, 1886, pl. 27) et son profil se détache sur la surface lisse d'un bouclier. La figure de *Jupiter tonitrualis* est six fois représentée dans un mouvement rotatif. Inspirée d'une scène de combat sous l'orage, que symbolise le dieu au buste nu enveloppé dans son manteau en forme de nimbe (Froehner, I, pl. 49 ; Reinach, *op. cit.*, pl. 22), la figure de face s'impose avec autorité au centre de la feuille ; le trait appuyé, l'effet de clair-obscur rendent à la fois la vigueur du relief et la puissance de l'expression. Au premier rang de la procession qui clôt une cérémonie purificatoire (*lustratio* ; Froehner, III, pl. 134 ; Reinach, *op. cit.*, pl. 86), le corpulent flûtiste de profil, qui précède les joueurs de trompette, la tête couronnée de feuillage, contribue à l'étude d'un visage déformé par l'effort, les sourcils froncés et les muscles saillants. Le bas de la page est occupé par les têtes voilées d'une même figure féminine inspirée des femmes daces à la taille majestueuse présentes au premier plan d'une scène de sacrifice (Froehner, II, pl. 121 ; Reinach, *op. cit.*, pl. 72). Dans la juxtaposition des figures, le modelé lisse du visage contraste avec le visage torturé du musicien. Le travail du trait porte sur le mouvement du buste et du voile drapé qui habille la tête et les épaules. Cette feuille de la seconde moitié du XVIII⁰ siècle est une œuvre ambiguë : le choix du modèle – les reliefs d'un monument romain de l'Antiquité tardive (II⁰ siècle apr. J.-C.) – préfigurerait une démarche académique de l'artiste à la recherche d'une nature idéale. La doctrine de Winckelmann semble déjà connue et utilisée (voir l'adaptation française des *Pensées sur l'imitation* par Fréron dès 1756), bien que la compréhension en France des catégories de la beauté grecque ne soit réelle qu'à la fin des années 1760, avec les traductions de Winckelmann. Mais cette sanguine au trait ferme traduit une interprétation expressive des modèles antiques, forte de mouvements et d'effets. Une telle richesse graphique pose un problème pour l'attribution de l'œuvre. Les études de Greuze d'après les mêmes moulages, entre 1765 et 1767, ne présentent pas cette rigueur du trait qui corrompt la planéité du support. Le nom de Bouchardon avait déjà été avancé. Si les feuilles d'études du sculpteur sur le même modèle, où s'illustre son talent graphique, sont antérieures (Rome, 1723-1732), il est possible d'y voir une recherche préparatoire pour une œuvre en trois dimensions.

Carole Tardivon

Cercle de Mathis Nithart ou Gothart, dit GRÜNEWALD (?)
(Würzburg, vers 1470/1480 – Halle, 1528)

35

Tête grimaçante
Pierre noire, sanguine. H. 0,220 ; L. 0,162. En haut à gauche à la plume, encre noire, la date : *(1) 513*. Collé en plein.
Historique
Ch.-P. de Saint-Morys ; saisie des Emigrés en 1793 ; remise au Museum en 1796-1797, marque du Louvre (L. 1886). Inventaire 18852.
Bibliographie
Schmid, 1911, II, p. 269-270, pl. 1 ; Hagen, 1920, p. 194 et 196, pl. 106 ; Spitzmüller, 1932, p. 133 et 135, repr. p. 134 ; Demonts, 1937-1938, I, n° 205, pl. 68 ; Arquié-Bruley, Labbé et Bicart-Sée, 1987, II, p. 344.
Exposition
Paris, 1991-1992, n° 125.

Paris, musée du Louvre,
département des Arts graphiques.

Sauf une date (1513), on ne sait rien de ce profil grimaçant, qui est presque d'un monstre. En 1911, H.A. Schmid (p. 270), qui attribuait ce dessin à Grünewald, en faisait une étude pour le bourreau du Christ dans une scène d'*Ecce Homo*, d'où son regard penché. La violence de l'expression rend cette thèse plausible, même si Schmid admet que l'œuvre est d'une facture inférieure à celle des autres dessins. En 1920, Hagen compare la feuille, qu'il attribue lui aussi à Grünewald, à une tête criante du même artiste (Berlin, Kupferstichkabinett) sur la foi d'analogies patentes entre les détails du visage (p. 194-196). Le dessin fut attribué tour à tour à Léonard de Vinci (Saint-Morys), Wolf Huber (Spitzmüller) et même Albrecht Dürer (voir l'annotation portée au verso par J. Rosenberg : *retravaillé par Dürer*). L'historiographie récente l'attribue désormais à un maître anonyme illustrant « une tendance violente de l'art allemand du XVI⁰ siècle » (Paris, 1991-1992, p. 134). La plupart des catalogues de Grünewald omettent de citer la feuille, non sans ajouter au mystère qui caractérise l'œuvre du peintre allemand, dont on ne possède plus qu'une trentaine de dessins jugés authentiques (Rieckenberg, 1976).

Claudia Simone Hoff

Martin van HEEMSKERCK
(Heemskerck, 1498 – Haarlem, 1574)

21

David et Goliath
Plume et encre brune. H. 0,200 ; L. 0,250. Signé et daté, à la plume, en bas à droite : *M. Heemskerck inventor*, 1555. Collé en plein.
Historique
Cabinet du Roi ; marque du Louvre (L. 1955). Inventaire 22631.
Bibliographie
Preibisz, 1911, n° 172, p. 98.
Exposition
Paris, 1965, n° 75.

Paris, musée du Louvre,
département des Arts graphiques.

Dans un récent article sur l'iconographie biblique, F. Polleross distingue trois sortes de personnages tirés de l'Ancien Testament : les chefs, les solitaires, perdus au milieu des grandes scènes de mariage ou de famille, et les personnages chargés de symbolique érotique représentant parfois l'artiste lui-même, comme Judith et Holopherne ou David et Goliath (1991, p. 75-117). Ces deux derniers, souvent interprétés par la problématique freudienne qui associe la décapitation à la castration (Schneider, 1976, p. 76-91), se retrouvent dans les œuvres d'une didactique toute morale de Coornhert, graveur attitré de Heemskerck, qui l'influença au point d'être défini comme son *auctor intellectualis* dès 1547. Dernière étude préparatoire pour une suite de gravures qu'exécuta Philippe Galle à Anvers afin d'illustrer l'*Histoire de David*, la feuille exposée, qui se réfère directement à l'Ancien Testament (I Samuel XVII, 31-17, 52), reflète le goût de l'artiste pour les séries de gravures historiques ou bibliques. Ce dessin fut exécuté à Haarlem, où Heemskerck résida surtout à partir de 1544 (date de son retour d'Amsterdam, où il passa deux ans). L'œuvre, datée de 1555, illustre bien la technique chère à Heemskerck et qualifiée d'agressive par Friedländer (1936, vol. 13) : les hachures nerveuses et serrées contribuent à donner une impression de chaos apocalyptique et font ressortir les contours des figures. Le style de Heemskerck fut très marqué par l'enseignement qu'il reçut de Scorel, ainsi que par l'antique, dont les éléments, tirés de la symbolique romaine, sont surtout présents dans ses paysages. Lors de son séjour en Italie de 1532 à 1536, Heemskerck se passionna pour Michel-Ange et pour le maniérisme italien. François Bergot (1974) insiste sur ses «références répétées à la sculpture», la carnation des visages rendant ces derniers très expressionnistes. La composition tourmentée grouille d'êtres agités, les lignes et les saillies s'entrecroisent. Elle peut être interprétée à la lumière de deux thèmes qu'Elena Filippi (1990) a mis en exergue dans l'œuvre de l'artiste : l'utilisation conjointe d'éléments «académiques» et «barbares», et les «espaces de l'éphémère» qui font de l'arrière-plan un paysage irréel. Aujourd'hui très célèbre, le «Raphaël des Pays-Bas», comme le surnommaient ses contemporains, connut cependant une période d'oubli au XVIIIe siècle, jusqu'à la redécouverte par les modernes du climat qui lui est propre, «univers de cruauté et d'érotisme où la vitalité frénétique l'emporte sur la contemplation, l'entassement obsédant sur la composition claire» (*op. cit.*, p. 10).

Chloë Théault

Victor HUGO
(Besançon, 1802 – Paris, 1885)

33
Justitia
1857
Plume et lavis d'encre brune, lavis de sépia, crayon sauce ou lithographique, gouache sur papier blanc. H. 0,520; L. 0,350. Titre dans le corps du dessin, en bas à gauche : *Justitia*. Signé

et daté, à l'encre brune, en bas à droite : *Victor Hugo 1857*.
Historique
Accroché par Victor Hugo dans la salle de billard à Hauteville House, Guernesey; donné par ses héritiers avec Hauteville House et ses collections (1927); intégré aux collections de la maison de Victor Hugo à Paris (1985).
Bibliographie
Massin, 1967, n° 503, repr.; Cazaumayou, 1985, n° 966, repr.
Expositions
Paris, 1888, n° 1; Paris, 1930, n° 1080; Paris, 1971-1972, n° 115; Londres, 1974, n° 54, repr.; Paris, 1985-1986, n° 199, repr.; Tokyo, 1993, n° 122, repr.

Paris, Maison de Victor Hugo.

Victor Hugo dessina cette allégorie tandis qu'il résidait à Hauteville House, dans l'île de Guernesey. Pierre Georgel a souligné l'importance accordée au dessin par le poète au cours de ses années d'exil, de 1852 à 1870 (cat. exp. Londres, 1974, n° 54). Hugo croyait au pouvoir du dessin autant qu'à celui de la parole pour traiter des sujets importants et fortement politiques, comme les droits de l'homme, la défense des nationalités, la paix, et surtout la peine de mort. Ses prises de position sur ces thèmes engagés correspondent à des convictions profondes, et pas seulement à des motivations polémiques. En 1854, ayant entrepris de sauver un meurtrier, Tapner, de la peine de mort – événement qui relança son offensive contre la peine capitale, initiée dès 1829 avec *Le Dernier Jour d'un condamné* –, le poète a repris quatre fois le thème du pendu, pour fustiger le supplice du condamné par les autorités de Jersey. Pierre Georgel a comparé la série au présent dessin, qui est daté de 1857. Victor Hugo s'y élève contre la guillotine dont les deux montants se dressent vers le ciel, tels des bras implorants. La tête criante ressemble à une lune mystérieuse qui domine les pavés noirs, et qui éclaire le mot *Justitia* formé par de sinistres taches de sang. Le poète souligne ainsi l'absurdité de cette justice meurtrière. C'est à Jean Massin que l'on doit la comparaison entre ce dessin et la troisième partie du poème *La Révolution*, achevé en décembre 1857 et qui constituera le *Livre épique* des *Quatre Vents de l'Esprit* : «[...] la guillotine est dressée sur la place Louis XV; la tête coupée qui passe dans l'ombre est celle de Louis XVI; et les rois lisent le mot *Justice* écrit sur le pavé» (Massin, 1967, n° 503).

«Ô terreur! au milieu de la place déserte [...] Apparaissaient, hideux et debout dans le vide, / Deux poteaux noirs portant un triangle livide; / Le triangle pendait, nu, dans la profondeur; / Plus bas on distinguait une vague rondeur, / Espèce de lucarne ouverte sur l'ombre [...] Une pourpre, semblable à celle qui ruisselle / Et qui fume le long du mur des abattoirs, / Filtrait de telle sorte entre les pavés noirs / Qu'elle écrivait ce mot mystérieux : Justice. [...] Une tête passa dans l'ombre formidable. / Cette tête était blême; il en tombait du sang [...]» (*La Révolution*, 1857).

Poème et dessin conjuguent sur un mode voisin la dialectique hugolienne «du Bien et du

Mal, de la Terreur et du Progrès étroitement mêlés» (Picon, in cat. exp. Paris, 1985-1986, n° 199). Ces thèmes se retrouvent dans d'autres poèmes de la même période (1857-1858), *Le Verso de la Page* et *La Pitié suprême*, période hantée par l'obsession du crime et de son châtiment.
Clara Pujos et Elizabeth Lawrence

Paul KLEE
(Münchenbuchsee, 1879 – Muralto-Locarno, 1940)

38
Masque de jeune idiote
Aquarelle sur papier, sur une feuille-support. H. 0,465; L. 0,370 (aquarelle seule). H. 0,515; L. 0,390 (avec la feuille-support).
Historique
Ancienne collection Flechtheim; donation de Heinz Berggruen, 1972. Inventaire AM 1972-15.
Bibliographie
Thwaites, 1937, p. 7; Cachin-Nora, 1972, p. 13.
Expositions
Francfort, 1928, n° 41; Düsseldorf, 1930, n° 121; Saarbrücken, 1930, n° 25; Düsseldorf, 1931, n° 193; Stockholm, 1932, n° 90; Paris, 1976; Paris, 1977, n° 170; Tokyo, 1980; n° 53; Tubingen, 1989, n° 236.

Paris, musée national d'Art moderne, Centre Georges-Pompidou.

C'est en 1928 que Klee, professeur au Bauhaus, peignit dans un style atypique ce masque qui évoque une tête d'oiseau avec un grand nez rouge et des yeux bleus au regard triste. D'apparence enfantine, cette aquarelle témoigne pourtant d'une éclatante maîtrise : l'artiste a pulvérisé de la peinture brune tout autour de la figure, zone laissée libre par des pochoirs (technique innovée par Moholy-Nagy); puis il a planté, de manière insolite, des hachures colorées qui donnent l'impression d'un léger voile cachant le visage de la jeune fille. C'est ainsi que deux registres visuels coexistent dans la feuille. L'effigie rappelle un portrait d'homme au traitement satirique et de structure analogue : *L'ordre du contre-ut* (1921, coll. particulière), mais s'éloigne du cubisme et de Delaunay qui hantent singulièrement cette dernière œuvre. Elle précède les figures aux traits tourbillonnants de *J. encore enfant* de 1933 (Berne, Kunstmuseum) ou du *Fils de Rübezals* de 1934 (coll. Felix Klee). Elle révèle enfin la passion du peintre pour la mosaïque, qu'il a notamment intégrée dans ses compositions des années trente. Tout confirme sa volonté de rendre le mouvement, de créer un espace sonore et rythmé qui frappe le spectateur. La liberté d'expression – caricature du visage ou violence des couleurs – s'allie à l'esprit du jeu pour accéder à la métaphore. Cette liberté devait conduire Klee à présenter la *Jeune idiote* et ses autres masques, le *Drôle de vieux* et la *Laide* (1928), l'*Enfant laid* (1929) et la *Vieille fille* (1931), avec le théâtre de marionnettes qu'il affectionnait.

Hsiao Shao Yeh

Francesco LAURANA (attribué à)
(Vrana près de Zara, vers 1430 – Avignon, 1502)

13

Buste de jeune femme

Marbre, restauré en 1989 (nez en résine).
H. 0,430.

Historique

Saisi en 1793 avec les collections du prince de Condé au château d'Ecouen où Courajod suppose qu'il a avait été ramené de Naples par le connétable de Montmorency; entré au Louvre en 1818. Inventaire MR 2597.

Bibliographie

Courajod, 1883, repr.; *Les Arts*, 1902, n°s 2, 3, 4, 12, repr.; Valentiner, 1942, p. 287; Pope-Hennessy, 1970, p. 9-20; Pope-Hennessy, 1971, p. 315; Kruft et Malmanger, 1974, p. 11; Kruft, 1995, p. 132-158, repr; Patera, 1992, p. 72-81, repr.

Expositions

Paris, 1935, n° 1068; Paris, 1956; Paris, 1971; Avignon, 1981, C10.

Paris, musée du Louvre,
département des Sculptures.

Quatre ans après que Louis Courajod, soutenu par Wilhelm von Bode, suggéra d'attribuer ce *Buste de jeune femme* (1888), Antonio Salinas, directeur du musée de Palerme, corrobora l'hypothèse en soulignant la ressemblance de «même type et même technique» entre ce buste (à l'époque attribué à Desiderio da Settignano), la *Madonna delle Nevi* (*Madone des Neiges*) de l'église du Crucifix de Noto, signée et datée par Laurana (1471), et le buste d'Eléonore d'Aragon (†1405, épouse de Guglielmo Peralta, seigneur de Sciacca et vicaire de Sicile) qui est au musée de Palerme. Ce dernier ouvrage était, si l'on en croit un dessin d'époque, placé sur la tombe d'Eléonore à l'église Santa Maria del Bosco dont elle était la bienfaitrice. Après son séjour à la cour de René d'Anjou où il fut médailleur de 1461 à 1466, l'architecte et sculpteur dalmatien se trouvait à Sciacca en 1468, et aurait donc pu exécuter ces portraits posthumes d'après un masque funéraire (B. Patera soutient qu'aucun masque n'était à la disposition de Laurana et qu'il aurait réalisé ce buste vers 1489 lors d'un second séjour en Sicile; 1992, p. 72-75). Cette œuvre est aujourd'hui communément acceptée sous le nom de Laurana, malgré des incompatibilités de style (notamment avec l'arc de triomphe de Castelnuovo à Naples en 1453) relevées par H.W. Kruft et M. Malmanger, qui révèlent ainsi quelque éclectisme chez le sculpteur. Laurana sculpte un portrait stylisé aux traits légers, un visage idéalisé à la beauté irréelle, illustrant ainsi le désir de se rattacher à une dimension plus psychologique du portrait. Le marbre, aux volumes compacts et à la surface à peine effleurée, donne une allure irréelle à la jeune femme. Le nom d'Eléonore d'Aragon semble donc vraisemblable. Mais il pourrait aussi s'agir d'Isabelle d'Aragon, âgée de dix-huit ans, lors de ses fiançailles avec Gian Galeazzo Sforza, duc de Milan en 1488.

Maureen Marozeau

Lucien LÉVY-DHURMER
(Alger, 1865 – Paris, 1953)

52

Vague furieuse ou Méduse

Pastel et fusain sur papier beige collé par les bords sur carton.
H. 0,590; L. 0,400.
Signé et daté, en bas à gauche : *L. Lévy-Dhurmer 97*

Historique

Collection de M. et Mme Zagorowsky; don Zagorowsky au musée du Louvre en 1972. Inventaire RF 35502.

Bibliographie

Bacou, 1972, p. 236, fig. 7; Lacambre, 1973, p. 32.

Expositions

Paris, 1897, n° 87; Paris, 1973, n° 70; Paris, 1986, n° 159.

Paris, musée du Louvre, département des Arts graphiques, fonds du musée d'Orsay.

Formé à Paris, hors du système académique, Lévy-Dhurmer débuta sa carrière comme directeur des travaux d'art dans une manufacture de faïences à Golfe-Juan, qu'il quitta en 1895. Un voyage en Italie, la même année, compléta sa formation. A Florence se confirment ses affinités avec l'art italien de la Renaissance, et notamment Léonard de Vinci. En 1896, l'artiste a sa première rétrospective à la galerie Georges Petit : le succès est immédiat, et les critiques favorables au symbolisme lui consacrent des articles importants. Un an plus tard, Lévy-Dhurmer produit plusieurs œuvres à caractère étrange, comme ce pastel qu'il expose à la Société des pastellistes français sous le titre de *Vague furieuse*, et où son pouvoir d'expression atteint au paroxysme de l'intensité dramatique. Cette créature qui hurle avant que la vague ne l'engloutisse a le visage même de l'horreur et de l'effroi. Les mains sont crispées l'une sur la tête et l'autre près du coeur, dans un geste de désespoir et d'égarement. Lévy-Dhurmer, comme tous les autres symbolistes, trouve dans le pastel les nuances mystérieuses propres à transcrire son imagination visionnaire, qui s'exprime ici dans la représentation de la figure humaine : le corps de Méduse se confond avec l'écume des vagues, sa chevelure devient buisson d'algues et de corail, ou nœud de serpents. Le titre de *Méduse* qu'on lui donne traditionnellement se réfère, par la violence expressive de la représentation, au tableau de Caravage (Florence, Offices) (Lacambre, 1973). Mais quelque interprétation que l'on favorise d'une image aussi ambiguë, la vision de Lévy-Dhurmer est surtout celle d'une métamorphose qui change l'homme en monstre, et l'existence en trépas.

Amélie Marty

MAISON TRAMOND

34

Tête de Pranzini

1887

Cire colorée, verre soufflé, poils et cheveux humains. H. 0,192; L.0,155.

Historique

Moulage effectué par la maison Tramond pour la Faculté de médecine. Septembre 1887.

Exposition

Paris, 1982-1983, n° 281, repr.

Paris, musée de la Préfecture de police.

Dans la grande tradition des meurtres célèbres, l'affaire du 87 avenue Montaigne défraya la chronique par son atrocité. C'est le 17 mars 1887 au matin que la cuisinière, Mme Toulouze, inquiète du silence de sa maîtresse, Mme de Montille, alerta la police, qui força la porte d'entrée pour découvrir Marie Regnault, dite Régine de Montille, âgée de quarante ans, étendue sur son lit baigné de sang. Annette Gremeret (quarante-cinq ans), sa servante, apparemment alertée par ses cris, gisait sur le seuil de la porte; toutes deux avaient été sauvagement égorgées. Dans la chambre voisine, la fille de la servante, Marie Gremeret (onze ans), qui avait reçu dix-huit coups de couteau d'une grande violence, avait la tête coupée en deux. Quelques bijoux et de l'argent avaient disparu, le coffre-fort ayant résisté à toute effraction : le mobile du crime était assez clair.

La police soupçonna d'abord un dénommé Gaston Geissler, qui avait laissé sur les lieux du crime une lettre enflammée à Régine de Montille, une ceinture et des boutons de manchette à ses initiales. Mais l'enquête s'orienta vers Marseille, où la police suivit les traces d'un étrange individu, dénoncé par la responsable d'une maison de tolérance; l'inconnu avait offert un bijou à deux jeunes «employées», et tenté de leur revendre à bas prix une montre incrustée de diamants, objets tous deux identifiés comme appartenant à Régine de Montille. A l'hôtel de Noailles, où il était descendu à son arrivée de Paris, se faisant passer pour le Dr E. Spranger, médecin suédois voyageant de Lyon à Singapour, les bagages de l'homme renfermaient du linge taché de sang. La plupart des bijoux furent retrouvés dans la fosse septique du palais Longchamp, où il avait tenté de faire disparaître le reste de son butin.

Le suspect, Henri Pranzini, employé chez une marchande de tableaux à Paris, reconnut sa tendre amitié avec Régine de Montille, mais nia toute accusation de meurtre, justifiant sa fuite à Marseille par la peur d'être impliqué dans l'affaire (qu'il prétendit avoir apprise dans les journaux), en raison de son intimité avec la victime. Le mystère et la singularité du personnage étaient tels que lors de l'enquête, menée par le chef de la Sûreté, nommé Taylor, des allégations plus ou moins véridiques l'accusèrent de plusieurs meurtres inexpliqués de femmes du monde, qu'il aurait séduites avant de les voler (*Notes prises au jour le jour par un reporter*, 1887, p. 216). Selon les lettres retrouvées à son domicile, Pranzini avait sans doute fait la conquête d'une riche héritière américaine, Cordelia, qu'il devait rejoindre à New York. L'assassinat et le vol de Marie Regnault, dont l'aisance financière était notoire, auraient dû lui permettre de quitter le pays. Même si le concierge de la rue Montaigne ne put affirmer que le suspect était le jeune homme qui avait accompagné Régine de Montille chez elle la nuit du meurtre, une certaine Mᵐᵉ Sabattier, qui entretenait Pranzini par amour, aurait avoué que son amant n'avait pas passé la nuit du crime chez elle comme il le soutenait. On retrouva à son domicile l'un des bracelets volés, des linges tachés de sang, et une lame de couteau. Malgré la défense véhémente de son avocat Charles Demange, lequel certifiait l'existence d'une «femme du monde» chez qui Pranzini avait passé la nuit et qu'il ne pouvait compromettre, plusieurs témoins oculaires (vendeur de postiches, vendeur de couteaux, cochers, etc.) accablèrent le suspect.

Le procès fit grand bruit. L'inculpé niait chaque accusation avec un calme olympien pour le plus grand plaisir d'un auditoire formé de femmes et de notabilités curieuses d'observer le fameux séducteur. Personnage intrigant au charme certain, Pranzini avait «un accent cosmopolite, celui de l'homme qui voyage» (*ibid.*, p. 47). Selon ses déclarations, il était effectivement d'origines très mêlées : né à Alexandrie le 7 juillet 1856, de parents italiens, Pranzini grandit en Egypte jusqu'à l'âge de quinze ans, où sa mère vivait de ses rentes. Elève de l'école chrétienne puis de l'école anglaise, il travailla pour la poste d'Alexandrie où il fut inculpé pour détournement de fonds, et emprisonné. Puis il se fit interprète à l'hôtel d'Angleterre, à Constantinople, se mit à commercer avec les Indes, s'associa à un Américain, voyagea en Afghanistan, au Belouchistan, en Perse, à Singapour, à Suez, avant d'intégrer l'armée anglaise lors de la campagne du Soudan de 1884. Parfaitement polyglotte, Pranzini passa deux ans à Naples, où il vivait à l'hôtel Caprani, comme traducteur. C'est là que le connut Gaston Geissler, employé de l'hôtel, lequel témoigna contre lui dans une affaire de vol qui lui valut son renvoi. Pranzini se vengea en détournant sur Geissler (sans succès) les soupçons du crime.

Reconnu coupable du triple meurtre, il fut condamné à la peine de mort, le 13 juillet 1887, par un arrêt de la cour d'assises de la Seine. Le président de la République ayant rejeté sa demande de grâce, il fut guillotiné le 31 août 1887, à 4 h 58 du matin, dans la cour de la prison de la Grande Roquette, où il occupait la cellule n° 2.

La foule, d'après les rapports de police, se réunit chaque soir place de la Roquette pendant la dizaine de jours qui précédèrent l'exécution et «chantait, riait et s'amusait, comme si elle était à une fête» (Caubet, 1893, p. 202). Le procureur général avait d'ailleurs fait part de son inquiétude au préfet de police, qui commanda, pour assurer l'ordre public, quatre-vingts gardes à cheval et cent cinquante gardes à pied sur les lieux. Ainsi, quelques heures avant l'exécution, cent vingt-sept personnes furent arrêtées, un bon nombre de voyous prenant la fuite. A cinq heures du matin, toute excitation parut éteinte.

«L'exécution a bien eu lieu… Cependant, je crois devoir, Monsieur le préfet, vous faire connaître les quelques paroles prononcées par le dit Pranzini. Au moment de l'entrée dans sa cellule, où il était profondément endormi, et après lui avoir annoncé le rejet de son pourvoi et du recours en grâce, il s'est recueilli un instant et d'un ton calme, m'a dit : "On ne m'a pas accordé même la faveur d'embrasser ma mère ; c'est la seule grâce que je demandais. Je meurs inno-

cent." Lui ayant ensuite demandé s'il voulait s'entretenir quelques instants avec l'aumônier, il m'a répondu : "Que l'aumônier fasse son devoir, moi je ferai le mien en mourant innocent." Dans l'arrière greffe, pendant les derniers apprêts, ayant aperçu Monsieur Taylor il l'a interpellé de la façon suivante : "Monsieur Taylor, ne vous cachez pas ; pensez plutôt que vous êtes l'auteur de ma mort. Vous, vous avez produit des témoins ; moi, je mourrai avec mon innocence. C'est fini." La toilette terminée, il a ajouté : "Allons !" En traversant la cour d'entrée de la prison, il ne cessait de dire aux personnes qui l'accompagnaient : "Vous pouvez me laisser, je marcherai bien tout seul." Arrivé au pied de la guillotine, où il s'est arrêté la tête haute, en regardant la foule, il a demandé à embrasser le crucifix que lui présentait l'aumônier… » (lettre au préfet de police du directeur des prisons de la Seine, M. Beauquesnes).

«Quand la grande porte donnant sur la place s'est ouverte et qu'il a aperçu la foule, Pranzini a redressé la tête et a continué à avancer en conservant une attitude hautaine, sans trop de forfanterie… L'exécuteur et ses aides l'ont alors poussé sur la planche à bascule et la tête s'est engagée sous la lunette ; mais il s'est écoulé un temps relativement long avant que le couperet ne tombât. Enfin l'exécuteur a pressé le ressort et la tête a roulé dans le bassin tandis que les aides repoussaient le tronc dans le panier placé le long de l'échafaud… Le panier contenant le corps a été aussitôt placé dans le fourgon qui sous l'escorte d'une brigade de gendarmes s'est rendu au cimetière d'Ivry ancien, où je suis allé moi-même et où nous sommes arrivés à 5 h 30. En l'absence de réclamation de la famille, le corps a été livré à la faculté de médecine qui avait comme de coutume envoyé une voiture. Aux abords du lieu du supplice et même dans l'enceinte réservée, la foule était considérable ; mais le plus grand calme n'a cessé de régner » (le commissaire de police chef du service de sûreté Taylor).

Le cadavre de Pranzini échoua dans le laboratoire du professeur Paul Poirier à l'Ecole pratique d'anatomie, où il fut disséqué et étudié selon les théories lombrosiennes, qui tentaient d'établir le profil type du criminel. Pranzini avait été conduit de son vivant au service d'anthropométrie, où «l'on prit la longueur de ses pieds, de ses mains, de ses bras, de ses doigts, les dimensions des yeux, du nez, de la largeur de front… » (*Notes prises au jour le jour par un reporter*, p. 127). Le fameux Bertillon, employé au bureau d'identification du Dépôt, observa que la longueur de ses bras était normale, de plus «on ne remarquait pas chez lui, ces os saillants, ce développement de certains muscles qui distinguent les grands criminels » (*ibid.*, p. 109). La légende veut que des mèches de ses cheveux, des pincées de poils roux et ses dents furent vendues sous le manteau (Lorenz, 1971, p. 248). Pis encore, le quotidien *La Lanterne* s'insurgea plusieurs jours, à la fin du mois de septembre, sur le fait que Gobinet, garçon de laboratoire, avait prélevé plusieurs échantillons de la peau du condamné pour en fabriquer des porte-cartes qui échouèrent dans les mains du chef de la Sûreté, Taylor, du sous-chef, Goron, et un certain comte de T***, qui l'offrit à sa femme, laquelle

s'était jadis éprise de Pranzini, et qui s'évanouit sur le coup.

Cette tête de cire, qui appartient au musée de la Préfecture de police de Paris, provient de la maison Tramond, voisine de l'amphithéâtre d'anatomie et travaillant en liaison avec la Faculté de médecine. Fournisseur des étudiants et des amphithéâtres, la maison fut vite remplacée au début du XXᵉ siècle par les manufactures de modèles en papier mâché, puis en résine, qui ne fournissent plus la précision et le réalisme des moulages de cire. Lorsqu'en 1881 Antoine Meyer, journaliste du *Gaulois*, décide de créer l'homologue parisien du musée Tussaud, il fait appel à Tramond pour réaliser cent cinquante pièces (Lemire, 1995, p. 363). La tête de Pranzini aurait très bien pu figurer au musée Grévin, qui, dès 1882, exposait en salle les guillotinés célèbres comme Campi et Gamahut, et qui en sept tableaux avait reconstitué l'histoire d'un crime : le vol de la banque, l'arrestation, la confrontation de la Morgue, la cellule du condamné à la Grande Roquette, la scène de la toilette et l'exécution en présence des fameux abbé Crozes et chef de la Sûreté M. Macé au pied d'une guillotine authentique (*Almanach Grévin*, 1890). A ce propos, la mère du condamné se plaignait : «Pourquoi faut-il encore montrer dans un panier la tête ensanglantée de mon fils, cette tête qui me regarde avec ses pauvres yeux sans vie ? » (Baschet, 1982, p. 23). Car la mort, surtout sordide, exerçait une telle fascination sur le public, que la Morgue de Paris exposait ses cadavres (noyés, assassinés…) derrière de grandes baies vitrées. La fréquentation (dominicale) était si élevée que l'on dut remplacer les cadavres en décomposition par des moulages en cire afin de ne priver aucun visiteur des frissons garantis. C'est ainsi que la tête en cire du fameux Pranzini, vu son attrait public, aurait pu figurer à la Morgue ou au musée Grévin, plutôt que dans les laboratoires d'anthropométrie de la police nationale.

Les frasques de Pranzini étant oubliées du public, malgré la parution de romans policiers qui s'inspiraient de sa vie, l'œuvre a perdu de sa valeur avec les années : l'effigie du monstre, qui faisait la une des journaux, et dont la menace était désormais muette, s'efface devant un réalisme exacerbé par la mort. Ce visage, d'une pilosité irrégulière et greffé de vrais cheveux, n'est qu'un masque à l'expression vide où se noient les yeux de verre du personnage. Les témoignages de Beauquesnes et Taylor où Pranzini s'en remet à Dieu (la légende veut que ce soit la prière de la future sainte Thérèse de Lisieux qui poussa l'homme à se repentir) pourraient expliquer les yeux mi-clos du condamné semblant prier au moment fatal. Une deuxième hypothèse réside dans cette autre description : «Le Pranzini actuel a la figure livide, les yeux cernés, presque morts, et c'est en baissant à demi les paupières qu'il regarde ceux qui l'approchent » (*Notes prises au jour le jour par un reporter*, p. 139). A quoi s'ajoute la fascination mêlée de peur qu'inspire la guillotine. Les détails du cou sectionné – mélange de chair et de sang – achèvent de muer cette effigie signalétique en portrait réaliste que hante la tragédie.

Maureen Marozeau

Michelangelo Buonarroti,
dit MICHEL-ANGE
(Caprese, 1475 – Rome, 1564)

16
Salomé à genoux
Plume et encre brune sur traits de pierre noire.
H. 0,325 ; L. 0,260.
En haut, au-dessus de la figure, inscription de
sept lignes en caractères archaïques (fin XIVe-
début XVe) : *per lanima et per lo chorpo Amen. / :
questo libro sie dj donato dj bertino e dj bonarotto
dj simone merchatantj e chanbiatorj / il quale ten-
gniamo alla tauola nostra in merchato nuovo e so-
nouj scrtto suso chiccj de / dare e chi deue avere da
noj nelle due charte chominceremo a scrivere chiccj
de / dare e seghuiremo insino nelle charte CXX-
VIII e nelle charte CXXVIIII chominceremo /
avere chi dovra avere da noj e chossj seghuiremo
tutto il libro ede charte CCXL so / e chiamerassi
illibro. 4. e chominciamolo a scrivere adj II dj
marzo anno sopradetto / :* (« pour l'âme et pour le
corps Amen. / : ce livre est à Donato de Bertino
et à Bonarotto de Simone marchands et chan-
geurs / lequel nous gardons sur notre table dans
le marché neuf en y étant écrit ceux qui nous
doivent et ceux auxquels nous devons sur les
deux feuillets nous commencerons à écrire ceux
qui nous doivent et nous continuerons jusqu'aux feuillets CXXVIII et dans les feuillets
CXXVIIII nous commencerons à écrire ceux à
qui nous devons et ainsi nous continuerons tout
le livre et ce sont les feuillets CCXL / et s'appellera le livre 4 et nous commençons à l'écrire aujourd'hui le II mars de l'année susdite », trad. de
l'auteur).
En haut, à gauche, au-dessous de l'inscription,
deux ébauches à l'encre brune, dessinées à l'envers : une tête d'aigle et un vase. Entre la marge
gauche de la feuille et la tête d'aigle, inscription
à l'envers de la main de Michel-Ange : *andro
quo* (*sic* !).
Au recto : en haut, étude avec sainte Anne, la
Vierge et l'Enfant ; au-dessous de la Vierge,
ébauche d'une tête de faune ; en bas, renversé,
nu d'homme (coiffé d'un turban ?) ; à droite de
la feuille, inscriptions de la main de l'artiste.
Historique
P.-J. Mariette ; marque en bas, à gauche (Lugt
1852) et montage avec cartouche : *MICH.ANGEL. /
BUONARROTI Ecole florentine*, vente Paris, 15 no-
vembre 1775, partie du n° 236 ; Ch.-P. de Saint-
Morys ; saisie des biens des Emigrés en 1793, re-
mise au Museum en 1796-1797 ; marque du
Louvre (Lugt 2207). Inventaire 685 v°.
Bibliographie
Reiset, 1866, n° 110 ; Berenson 1903, n° 1579 ;
Frey 1909, I, n° 28 ; Sterling, in cat. exp. Paris,
1935, sous le n° 602 ; Tolnay (1943) 1947, n° 32,
p. 189 ; Tolnay 1975, I, n° 26, p. 45-46 ; Joan-
nides, à paraître.
Exposition
Paris, 1975, n° 10.

Paris, musée du Louvre,
département des Arts graphiques.

Cette feuille célèbre a fait l'objet de discussions
diverses qui sont à l'origine d'une bibliographie
importante, depuis l'inventaire de Morel d'Arleux (Ms. Morel d'Arleux, I, n° 146) jusqu'à

celui de Paul Joannides (à paraître). Quant à sa
date, la longue inscription du verso a longtemps
abusé la critique. Il s'agit, en effet, des premières lignes manuscrites d'un livre comptable
appartenant à Donato de Bertino et Buonarroto
de Simone, en qui B. Berenson crut reconnaître
le frère de Michel-Ange, qui vécut entre 1477
et 1528 et travailla pour le compte des Strozzi,
ancienne dynastie du patriciat florentin (« This
Buonarroti, of course, M.'s brother », Berenson,
1903). Ce fut le point de départ des travaux de
K. Frey : s'appuyant sur les lettres de Michel-
Ange, il affirmait que le frère de l'artiste n'avait
pu exercer une activité indépendante avant l'été
1513, et qu'il fallait situer le dessin aux alentours de cette année-là (Frey, 1909), ce que
confirme aussi le style des dessins évoquant certaines figures de la voûte de la chapelle Sixtine
(1508-1512). En 1935 encore, C. Sterling acceptait l'hypothèse de Berenson tout en affirmant
cette incertitude chronologique (« La date est
incertaine. Le dessin a été exécuté sur une
feuille détachée d'un livre de comptes de la
banque de Buonarroti, frère de Michel-Ange »,
Sterling, in cat. exp. Paris, 1935, n° 602, p. 240).
C'est en 1943 que Tolnay relève l'écriture archaïque de l'inscription manuscrite, dont les caractères remontent au XVe siècle (« Character of
the handwriting […] is […] quattrocen-
tesque »). Pour le groupe du recto, l'auteur suggère qu'il puisse être une étude pour un *tondo*,
dont la facture évoque les années 1505-1506, les
tondi Doni, Taddei et Pitti datant des premières
années du XVIe siècle, avant le deuxième séjour
romain de l'artiste. Quant à l'identité de Buonarroti, il s'agirait d'un ancêtre de Michel-
Ange, né en 1355 et vivant encore en 1405 (Tolnay, 1975). La technique de l'artiste sert ici un
style rapide et synthétique, mais elle ralentit le
rythme dans le goût de la gravure lorsqu'il s'agit
de souligner la présence lumineuse de la figure
dans l'espace : les hachures croisées se précisent
comme pour appeler les ombres et faire rebon-
dir la lumière. L'interprétation du sujet n'est
pas sans poser, aujourd'hui encore, quelques
problèmes, car son iconographie, tout en rappe-
lant Salomé, fait allusion à Judith. Cette figure
de femme qui s'agenouille avec son plateau à la
tête coupée évoque la Salomé de Filippo Lippi,
dans le chœur du Dôme de Prato (*Histoire de
saint Jean-Baptiste*, 1452-1465) : il était dans les
habitudes de Michel-Ange, depuis son apprentissage auprès de Ghirlandaio (1488-1490), de
recopier les œuvres des maîtres du passé en les
interprétant à sa manière. Ainsi la Vierge du
recto se réfère-t-elle aux *Sibylles* du sculpteur
Giovanni Pisano, dans la chaire de Saint-
André, à Pistoia (Sisi, in cat. exp. Florence,
1985, n° 3). Si la figure centrale du *verso* est une
Salomé, dans un des pendentifs de la chapelle
Sixtine, Michel-Ange a représenté Judith sur un
mode inusité : sa servante, qui tient haut le panier mortuaire, se penche légèrement pour recevoir de Judith le linge où se dissimule la tête
d'Holopherne. Dans ce mélange de motifs, il
nous semble percevoir une sorte de syncrétisme
Salomé/Judith, qui tend à la fusion moderne
des deux héroïnes.

Laura Angelucci

12
Tête de femme (?)
Sanguine sur papier crème. H. 0,315 ; L. 0,245.
Historique
E. Jabach, inv. ms. Jabach, I, n° 473 (L. 2961) ;
entré dans le Cabinet du Roi en 1671 ; marques
du Louvre (L. 1899 et 2207). Inventaire 12 299 r°.
Bibliographie
Sutherland, 1964, p. 572-575 ; Tolnay, 1971, fig.
XXVIa, p. 16 ; Tolnay, 1976, II, n° 321 r°, p. 97-
98 ; Joannides, à paraître.
Exposition
Paris, 1975, n° 23.

Paris, musée du Louvre,
département des Arts graphiques.

Publiée pour la première fois en 1964 par A. Sutherland, cette sanguine n'était pas, jusqu'alors,
attribuée à Michel-Ange, dans les collections du
Louvre. Elle était en effet considérée par Ph.
Pouncey comme une copie d'après l'artiste, et
classée par M. Jaffé parmi les dessins anonymes
du XVIIe siècle, ainsi que l'attestent les annotations du montage. Le dessin revenait pourtant à
Michel-Ange dans l'inventaire de 1671, rédigé
par le banquier Jabach au moment où il fut
contraint par Colbert de céder sa collection à la
Couronne, suite aux lois sur le commerce des
années 1660. Le collectionneur avait classé la
sanguine parmi les pièces qu'il jugeait les plus
précieuses, dites « d'ordonnance », les autres
n'étant que le « rebut » de sa collection. Ce fut
A. Sutherland qui reprit l'attribution à Michel-
Ange en évoquant la ressemblance de l'œuvre
avec ces « têtes divines » dont il est question
dans les *Vies* de Vasari (ed.1981, VII, p. 271
et 276), et que J. Wilde a classées parmi les
feuilles définies par lui-même comme des *presentation drawings* (Wilde, 1949), c'est-à-dire
tous les dessins de l'artiste expressément réalisés
pour être offerts aux amis les plus proches du
peintre, tels que le Romain Tommaso Cavalieri,
auquel revient le groupe le plus important (Vasari, *op. cit.*, p. 271), ou le Florentin Gherardo
Perini (*ibid.*, p. 276). Ce qui semble ici suggérer
l'attribution à Michel-Ange, c'est l'analogie
profonde avec certaines de ces *têtes idéales* faisant partie des *presentation drawings*. Le buste de
femme (Windsor Castle, Royal Library, inv.
12766 v°), attribué par J. Wilde à Michel-Ange
(*op. cit.*, n° 430) et dessiné à la sanguine au verso
de la célèbre *Chute de Phaéton,* offerte à Tommaso Cavalieri, est proche de la feuille du
Louvre par la typologie du visage, la force et la
direction du regard ainsi que la coiffure recher-
chée, dont l'origine remonte à la deuxième moitié du XVe siècle (Piero di Cosimo, *Cléopâtre*,
Chantilly, musée Condé) et dont la mode se per-
pétue tout au long du XVIe siècle (Tolnay, 1975,
II, n° 316 r°, p. 94). En effet, dans le dessin du
Louvre, le visage est encadré par un lacis de
mèches en torsades que ceint une espèce de
ruban, fixé sur le front par une fermeture qui
exhibe le motif des dauphins, symbole de la foi.
La même complexité se retrouve dans les coif-
fures de *Cléopâtre* (à la Casa Buonarroti de Florence, inv. n° 2F r°), feuille offerte à Tommaso
Cavalieri, de la *Marquise de Pescara* (British Museum, Londres, inv. n° 1895-9-15-493 r°), de la
Zenobia et de deux des *Trois profils de femmes*

(Offices, Florence, inv. n° 598 E r° et n° 599 E r°), offerts à Gherardo Perini. Tous les dessins précités étant datés des années 1525-1533 par J. Wilde *(op. cit.)* et P. Barocchi (1962), A. Sutherland a suggéré pour celui du Louvre le début des années 1530, sur la foi de considérations stylistiques *(op. cit.,* p. 575). C. de Tolnay, qui a repris l'hypothèse de A. Sutherland (1976, II, n° 321 r°, p. 97), a cru reconnaître dans l'ouvrage une des têtes « dessinées au crayon noir et rouge » pour Tommaso Cavalieri « afin qu'il apprenne à dessiner » (Vasari, éd. 1981, p. 271). Ce fut d'ailleurs pour celui qu'« il aima infiniment plus que les autres » *(ibid.)* que Michel-Ange fit le seul portrait dont on ait connaissance *(Portrait présumé de Tommaso Cavalieri,* Windsor Castle, inv. RL 12764 r°) tant son néoplatonisme, issu du cercle de Laurent de Médicis, l'empêchait de juger le réel à la hauteur de l'idéal. Michel-Ange « abhorrait de faire ressemblance du vivant » *(ibid.,* p. 272) et ces têtes en sont la preuve : visages incertains entre l'homme et la femme, et qui aspirent à cet idéal androgyne, type éternel du beau platonicien, qu'il a lui-même célébré dans l'un de ses *Sonnets* : « *E se creata a Dio non fosse uguale, / Altro che'l bel di fuor, ch'agli occhi piace / Più non vorria; ma perch'è si fallace, / Trascende nella forma universale* » (« Si l'âme n'était pas créée à l'image de Dieu, elle ne poursuivrait que la beauté extérieure, qui plaît aux yeux, mais trouvant celle-ci trompeuse, elle la dépasse pour atteindre le beau universel » ; Michel-Ange, *Sonnet XIII,* in A. Mézières, 1876, p. 207).

Laura Angelucci

Girolamo MIRUOLI
(Bologne, vers 1530 – Bologne, 1570)

40

Etude pour un masque
Plume et encre brune, lavis brun sur traces de pierre noire. H. 0,242; L. 0,207 (avec montage : H. 0,330; L. 0,290). Annotation en bas au centre à la plume et encre brune : *Mirolo.* Collé en plein.
Historique
G. Vasari (L. 2848); P.-J. Mariette (L. 1852); Ch.-P. de Saint-Morys; saisie des Emigrés en 1793, remise au Museum en 1796-1797. Inventaire 8399.
Bibliographie
Kurz, 1937, p. 42; Ragghianti Collobi, 1974, I, p. 155, II, fig. 480; Arquié-Bruley, Labbé et Bicart-Sée, 1987, II, p. 182; De Grazia, 1991, p. 164, n° D8.
Exposition
Paris, 1965, n° 94.

Paris, musée du Louvre,
département des Arts graphiques.

Ce masque d'homme aux traits puissants, voire caricaturaux, s'insère dans un montage vasarien riche en motifs ornementaux : têtes d'oiseaux, volutes, coquilles, feuilles d'acanthe, patte de griffon et pommes de pin. Vasari lui-même indiqua dans le cartouche en bas du montage le nom de Mirolo, qu'il avait probablement rencontré à Parme en 1566. Il est de fait que l'ar-

tiste, d'origine bolonaise, travailla à Parme à partir de 1557 et fut un *salariato* à la cour d'Ottavio Farnese à partir de 1560 et jusqu'à sa mort en 1570. A Bologne, Miruoli (que les sources anciennes appellent Mirola) travailla avec Pellegrino Tibaldi dans la chapelle Gozzadini de l'église Santa Maria dei Servi et apprit à son contact la monumentalité et le gigantisme de la manière romaine qu'il étudia par lui-même lors d'un voyage à Rome en 1563. Ce qui reste aujourd'hui des fresques de Miruoli dans la Sala di Ariosto au Palazzo del Giardino à Parme confirme l'influence exercée sur lui par le style michelangélesque de Tibaldi (De Grazia, 1991, p. 19). La connaissance que nous avons de la peinture de Miruoli est fondée presque exclusivement sur les rares informations données par les sources contemporaines (Vasari). L'importante monographie de De Grazia *(op. cit.)* sur la cour des Farnèse et, en particulier, sur les peintres Bertoia et Mirola (Miruoli), étudie plusieurs aspects de la *maniera* à Parme, et éclaire la collaboration étroite des deux artistes. L'ensemble des dessins de Miruoli (*ibid.,* p. 162-164) permet d'en identifier le style graphique, caractérisé par des lignes courbes et sinueuses, donnant souvent naissance à des figures et des formes curieusement disproportionnées et « gonflées ». L'utilisation de la plume, qui permet des traits brefs, rapides, parallèles ou perpendiculaires, se retrouve dans d'autres dessins du même artiste *(Figure féminine couchée,* Florence, Offices, inv. 12166F; *Etudes pour Daphné,* Vienne, Albertina, inv. 2034). Les contours continus, les formes massives, certaines naïvetés dans la composition, les visages larges et chargés (caractéristiques du graphisme de Miruoli) s'adaptent bien au style maniéré du Bolonais. Les rares documents picturaux qui restent de ce peintre ne nous permettent pas de formuler la moindre hypothèse sur une éventuelle destination du *Masque* du Louvre, même si les commandes des Farnèse, profanes ou religieuses, ne répugnaient pas à l'usage d'une symbolique complexe.

Ornella Matarrese

Pablo Ruiz PICASSO
(Malaga, 1881 – Mougins, 1973)

57

Buste de femme
1932
Bronze. H. 0,780; L. 0,445; P. 0,540.
Historique
Dation au musée Picasso; entrée le 28 septembre 1979. Inventaire M.P. 298.
Bibliographie
Freeman, 1994, p. 147; Besnard-Bernadac, Richet, et Seckel, 1985, p. 286, repr.; Sommer, 1988, p. 190; Warncke et Walther, 1991, p. 338.
Expositions
New York, 1980, p. 285; Bielefeld, 1988, p. 11, p. 161, fig. 7; New York, 1990-1991, p. 136, fig. 88; Bielefeld, 1991, p. 322.

Paris, musée Picasso.

Les symboles sexuels saturent les traits de ce bronze, qui représente Marie-Thérèse, la maî-

tresse de Picasso à cette date : la forme phallique du nez, dont la base est située en haut du front, la bouche, qui rappelle un vagin, et les seins en boule. Le buste semble ainsi en prise directe avec le symbolisme freudien de l'inconscient comme la symbolique lumineuse de l'art grec (cat. exp. New York, 1991). L'influence des arts primitifs y est aussi manifeste, et l'on peut rapprocher ce bronze du masque Nimba que possédait le peintre. Mais ces références n'empêchent pas le classicisme de la facture. Les masses sont rondes et compactes, comme le sont les œuvres de Picasso dès 1931, que marque le motif des poitrines féminines. L'artiste, « jongleur de la forme » (Warncke, 1991), faisait ainsi appel aux affects du spectateur. Le « processus mis en œuvre par Picasso est intellectuel, le spectateur est amené à réfléchir sur l'art et non pas sur lui-même » *(ibid.,* p. 340). C'est ainsi que l'auteur, qui avait dû travailler sur les *Métamorphoses* d'Ovide pour la commande par Albert Skira de gravures illustratives, métamorphose la tête de Marie-Thérèse, dont les formes arrondies rappellent l'univers de l'enfance, univers de douceur que le portraitiste connut au château de Boisgeloup, près de Gisors, acheté en juin 1930. Loin de Paris, Picasso put échapper à la difficile situation politique et sociale du pays en partageant le domaine avec son ami Jaime Sabartés, non sans un certain « embourgeoisement » *(ibid.,* p. 371). Il put aussi s'affranchir de ses affres conjugales. Marié avec Olga Khokhlova depuis juillet 1918, et dont il se sépara seulement en 1935, quand Marie-Thérèse fut enceinte, Picasso avait rencontré cette dernière en janvier 1927, à la sortie des Galeries Lafayette. Schwartz (1988) estime pourtant que l'artiste aurait remarqué la jeune femme dès la fin de 1925. Mais *L'atelier de la modiste* (1926) étant la première œuvre où l'on peut retrouver les traits de Marie-Thérèse, cette hypothèse est contestable. C'est en 1927 que s'établit une relation amoureuse entre le peintre, qui a plus de cinquante ans, et la jeune fille, qui n'en a que dix-sept. Toujours présente à ses côtés, elle ne paraît dans son œuvre qu'en profil perdu, et leur liaison demeure clandestine. Mais à l'automne 1931, le peintre avoue son amour et sculpte quatre grandes têtes et deux profils en haut relief. Même après la rencontre de Picasso et de sa nouvelle égérie, Dora Maar, jeune photographe d'origine yougoslave, de nombreuses toiles continuent de célébrer Marie-Thérèse, et les deux femmes alternent désormais dans son œuvre.

Chloë Théault

48

Le coupeur de têtes
Encre de Chine, lavis et gouache. H. 0,500; L. 0,320. Au verso : *feuille d'études : homme debout, femme accroupie, danseuse et couple dans la rue* [printemps 1901].
Historique
Acquisition du musée Picasso. Inventaire M.P. 431 recto.
Bibliographie
Richet, 1987, n° 34, repr.; Herding, 1991, p. 50-67.

Exposition
Paris, 1991, n° 32.

Paris, musée Picasso.

Convié par Francisco de Asis Soler, l'éditeur d'*Arte Joven*, à illustrer sa revue qui reflète le nihilisme des *Noventayochistas* – les écrivains « quatrevingtdixhuitards » (par référence à l'année où l'Espagne perdit les vestiges de son Empire colonial dans sa guerre cubaine contre les Etats-Unis, en 1898) –, le peintre est conscient du climat délétère qui affecte Madrid et le reste du pays, où se multiplient, dans la littérature, les sujets macabres qui ne manquent pas de l'influencer. Mais il n'ignore rien par ailleurs du monde lugubre de Goya ou de Hugo, pour qui le motif de la tête coupée valait catharsis de l'âme, de Géricault ou de Rops, lequel dénonçait à son tour la peine de mort, d'Ensor ou de Bresdin. La tête coupée, qui symbolise les tourments de l'esprit séparé du corps, est un motif récurrent de la fin du siècle, qui décline à plaisir les versions de Salomé. Aussi, bien avant la « période bleue » et le suicide de son ami Casagemas, l'œuvre de Picasso laisse paraître une souffrance aiguë qui frise parfois la caricature. Des dessins, comme la *Scène d'assassinat* (1900-1901, coll. part.), préfigurent le thème de la décapitation. Dans un groupe d'esquisses de 1901 (*Deux hommes assis au couteau, Homme au couteau, Deux hommes au couteau,* coll. part.), Picasso décrit le mouvement du bras qui tient le poignard, dont il fait « presque un symbole de l'isolement et du retour sur soi du personnage » (Herding, 1991, p. 54). Mais le *Coupeur de têtes* échappe à ce corpus. L'homme, trapu, a les bras ballants où pendent une tête coupée et un couteau sanglant. S'il fait face à un groupe de huit têtes, qui rappellent les premières compositions du peintre (*Projet d'affiche pour le carnaval de 1900,* Barcelone, 1899), il détourne le visage. Avec son expression neutre, plus lasse qu'écœurée, il essaie ainsi de se soustraire à la vision cauchemardesque des victimes grimaçantes qui se dressent devant lui. Cette « banderole macabre » (Herding, *op. cit.,* p. 57), irréelle, et comme en suspens dans l'espace, à la manière d'Odilon Redon, évoque les *Têtes de caractère* de Steinlen (1897) dont les lithographies anarcho-socialistes étaient fort répandues dans la bohème du temps. Aussi peut-on voir dans la violence agressive de ces motifs sécateurs un prélude métaphorique aux distorsions cubistes.

Chloë Théault

36
Tête de femme criant
Plume, sépia et encre noire sur papier. H. 0,230 ; L. 0,181. Daté en haut, à droite : *E 03* [pour *Enero 1903,* janvier 1903].
Historique
Dation de 1979. Inventaire M.P. 470.
Bibliographie
Richet, 1987, n° 65, repr. ; Richardson, 1992, I, p. 255 ; Palau i Fabre, 1990, n° 828, repr.
Expositions
Berne, 1984, n° 172 ; Paris, 1987-1988, n° 10 ; Paris, 1991-1992, n° 57 ; Dijon, 1994, n° 46.

Paris, musée Picasso.

A Paris où il séjourne pour la troisième fois, en 1901, Picasso s'adonne à sa « période sale » (Palau i Fabre, 1990) qui se caractérise entre autres par ses dessins chargés de taches brunes. L'artiste, qui manque alors de tout, partage la chambre de Max Jacob. Cette période de privation et de misère est, pour la France, une période de troubles sociaux avec les grèves ouvrières de 1902. Solitaire, l'artiste se livre à des expériences stylistiques et projette des peintures de grande ampleur. Ses dessins n'en ont que plus d'importance à témoigner, comme esquisses, de ces projets inaboutis. Mais les difficiles conditions matérielles de l'artiste, qui le contraignent à n'utiliser que l'encre de Chine ou les pierres noires, donnent à sa production un tour sombre qui n'est pas sans rappeler le « ténébrisme » de 1900. Après Vélasquez et Greco – qu'il découvrit dès 1897 lors de ses études à l'Académie madrilène de San Fernando –, c'est Puvis de Chavannes qui l'influence surtout pendant les années parisiennes. L'éclectisme de Picasso le conduit ainsi à utiliser parallèlement des modes d'expression très divers. C'est ainsi que cette *Tête de femme,* aux traits pathétiques, acquiert une dimension sculpturale par la puissance du modelé. Le travail des hachures et le jeu des taches d'encre structurent la face autour du trou noir que forme la bouche. Picasso purifie l'image des tentations du pathos ; seule paraît la souffrance intérieure. L'artiste pensait en effet que l'art est « fils de la Tristesse et de la Douleur […] et que la douleur est le fond de la vie » (Sabartés, 1946, p. 73, note 3). C'est ainsi qu'après avoir réalisé un cycle de dessins sur les « étreintes », le peintre en produit un autre avec des « images de désolation et de rêverie » (Léal, in cat. exp. Paris, 1991-1992, p. 25). « Un certain sentiment populaire de la religion et de la vie donne […] une force nouvelle à ces personnages comme terrassés par la peur du destin » *(ibid.).* L'œuvre suggère déjà les vertiges expressionnistes de la période bleue, dont l'origine est le suicide de Casagemas, que Picasso retrouve en Espagne, à son retour de Paris, en 1903.

Chloë Théault

47
Scène de décollation
Encre de Chine. H. 0,280 ; L. 0,225.
Historique
Dation du 28 septembre 1979. Inventaire M.P. 1020.
Bibliographie
Richet, 1987, n° 908, repr.
Exposition
Bielefeld, 1984, n° 43, repr.

Paris, musée Picasso.

Ce dessin est caractéristique de ce qu'il est convenu d'appeler la « période surréaliste » de Picasso, entre 1926 et 1931 (et même plus tard selon certains auteurs), où la production de l'artiste offre des éléments qui s'apparentent au surréalisme. Les rythmes durs, qui structuraient ses œuvres (*La Danse,* 1925), sont remplacés par des lignes molles, totalement désarticulées, comme celles de notre *Décollation* (Daix,

1977, p. 217). La répartition apparemment arbitraire des différentes parties du visage, la distorsion des membres et de la composition manifestent une fantaisie poétique assez surréaliste. Mais que ce soit pour les théories ou pour les principes, jamais Picasso n'adhéra au groupe fondé par André Breton, bien que celui-ci l'ait toujours célébré comme le meilleur d'entre eux : « Le surréalisme […] n'a qu'à en passer par là où Picasso en a passé… » (cité par Léal, in cat. exp. 1987-1988, p. 8). Son dessin, qui frise parfois l'abstraction (*Trois baigneuses,* 1924), ne peut être qualifié d'« automatique » au sens où l'entendaient les surréalistes, qui s'opposait par trop à la volonté de « création consciente » dont Picasso fut toujours animé (Boudaille et Moulin, 1971, p. 30). L'artiste a vraisemblablement réutilisé d'autres scènes de décollation qui apparaissent dans deux cahiers d'esquisses également conservés au musée Picasso de Paris (Inv. M.P. 1870/23-27, août 1925 et Inv. M.P. 1873/48 et 49, décembre 1926), lequel possède encore une seconde version de notre dessin, datée comme lui de l'« hiver-printemps 1927 » (Inv. M.P. 1021). Le commentaire de B. Léal, pour qui l'artiste, à cette époque, « animalise la figure humaine et humanise la bête pour mieux dénoncer les forces du mal », s'applique parfaitement à ces *décollations* dont la structure chaotique met en scène des êtres hybrides (Léal, in cat. exp. Paris, 1987-1988, p. 8-9). L'encre de Chine, qui accentue les contrastes, contribue par là même à produire l'impression de violence. On peut observer, sur la gauche de la feuille, une forme (sans doute virile) qui se dresse de toute sa hauteur en brandissant une épée, tel un bourreau. Sous ce glaive se détache une tête, dont on voit clairement les yeux, la ligne de la bouche et la cage thoracique avec les côtes : une forme à peine humaine, sorte de pantin disloqué, aux quatre membres tordus et inertes, gît au pied du bourreau. Sur la droite de la composition, deux têtes se penchent par l'ouverture de la porte et observent la scène avec curiosité. En dessous, posée droite sur le sol, se trouve une tête aux yeux clos, qui est sans doute décapitée car on y retrouve le même cercle que sur la forme de gauche, pour exprimer symboliquement la coupure du col, puisque le corps et la tête se dissocient désormais. La dislocation de la figure, qui atteint ici à son paroxysme, prélude à des tableaux comme la *Femme au stylet* (1931, Paris, musée Picasso, Inv. M.P. 136) ou les *Meurtres* (1934, Paris, musée Picasso, Inv. M.P. 1134 et 1135).

Clara Pujos

Camillo PROCACCINI
(Bologne, vers 1550 – Milan, 1629)

41
Tête d'homme barbu
Pierre noire. H. 0,350 ; L. 0,241. Doublé.
Historique
E. Jabach (L. 2959) ; dessin dit du « Rebut » ; entré dans le Cabinet du Roi en 1671 ; marque du Louvre (L. 1886). Inv. 2798.

Paris, musée du Louvre,
département des Arts graphiques.

L'utilisation de la pierre noire favorise ici le traitement détaillé de la physionomie, tout en insistant avec soin sur les effets d'ombre. Elle contribue par ailleurs à rendre plus nette la césure du col. P. Joannides a naguère proposé d'attribuer la feuille à l'entourage du Bolonais Tibaldi. C. Monbeig Goguel, à l'instar de C. Legrand, préfère évoquer un autre artiste d'origine bolonaise, Camillo Procaccini, actif à Milan depuis 1587, qui fut initié à la peinture par son père Ercole, et devint le peintre le plus prolifique d'une dynastie qui couvre trois générations. Héritier naturel des artistes comme Bartolomeo Cesi et Cesare Aretusi, Procaccini manifeste un intérêt croissant pour la culture romaine du cercle de Zuccari, dont témoignent certains motifs qui évoquent tour à tour Tibaldi, Corrège et les Carrache à leurs débuts. Après son installation définitive à Milan, l'artiste subit d'abord l'influence de A. Figino (1548-1608), ses surfaces se faisant alors plus métalliques et ses lignes plus emphatiques, puis de Cerano (vers 1575-1632) et de Morazzone (1573-1626). Le dessin du Louvre a des accents qui doivent beaucoup à Michel-Ange et à Tibaldi, rendus par des traits finement tracés (parallèles et perpendiculaires). De fait, il se rapproche de la grande tête expressive du démon de *L'Enfer*, que Procaccini peignit à fresque dans le style lombard entre 1585 et 1587, à la basilique San Prospero de Reggio Emilia. Un dessin, pour le *Triomphe de David*, peut-être préparatoire aux volets d'orgue de la cathédrale de Milan, met en scène David – au premier plan – tenant un sabre de la main droite et la tête de Goliath dans l'autre main. Il existe quelques différences entre les deux études, mais la contraction du visage, la densité du système pileux, les traits massifs et le cou tranché de Goliath sont proches de la feuille du Louvre. La peinture milanaise, ayant été commandée en 1592, on tend à dater le dessin du Louvre vers 1590.

Ornella Matarrese

Pierre PUVIS DE CHAVANNES
(Lyon, 1824 – Paris, 1898)

37

Tête de femme renversée
Sanguine sur papier calque avec traces de crayon noir, d'encre brune et de gouache blanche. H. 0,302; L. 0,251. Annotation en bas à gauche au crayon noir : *93*.
Historique
Don des héritiers de Puvis de Chavannes en 1899 au musée du Luxembourg (L 1889a) – Transféré au Louvre en 1929 (L 1886 a). Inventaire RF 2168.
Bibliographie
Bénédite, 1900, nº 15; Boucher in cat. exp. Paris, 1976, sous le nº 25; Boucher, 1979, sous le nº 7; Selz, s.d., repr. en couleurs, p. 58; Brown-Price, 1991, p. 126-127, fig. 9; Legrand dir., 1997, nº 2122.

Paris, musée du Louvre, département des Arts graphiques, fonds du musée d'Orsay.

Entre deux voyages en Italie (1846 et 1848), d'où il revint dessillé par la découverte des fresques du Quattrocento, Puvis de Chavannes fré-

quenta « en amateur » – ce sont ses propres termes – les ateliers d'Ary Scheffer (1846-1847), Delacroix (1848) et Thomas Couture (1849). Puis, préférant dès lors travailler seul, il peignit ses premiers tableaux de chevalet, d'après la vie contemporaine ou l'Antiquité. Etude préparatoire aux *Pompiers de village* (1857, Moscou, musée d'Art occidental), cette feuille fait écho à une autre étude de la même figure, mais en pied, que possède le Louvre (RF 2167). Le motif prosaïque des seaux permet seul l'identification, tant les expressions, de la sanguine à l'huile, sont dissemblables. Car dans la composition finale, qui hésite entre le classicisme de Raphaël (*Incendie du bourg*, Rome, Vatican) et le réalisme de Courbet (*Départ des pompiers*, Paris, Petit Palais), l'héroïne impavide, voire intemporelle, semble une « allégorie réelle », comme la *Liberté* de Delacroix (Paris, Louvre). Dans la sanguine, elle se réduit au contraire à une tête d'expression, dont l'outrance obvie érotise la souffrance. Véritable manifeste de son esthétique personnelle, le corpus de caricatures que fit l'artiste de ses propres peintures éclaire cette différence d'expressivité. Ainsi retrouve-t-on, dans la satire qu'il fit des *Pompiers* (vers 1857, coll. part.), la même porteuse d'eau à l'éloquence expressionniste, comme une réflexion du peintre sur ses références favorites – mise en abîme cathartique de son art.

Emmanuelle Gueneau

Auguste RAFFET
(Paris, 1804 – Gênes, 1860)

42

Deux têtes d'homme mort
Pierre noire sur papier calque. H. 0,202; L. 0,347. Signé en bas au centre, à la pierre noire : *Raffet*. Daté au dessous, à la plume et encre brune : *1833*. Annoté en bas à gauche à la pierre noire : *vu*.
Historique
Auguste Raffet fils, vente Paris, 16 mars 1911, partie du lot 198 (avec précédent), cachet de la vente (L. 2126); Raymond Koechlin; legs en 1932; (L. 1886a). Inventaire RF 23327 recto.
Bibliographie
Burty, 1860, p. 314; Buresi, 1986, p. 17-19.

Paris, musée du Louvre,
département des Arts graphiques.

« Un jour Raffet obtint, à l'Hôpital militaire, la tête d'un jeune soldat qui venait de mourir. Il la garda trois jours entiers dans son atelier, la peignant sous toutes ses faces : fichée sur une baïonnette, posée sur un plat, reposant sur un linge. […] Il voulait, je crois, s'en servir, pour une scène de massacre, et il eut le courage de garder son horrible modèle jusqu'à ce que la décomposition l'eût envahi de ses tons sinistres » (Burty, 1860). Cette anecdote macabre est un motif récurrent de l'hagiographie romantique. On la trouve déjà chez les biographes de Géricault, dont on connaît les *Têtes coupées* de Stockholm et de Besançon – que l'on associe d'ordinaire, mais à tort, au *Radeau de la Méduse* – où la répétition d'un même fragment paraît être la source directe de la double composition de Raffet. Essentiellement lithographe, l'artiste s'atta-

cha surtout à glorifier les campagnes révolutionnaires et impériales. Ainsi collabora-t-il à l'édition du *Musée de la Révolution* (1834), présenté comme une collection de sujets destinée à illustrer les ouvrages historiques de Thiers ou Montgaillard, et dont le dessin du Louvre est peut-être une recherche préparatoire. L'attrait de Raffet pour les moribonds et autres *membra disjecta* se manifesta tout au long de sa carrière. Témoin son journal, *Notes et croquis*, publié en 1878 par son fils Auguste, où l'on apprend qu'il fit en 1842 quelques études de « cadavres rôtis » – des accidentés de chemin de fer – et qu'il dessina à Rome en 1849 un soldat à la « tête desséchée et grimaçante, dont le corps broyé reposait dans la cavité creusée par le boulet [et qui] fut l'occasion d'un très beau croquis ». Faut-il attribuer cette étrange récurrence de têtes coupées à une nécrophilie latente, ou n'y voir que l'intérêt purement scientifique du peintre veillant à l'exactitude anatomique de ses illustrations ? Les deux hypothèses ne s'excluent pas, même si l'univers propre de Raffet tient plus du reportage que du mélodrame.

Emmanuelle Gueneau

Arnulf RAINER
(Né à Baden près de Vienne, 1929)

44

Couronne
(1973-1974)
Huile et encre de Chine sur photo. H. 0,87; L. 1,22.
Expositions
Mönchengladbach, 1984, nº 16, repr.;
New York, 1989, p. 157-158, repr.

Collection particulière.

C'est en 1952-1953 que Rainer se mit à peindre ses premières « photo-peintures », où la couche picturale (monochrome) recouvre une photographie, technique propre à signifier l'existence de la peinture, dans le moment même de sa négation photographique. En 1963, l'artiste s'initie à la gravure. Diverses expériences liées aux effets de la drogue sur son art sont à l'origine d'une longue série d'autoportraits, de photographies dessinées et peintes, qui inaugurent une recherche sur l'expression physionomique proche de celles que requièrent certaines maladies mentales. Son travail fut peut-être influencé par les théories surréalistes qu'il vint à découvrir en 1948. En 1973, débute une série de peintures, également sur fond photographique, où les motifs dominants sont les mains, les doigts et les pieds. La poursuite de ces investigations corporelles produit d'autres séries. En 1975 Rainer revient à sa première technique, celle de la peinture recouverte (« art sur séries d'art »). L'artiste entreprend en 1977 un travail sur les masques mortuaires, multipliant les procédés techniques d'altération de l'image. Le thème de la mort prend ainsi dans son œuvre une place majeure. En 1980, les motifs religieux reviennent, avec le thème chrétien de la croix et la représentation même du Christ. « Le remaniement graphique ne corrige pas, mais accentue et augmente. Ce qui est présent à l'intérieur de moi au moment de la saisie photographique n'est pas visible sur la photographie. Pour cela l'insatisfaction et le désir de quelque chose de plus fort me poussèrent à expérimenter ce nouveau médium qu'est la peinture recouverte. » Rainer décrit ici une nouvelle technique qui caractérise alors toute une période de son œuvre, vu l'ampleur de sa production. Le présent ouvrage est daté des années 1973-1974, où Rainer utilise, on l'a dit, pour la deuxième fois la technique des peintures couvrantes, procédé déjà expérimenté dans les années 1953-1959. Les peintures couvrantes sont des photographies où se répartit la peinture sur un mode inégal, la couleur donnant tout son sens au cliché photographique. Le visage serein et les yeux clos, qui dénotent une impression de souffrance, sont saisissants. Le sang, qui dégoutte sur le front, fait ressembler ce visage à celui du Christ. Le titre, *Krone*, semble d'ailleurs presque signifier la couronne christique. Mais l'intention d'Arnulf Rainer n'est pas religieuse ; bien au contraire, il se dresse en révolutionnaire et présente une autre facette, un autre visage du Christ. La technique lui révèle la source originelle de la tragédie. L'expression des œuvres et leur contenu sémantique augmentent en intensité. Rainer travaille dans la tradition de l'expressionnisme viennois déjà illustré par Oskar Kokoschka et Egon Schiele. Le thème de l'œuvre relève d'une série de travaux religieux. Dès 1956-1957, il créa quinze croix différentes en contreplaqué recouvert de peinture, qui révélèrent son influence mystique et religieuse. C'est au cours des années soixante-dix que ce motif réapparaît. Rainer applique de la peinture sur les photographies afin de créer une ressemblance illusoire avec les images de l'iconographie chrétienne, comme la Face du Christ.

Maike Sternberg

46

Tête de vieillard – Tête de momie
Huile, craie à la cire sur photographie. H. 0,59 ; L. 0,452. Monogrammé en bas à droite : *A.R.,* titré en bas à gauche : *alter Kopf.*
Historique
Achat du musée national d'Art moderne, Centre Georges-Pompidou, 1984. Inventaire AM 1984-397 D.
Bibliographie
Rainer, 1978.
Expositions
Vienne, 1981, n° 23 ; Paris, 1984, p. 23 ; Paris, 1987, n° 8.

Paris, musée national d'Art moderne, Centre Georges-Pompidou.

« Abnégation et religion » : c'est ainsi qu'Arnulf Rainer définit sa propre peinture. Obsédé par les thèmes de la souffrance et de la mort, que l'on trouve déjà chez un Egon Schiele, l'œuvre de Rainer nie tout esthétisme. Sous l'influence des théories surréalistes que métamorphosent, à partir de 1948, De Kooning et Pollock, le peintre viennois s'essaie, dès 1951, à repousser les limites de l'art académique. L'année suivante, Rainer peint ses premiers tableaux photographiques ou « photos-peintures » *(Übermalungen)* qui deviendront le support privilégié de sa production

(cf. notice précédente). La *Tête de vieillard*, datée de 1980, fait partie d'une série qui commence vers 1977 ; Rainer s'intéresse alors aux momies et aux masques mortuaires qui ont connu, rappelle W. Brückner (1966), une période de fort engouement durant l'entre-deux-guerres. Face à ces œuvres, le spectateur se transforme en voyeur macabre, fasciné par l'épouvante et la répulsion que suscite l'image de la mort. La photographie, support d'une réalité que la peinture cache en la rendant plus cruelle encore, est transformée en « métaphore anonyme de l'horreur » (Zweite, in cat. exp. Paris, 1984, p. 11) : « le visage de l'être souffrant, mort, libéré, épuisé, apaisé, absent, décomposé, où paraissent l'horreur et la délivrance » (Rainer, 1978). La *Tête de vieillard* est l'acmé de cet art funèbre. Le masque, l'un des rares qui ne soient pas à l'effigie d'une célébrité, comme ceux de Hugo Wolf, Anton Bruckner, Joseph Haydn, ou Franz Liszt n'escamote rien des stigmates propres à l'agonie, que traduit puissamment la torsion de la tête, qui se tend vers le ciel. On croit entendre s'échapper de la bouche ouverte un long cri de douleur et d'effroi. Mais ce cri demeure comme figé dans les convulsions nerveuses de la face. La feuille atteint à une grandeur primitive qui est la signature même de Rainer. Et les lignes nerveuses de la peinture deviennent l'expression du dernier combat contre la mort.

Ebba Scholl

Raffaello Sanzio ou Santi, dit RAPHAËL (?)
(Urbino, 1483 – Rome, 1520)

14

Tête de femme
Pierre noire, avec rehauts de blanc, tracé préparatoire au stylet, sur papier beige. H. 0,230 ; L. 0,161.
Historique
E. Jabach (L. 2961) ; entré dans le Cabinet du Roi en 1671 ; marques du Louvre (L. 1899 et 2207). Inventaire 10958.
Bibliographie
Oberhuber, 1972, IX, n° 480, repr. ; Joannides, 1983, n° 454 ; Cordellier et Py, 1992, II, n° 967.
Expositions
Paris, 1983-1984 n° 23 ; Rome, 1992, n° 134.

Paris, musée du Louvre, département des Arts graphiques.

D'après K. Oberhuber, ce dessin est une étude préparatoire à l'allégorie de la Charité – vertu, comme on sait, théologale, avec la Foi et l'Espérance – qui apparaît dans l'une des fresques de la salle de Constantin au Vatican. Le même auteur proposa, dès 1972, d'attribuer cette étude à Raphaël lui-même, comme celle de l'Ashmolean Museum d'Oxford, qui représente la figure entière entourée de trois enfants. Mais D. Cordellier et B. Py ont restitué la feuille du Louvre à l'atelier de l'artiste, et plus précisément à son élève Gianfrancesco Penni (1488-1528) (cat. exp. Rome, 1992). La faiblesse du tracé de la chevelure, de l'oreille gauche ou des épaules de la femme, font douter que l'œuvre soit de la main

même du peintre. Et le mauvais état de la feuille rend l'attribution difficile. Enfin J. A. Gere et N. Turner datent l'étude d'Oxford, dont le thème et la technique sont identiques, de la période romaine de Raphaël, c'est-à dire entre 1512 et 1520 (1983, p. 229). D'après P. Joannides (1983), le dessin du Louvre daterait plus précisément des années 1519-1520. A cette époque, le peintre travaillait aux *Stanze* vaticanes à la demande du pape Jules II, puis de Léon X, son successeur depuis 1513. L'émotion reflétée par la douceur de cette tête idéale, et qui transparaît dans le contour des yeux, du nez et des lèvres, renvoie aux attributs traditionnels de la Charité. Raphaël (ou son élève ?) ajouta dans un second temps les figures enfantines (*cf.* dessin d'Oxford, P II 665). Vu le schématisme de la chevelure, dont le chignon est esquissé au stylet – technique chère à Raphaël –, il serait tentant de conclure à un dessin inachevé. L'idéalisation de la figure tend à la rapprocher des représentations de divinités gréco-romaines. Winckelmann ne considérait-il pas Raphaël comme le seul imitateur moderne de l'art grec, par ses qualités artistiques de « calme grandeur » et de « noble simplicité » (1786, p. 235-295) ?

Anna Sermonti et Emmanuelle Gueneau

Odilon REDON
(Bordeaux, 1840 – Paris, 1916)

43

C'était un voile, une empreinte
(1891)
Planche I de l'album *Les Songes*. Lithographie. H. 0,188 ; L. 0,133. Signé, en bas à gauche : *Odilon Redon.* Numéro de la planche, en haut, au centre, dans la marge : *Pl. 1.*
Historique
Dépôt légal, département des Estampes et de la Photographie.
Bibliographie
Beraldi, 1891, XI, p. 176 ; Roger-Marx, 1925, p. 35 ; Bacou, 1956, I, p. 95, 123 ; II, n°s 31, 43, repr ; Werner, 1969, n° 87, repr. ; Cassou, 1972, p. 68-85, n°s 106-111, repr. ; Durand, 1975, n°s 155, 169, 174 ; Coustet, 1984, p. 46 ; Wildenstein, 1992-1994.

Expositions
Madrid, 1972, n° 233 ; Bordeaux, 1985, n° 78, repr.

Paris, Bibliothèque nationale de France, département des Estampes et de la Photographie.

Ce fut Rodolphe Bresdin, graveur maudit, qui apprit à Redon, dès 1863, la technique de la lithographie. La plupart des lithographies de Redon, souvent rassemblées dans des albums, datent des vingt dernières années du XIXe siècle. Le procédé lui permit d'abord de reproduire ses dessins avant de devenir un domaine autonome dans son œuvre (*A soi-même, Journal, 1867-1915,* éd. 1961, p. 126). Deux catalogues raisonnés furent d'ailleurs publiés de son vivant (Destrée, 1891 ; Mellerio, 1913). Cette première planche de l'album *Songes* (1891) rend hommage à un ami proche de l'artiste, Armand Clavaud, qui se suicida en 1890. La tête de Clavaud, dont le regard triste et pénétrant s'imprime sur le voile, devient une interprétation personnelle du Saint Suaire où paraît la figure du Christ (Bordeaux, 1985, p. 122), laquelle acquiert une place de prédilection dans la production des années 1895-1910 (Wildenstein, 1992, I, p. 193). On y retrouve en effet de multiples images où paraît la tête du Christ sur le voile de Véronique, qui sont aussi spectrales que celle des *Songes* (*ibid.*, n°ˢ 485, 487, 488, 489 et 490). La dichotomie (noir/blanc) ne laisse pas d'en accuser l'effet dramatique. Redon lui-même réunissait ces œuvres (fusains, eaux-fortes, lithographies) sous le terme de *Noirs*. Ainsi relève-t-il dans son *Journal,* non sans mysticisme primaire, que la couleur des ténèbres est aussi la plus pure : « C'est surtout dans les lithographies que ces noirs ont leur éclat intégral... Le noir est la couleur la plus essentielle... Il faut respecter le noir. Rien ne le prostitue. Il ne plaît pas aux yeux et n'éveille aucune sensualité » (*A soi-même,* p. 124-125). La collection Dubourg possédait le fusain qui servit de modèle à la planche.

Claudia Simone Hoff

53

L'œuf

Lithographie sur papier. H. 0,290 ; L. 0,225. Datée de 1885. Signé en bas à gauche : *Odilon Redon.*

Historique

Acquisition le 22 mars 1965 chez Mᵉ P. Pescheteau ; Bibliothèque nationale, département des Estampes et de la Photographie. Doc. 354, II, réserve.

Bibliographie (relative au dessin original)

Mellerio, 1913, n° 60 ; Wildenstein, 1994, n° 1088.

Paris, Bibliothèque nationale de France, département des Estampes et de la Photographie

Cette gravure a été exécutée en 1885 d'après un dessin au fusain actuellement conservé au musée national de Belgrade (Inv. 1022 ; Wildenstein, 1994, II). Initié à la lithographie par Bresdin, Redon se lança grâce à Fantin-Latour dans la transposition de ses fusains dans cette nouvelle technique. Après avoir publié une première série (*Dans le rêve,* 1879), c'est avec son second album lithographique, *A Edgar Poe* (1881), qu'il commença à connaître un certain succès, grâce à des critiques élogieuses d'Emile Hennequin et de Joris-Karl Huysmans qui soulignèrent le mystère et l'originalité de l'œuvre : leur interprétation sera d'une influence majeure dans la compréhension de l'artiste. Il faut resituer *L'œuf* dans l'ensemble des cent soixante-douze lithographies exécutées par Redon, entre 1880 et 1900 environ. Six seulement sont des épreuves tirées en sanguine ou en bistre, ce qui met en évidence un véritable parti pris pour le noir à cette période de sa vie. Selon R. M. Mason, « l'un des aspects peut-être le plus moderne des "noirs" de Redon est la dialectique du fragment et de la totalité » (cat. exp. Genève, 1975, p. 60). Ici, la coupe étroite, semblable à un coquetier, cache la partie inférieure de la tête ovoïde, non sans attirer l'attention sur ses yeux géants qu'exorbite un effroi mysté-

rieux. On peut rapprocher l'image des nombreux dessins de l'artiste qui mettent l'œil en scène, détaché du corps, dans son autonomie organique : « Symbole de l'âme, du désir, d'une humanité éveillée, lieu de la rencontre entre le dedans et la lumière du dehors, le rond de l'œil peut se lire comme le rassemblement de l'être en son centre, comme l'émergence d'une conscience au sein du cosmos » (*ibid.*, p. 60). Redon plaidait pour « un droit qui a été perdu et que nous devons reconquérir : le droit de la fantaisie... ». On ne peut chercher la rationalité dans son œuvre, seulement la réalité, mais une réalité au service de l'imagination : « Toute mon originalité, écrivait-il, consiste à faire vivre humainement des êtres invraisemblables, selon les lois de la vraisemblance, en mettant autant que possible la logique du visible au service de l'invisible. » Redon est un visionnaire dont les visions sont méditées et non point naïves. « J'ai mis [dans mes ouvrages] une petite porte ouverte sur le mystère. J'ai fait des fictions. C'est [aux écrivains] d'aller plus loin. » Souvent rapproché du mouvement symboliste, Redon refusa toujours cette étiquette, avec raison.

Clara Pujos

62

Tête coupée sur une colonne

Mine de plomb, sur papier beige. H. 0,187 ; L. 0,117. Signé en bas, à droite : *Od. R.*

Historique

Arï et Suzanne Redon ; don en 1982 ; marque du Louvre (L. 1886). Inventaire RF 40513.

Bibliographie

Wildenstein, 1994, n° 1137, repr.

Exposition

Paris, 1984, n° 455, repr.

Paris, musée du Louvre, département des Arts graphiques, fonds du musée d'Orsay.

La tête coupée sur une colonne est un motif récurrent chez Redon (Wildenstein, 1994, II, n°ˢ 1138, 1139 et 1140). La ressemblance frappante qui existe entre ce visage et celui de *C'était un voile, une empreinte* (voir cat. 43) laisse à penser qu'il s'agit d'un portrait d'Armand Clavaud, ami de Redon, mort en 1890. Le botaniste avait initié le peintre aux sciences de la nature comme aux lettres du temps. La frontalité du visage aux yeux expressifs, la raie médiane de la chevelure et la tristesse de l'expression rendent comparables les deux œuvres, qui évoquent aussi le visage du Christ. Le rapprochement des deux feuilles incite à dater ce dessin vers 1890, bien que la technique en soit différente. Le dessin comme la lithographie appartiennent à la série des *Noirs*. La tête coupée repose sur un socle rectangulaire orné d'éléments architecturaux. Au fond, Redon construit l'espace avec architrave et pilastres pour servir de cadre à la tête. T. Gott (cat. exp. Melbourne, 1990, p. 10) signale qu'en 1862 Redon fit des centaines d'épures à l'Ecole des Beaux-Arts, ce qui atteste son goût pour les éléments géométriques (cercle, triangle, etc.), lesquels apparaissent fréquemment dans son œuvre. Aussi recourt-il dans l'espèce à des symboles familiers : la colonne cannelée, le chapiteau et le cube. Comme à son ordinaire, l'artiste a

signé sa composition. Ce n'est pas seulement pour en garantir l'authenticité, mais pour affirmer leur importance dans son œuvre (Bacou, cat. exp. Paris, 1984, p. 65). A la différence de ses contemporains, les impressionnistes surtout, Redon ne fait pas une simple copie de la réalité mais s'aventure dans le domaine de l'onirisme, dont il relève lui-même l'ambition métaphorique : « Mes dessins *inspirent* et ne se définissent pas. Ils ne déterminent rien. Ils nous placent ainsi que la musique dans le monde ambigu de l'indéterminé. Ils sont une sorte de *métaphore* » (*A soi-même, Journal, 1867-1915,* éd. 1922, p. 28, cité in cat. exp. Lugano, 1996, p. 75).

Claudia Simone Hoff

Henri REGNAULT
(Paris, 1843 – Buzenval, 1871)

30

Maure debout les bras levés

Mine de plomb. H. 0,284 ; L. 0,190.

Historique

V. Regnault ; don en 1875 ; marque du Louvre (L. 1886). Inventaire RF 329.

Bibliographie

Gautier, 1870, p. 265 ; Duparc, 1872, p. 367 et 384 ; Roger Marx, 1890, p. 70 ; Thornton, 1994, p. 152.

Exposition

Saint-Cloud, 1991, n° 78.

Paris, musée du Louvre, département des Arts graphiques, fonds du musée d'Orsay.

Déçu par l'Italie où il séjourne, après le prix de Rome, comme pensionnaire à la Villa Médicis, Henri Regnault s'enthousiasme pour l'Espagne et Grenade, avant de s'établir à Tanger en 1870, peu avant sa mort, rêvant de découvrir un Orient qui exerce sur lui, comme sur nombre de ses contemporains, une fascination profonde. C'est la grande époque de l'orientalisme colonial. A Tanger, où il rêve de peindre une œuvre « gigantesque et capitale », Regnault travaille à de nombreuses toiles et aquarelles, et multiplie les dessins, comme cette étude de Maure. Le croquis met en scène un homme de face, aux atours orientaux, dont la tête, de trois quarts, est coiffée d'un turban. Brandissant un glaive dans sa main droite, il arbore triomphalement dans la main gauche ce qu'on croit être une tête tranchée. L'écriture de la feuille laisse d'ailleurs apparaître les nombreuses hésitations de l'artiste, qui semble avoir beaucoup médité le geste du personnage. Il s'agit d'une étude préparatoire pour la figure du bourreau dans le grand tableau de *L'exécution sans jugement sous les rois maures de Grenade* (Paris, musée d'Orsay), peint à Tanger en 1870, exposé à Rome avec les travaux des pensionnaires de la Villa Médicis, puis au Salon de la même année, à Paris. La peinture, qui traduit la volonté de l'artiste de « peindre tout le caractère de la domination arabe en Espagne et les puissants Maures d'autrefois » (Duparc, 1872, p. 308), met en scène une décapitation fort réaliste, dans un décor théâtral inspiré de l'Alhambra de Grenade. Le public fut choqué par la violence de l'œuvre, hardie et colorée, qui exalte avec grandiloquence un Orient cruel. Théophile Gautier considérait *L'exécution* comme «le tableau le plus étonnant» de l'exposition de Rome (Gautier, 1870, p. 27), et plaçait son auteur, qu'il tenait pour «le plus grand peintre d'histoire de sa génération», au «premier rang parmi les modernes» (Duparc, *op. cit.,* p. 359). Le Maure du dessin paraît être un vainqueur plus qu'un bourreau, quand le personnage de la toile se contente de jeter à sa victime «un regard indéfinissable, à la fois dédaigneux et mélancolique [...] empreint du fatalisme oriental : nulle colère, nulle indignation» (Gautier, *op. cit.*). Traits puissants et main nerveuse, les dessins de Regnault sont expressifs et vivaces. L'artiste se considérait lui-même plutôt comme un dessinateur : «Si je savais peindre comme je sais dessiner, je serais bien heureux.» Exempté de service militaire par l'obtention du prix de Rome (1866), Regnault quitta Tanger en août 1870 pour prendre part à la guerre contre l'Allemagne, et sa mort à Buzenval, lors du siège de Paris, fut accueillie avec consternation : il était, pour les cercles bourgeois de la peinture académique, «l'espoir de la peinture nationale».

Katrin Wohlleben et Cédric Gourlay

Rembrandt Harmensz van Rijn, dit REMBRANDT
(Leyde, 1606 – Amsterdam, 1669)

17

Judith et Holopherne
Plume et encre brune, lavis brun, rehauts gris.
H. 0,178; L. 0,212.
En bas à droite, à la plume : *numéro 52.*
Historique
Ch.-P. de Saint-Morys; saisie des Emigrés en 1793, remise au Museum en 1796-1797; marque du Louvre (L. 1886). Inventaire 22991.
Bibliographie
Hofstede de Groot, 1906, n° 599; Valentiner, 1925-1934, n° 215; Lugt, 1933, n° 1124, pl. X; Kauffmann, 1926-1927, p. 167-168; Benesch, 1954-1957, I, n° 176, fig. 196; Rosenberg, 1956, p. 68; Slive, 1965, II, n° 346; Bomford, Brown et Roy, 1988, p. 62.
Expositions
Paris, 1937, n° 107; Paris, 1970, n° 208.

Paris, musée du Louvre,
département des Arts graphiques.

Le présent feuillet, que l'on peut situer entre 1631 et 1639, appartient aux premières années de Rembrandt à Amsterdam, période prospère de bonheur conjugal (son mariage avec Saskia date de 1634). W.R. Valentiner doute de l'authenticité du dessin, mais on peut le comparer, selon Otto Benesch, à *L'ange quittant Manoah et sa femme* (1639, Paris, Louvre) ainsi qu'à trois feuilles de Berlin (Kupferstichkabinett), *Le sacrifice de Manoah* (1639), *Le guerrier blessé* (1639) et *Ruth et Booz* (1638) (Benesch, 1954-1957). On peut aussi le relier à deux tableaux de la même époque, *Saskia en Flore* (1635, Londres, National Gallery) et *Saskia en chapeau rouge* (1633-1634, Kassel, Schloss Wilhelmshöhe), dont les radiographies ont ré-

vélé que Rembrandt avait d'abord peint Judith tenant la tête d'Holopherne (Londres), ou seulement un poignard (Kassel; Alpers, 1991, p. 118, avec réf.). Beaucoup plus tard, Rembrandt dessine une autre *Judith et Holopherne* (1655, Naples, Museo di Capodimonte), scène elliptique où l'héroïne est complètement absorbée par son labeur homicide (Bal, 1995, p. 276-277). Pour le dessin du Louvre, l'artiste a choisi le moment qui *suit* la décollation. Judith incarne l'ambiguïté morale de son siècle (Schama, 1991) : elle est à la fois la femme fatale, que sa beauté séductrice, exaltée par le costume, relie à Salomé (Mavrakis, 1991), et la chaste veuve, l'héroïne juive, ou simplement la femme qui se sacrifie pour sa foi, à savoir le calvinisme hollandais, lequel est l'héritier, rappelle Simon Schama, de la destinée hébraïque (*op. cit.*, p. 169). Etude psychologique de la guerre des sexes? L'absence de triomphe et la mélancolie du visage adoucissent la menace de la castration et réintègrent Judith, qui avait inversé les rôles sexuels, dans l'ordre patriarcal de la prétendue faiblesse féminine (Levine, 1995; Van Henten, 1995). Mais l'idée de la castration persiste dans le jeu des lignes auxiliaires (Schatborn, 1991, p. 16), qui trament leurs ellipses autour du cou et du sexe d'Holopherne, lieux prédestinés de la métaphore castratrice, qu'elles saturent d'énergie libidinale. Judith s'inscrit dans la série des créatures de l'*excès*, selon le mot de Mieke Bal *(women-in-excess)* comme Yaël, Suzanne, Dalila, Bethsabée, etc., qui sont les héroïnes favorites de Rembrandt (Bal, 1991, p. 201). Que la femme et les maîtresses de l'artiste lui aient souvent servi de modèles rend cette dilection plus révélatrice encore. C. Tümpel voit une prostituée dans la figure de Saskia que peint Rembrandt auprès du *Fils prodigue* (1635, Dresde, Gemäldegalerie), comme si l'artiste compensait le déséquilibre de leurs conditions sociales : Saskia provient d'un milieu plus élevé que lui (1986, p. 118-119). Le même tableau, pour Svetlana Alpers, met en question le statut conjugal du peintre (*op. cit.*, p. 157). Sur le dessin préparatoire, qui figure *Trois couples* (1635, Berlin), la femme à gauche n'est pas sans ressemblance avec la Judith du Louvre. Ainsi se referme le cercle de la représentation : narcissique, menaçante, et toujours castratrice.

Yvonne Ziegler

22

Décollation de saint Jean-Baptiste
Plume et encre brune. H. 0,137; L. 0,112.
Historique
L. Bonnat; marque en bas à droite (L. 1714); en haut à droite numéro *35* de son album; don au Louvre en 1919; marque du Louvre (L. 1886). Inventaire RF 4743.
Bibliographie
Hofstede de Groot, 1906, n° 689, p. 159; Valentiner, 1925-1934, I, n° 278, p. 303; Kauffmann, 1926-1927, p. 164, 174; Van Dyke, 1927, p. 53; Lugt, 1933, III, n° 1133, p. 12-13, pl. XXI; Benesch, 1954, I, n° 101, p. 30, fig. 111; Sumowski, 1956-1957, p. 262, fig. 50, 51; Bauch, 1960, p. 99, 256; Roger-Marx, 1960, p. 173; Blanckert, 1982, p. 118, pl. 202d; Viatte, 1991, p. 37.

Expositions
Paris, 1937, n° 103; Paris, 1970, n° 216; Paris, 1988-1989, n° 7; Paris, 1991, n° 20.

Paris, musée du Louvre,
département des Arts graphiques.

On date ordinairement ce dessin entre 1628 et 1635, au moment où Rembrandt quitte Leyde et s'établit à Amsterdam, non sans succès. L'authenticité de la feuille, dont doute W.R. Valentiner, demeure incertaine. Selon H. Kauffmann et O. Benesch, elle peut être stylistiquement reliée aux deux dessins de Berlin qui datent de 1631-1632 : *Jacob et la tunique de Joseph* et *La déploration du Christ.* E. Starcky a proposé par ailleurs de comparer le feuillet du Louvre avec l'*Etude pour une sainte* (La Haye, Mauritshuis, 1635), *Adam et Eve* (Amsterdam, Rijksmuseum, 1638) et la *Danse d'un couple rural* (Munich, Staatliche Graphische Sammlung, 1635; cf. Starcky, cat. exp. Paris, 1988-1989, p. 22). Mais A. Blanckert et J. C. Van Dyke préfèrent l'attribution à Ferdinand Bol, élève de Rembrandt (1616-1680). Le fonctionnement de l'atelier où Rembrandt corrigeait les dessins de ses élèves, qui multipliaient les copies dans la manière du maître, rend l'identification difficile (Alpers, 1991, p. 101). C. Hofstede de Groot, O. Benesch et la littérature subséquente considèrent le geste du bourreau qui est appuyé comme un repentir, conforme à l'habitude du peintre, qui trouvait déjà sa version définitive en dessinant la première version (Haak, 1975; Schatborn, 1991; Renger et Burmester, 1986). Repentir ou correction? Le dessin diffère dans sa facture (et plus encore dans sa structure) d'un corpus d'œuvres datées de 1640, qui étudient le thème de la décollation, que ce soit celle de *Saint Jean-Baptiste* (Bayonne, musée Bonnat; Bâle, Kunstmuseum; dessin et gravure Amsterdam), d'un *Homme inconnu* (Amsterdam), ou de *prisonniers* (Londres, British Museum; New York, Metropolitan Museum). Le choix de la technique – plume et encre brune – ne semble pas convenir à une étude préparatoire pour une gravure ou une peinture (Giltaij, 1989; Royalton-Kisch, 1993). Mais on peut considérer le dessin du Louvre, selon C. Roger-Marx, comme une étude pour le bourreau, dont le geste pourtant ne correspond pas à celui des autres feuilles. La recherche maximale de la violence du geste hésite entre les deux motifs de l'épée dégainée ou rengainée entre lesquels s'effectue la décollation. Elle est encore renforcée par le contraste entre la position dominatrice du bourreau et le corps informe de la victime, entre l'anonymat de l'un, qui n'a pas de visage, et l'exaltation de l'autre, dont le chef décollé gît sur le sol comme un masque mortuaire. Selon Simon Schama, la Bible était, pour Rembrandt, une anthologie de drames humains (1991, p. 170). L'artiste était, par sa femme, en contact étroit avec les Mennonites (secte anabaptiste niant la Trinité et rejetant l'autorité de l'Eglise) (Tümpel, 1986, p. 119). Et l'on peut sans doute rattacher le sujet du dessin aux exécutions contemporaines des membres de la secte (Dickey, 1995, p. 180).

Yvonne Ziegler

Auguste RODIN
(Paris, 1840 – Meudon, 1917)

66
L'homme qui marche
Bronze. H. 0,860; L. 0,600; Pr.0,270. Inscriptions sur le côté droit : *Offert en échange à M. Antoine Bourdelle par le Musée Rodin*. Inscriptions à l'arrière : *ALEXIS RUDIER FONDEUR PARIS*. Signé sur la base : *A. Rodin*.
Historique
Fondu spécialement par le musée Rodin, en 1927, pour l'offrir à Antoine Bourdelle, puis collection particulière de Mme Dufet-Bourdelle qui le donna en cadeau au musée Bourdelle, en 1992, à l'occasion de son extension.
Bibliographie
Cladel, 1936, p. 280; Elsen, 1974, p. 29-32; Pingeot, 1990, p. 123-127; Jarasse, 1993, p. 46.

Paris, musée Antoine Bourdelle.

La version réduite de *L'homme qui marche*, reprise en plâtre (grandeur nature) en 1907 et en bronze à partir de 1911, fut exposée, pour la première fois, à l'Exposition universelle du pavillon de l'Alma (1900, n° 63) comme étude pour le *Saint Jean-Baptiste* du musée du Luxembourg. Mais la date exacte de cette œuvre phare du sculpteur sur l'inachevé et le fragmentaire reste aujourd'hui imprécise, même si l'on s'accorde à la situer aux alentours de 1900. L'hypothèse jusqu'alors défendue par Elsen, selon laquelle ce modèle aurait été une étude pour le *Saint Jean-Baptiste* et daterait, de ce fait, des années 1877-1878, semble en effet devoir être définitivement abandonnée et l'on préfère désormais voir dans cette composition l'un des exemples caractéristiques du processus rodinien de création par assemblage. *L'homme qui marche* semble né de la juxtaposition de deux éléments distincts : d'une part les jambes relativement lisses qui rappellent celles du *Saint Jean-Baptiste* (1877) et, d'autre part, le torse beaucoup plus travaillé, presque labouré, avec des crevasses, qui pourrait fort bien être le souvenir du *Torse d'homme* (tous deux au musée Rodin) que Rodin exécuta en 1877. Pour la première fois, le sculpteur reconnaissait de façon nette le statut d'œuvre aboutie à une figure en apparence inachevée. Celle-ci se libère de la représentation intégrale de la forme humaine et privilégie le dynamisme de la marche comme objet même de l'œuvre. Ainsi, *L'homme qui marche* fait deux pas en un : ses pieds sont collés au sol, achevant le premier pas, tandis que le pivotement du buste et des épaules anticipe le second. L'attitude suggère donc la permanence de la marche, son mécanisme progressif intègre dans la sculpture la notion du temps, de la durée. La maîtrise du mouvement est une des premières conquêtes de Rodin, qui s'épanouit pour l'une des premières fois dans la pose du *Balzac* (1898, Paris, musée Rodin) et que Matisse reprendra dans son *Serf* (1900-1908, Nice, musée Matisse). L'œuvre provoqua un tollé lorsqu'elle fut exposée; d'après les critiques, *L'homme qui marche* «n'était qu'une statue cassée», à quoi Rodin répliquait fièrement : «Et les antiques, est-ce qu'ils ne sont pas cassés? Je ne ferai plus rien d'entier. Je ferai des antiques…» (Cladel, 1936).

L'homme qui marche serait né de la décapitation que le sculpteur aurait fait subir à l'un des moulages du *Saint Jean* qu'il conservait dans son atelier. Par-delà l'anecdote, cela révèle chez l'artiste la conscience de l'inutilité de l'achèvement et de l'autosuffisance du fragment (Jarasse). Cependant, le caractère acéphale de la statue fut aussi reproché à Rodin qui rétorquait à cette critique : «Mais est-ce avec la tête qu'on marche?» En 1893, Bourdelle devint l'assistant de Rodin, collaboration d'où naquit une admiration réciproque. C'est ainsi qu'en 1927, dix ans après la mort de Rodin, cette statue fut fondue pour être offerte à son praticien, en remerciement de la restitution au musée Rodin des *Âmes du purgatoire* et de trois portraits en bronze qu'il fit de son maître.

Amélie Marty

Philippe-Laurent ROLAND
(Marcq-en-Pérèle, 1746 – Paris, 1816)

28
Samson
Cire rouge sur noyau de plâtre. H. 0,269 (dont le piédouche : 0,112). Cire : L. 0,115; Pr. 0,125. Base du piédouche : L. 0,127; Pr. 0,122. Inscription au revers du piédouche en plâtre, gravée à la pointe *Cire de la tête de Samson de / Roland de l'institut et de la légion d'honneur / Roland dedit mihi / Il y a joint une main et un pied / de la même figure aussi en cire / 1808.*
Historique
Collection Denise Genoux; don de Mlle Genoux, accepté par arrêté du 15 mars 1989. Inventaire RF 4235.
Bibliographie
Quatremère de Quincy, 1834, p. 106-107; David d'Angers, 1847, p. 16; Montaiglon (éd.), 1889, p. 103, 152 et 283; Lami, 1911, p. 300-301; Genoux, 1967, p. 197-198.
Exposition
Scherf, 1992, n° 25, repr.

Paris, musée du Louvre,
département des Sculptures.

Philippe-Laurent Roland, élève de Pajou, d'origine lilloise et d'extraction populaire, présente en 1782 un *Caton d'Utique* comme morceau d'agrément à l'Académie, avant d'être reçu dès l'année suivante avec un petit *Samson* de cire, modèle du marbre (0,915 m), exposé au Salon de 1795, dont cette tête est l'unique vestige (le corps ayant disparu). La sculpture fut apparemment ignorée par la critique du Salon (collection Deloynes, vol. XVIII, pièces 469-475); sans doute parce que le muscle et le *pathos*, qui évoquent l'héroïque *Milon de Crotone* de Puget (1683), ne s'accordaient pas à la froideur et à la perfection lisse des sculptures de Salon, sous Thermidor, où triomphent les thèses de Winckelmann. Malgré une formation classique en Italie (1770-1776), à ses frais et en marge de l'Académie, Roland paraît à la critique l'un de ces sculpteurs qui «vont chercher dans les tableaux de l'ancienne école française l'attitude affectée et l'expression grimacière de leurs figures», dédaignant l'«étude de l'antique» en allant à l'en-

contre des «règles du vrai beau trouvées par les anciens» (*Cinquième et dernière lettre, 11 pages, Ms*, collection Deloynes vol. XVIII, pièce 475, p. 583). La rage, l'effort, la résignation qui se reflètent sur son visage, et surtout la légère inclinaison de la tête (analogue à celle du *Milon*), augurent du reste de la sculpture que David d'Angers, qui fut son élève, décrit en plein mouvement : «Le héros [aveuglé] est représenté à l'instant où, quoique enchaîné, il va renverser une des colonnes, soutien du temple; ses pieds pincent le sol avec une contraction nerveuse qui trahit l'immuable résolution de son âme» (David d'Angers, 1847). De *Caton d'Utique* à *Hercule* et *Homère* qui firent sa notoriété, Roland semble surtout s'intéresser aux héros tragiques; on songe notamment au buste de *Caracalla* dont le regard fou, le visage tourné, la barbe et les cheveux frisés transparaissent dans le *pathos* exacerbé de Samson.

Maureen Marozeau

Félicien ROPS
(Namur, 1833 – Corbeil, 1898)

50
L'initiation sentimentale
(projet de frontispice)
Aquarelle, crayon de couleur, pierre noire, rehauts de blanc. H. 0,292; L. 0,182.
Signé au crayon noir, en bas au centre : *F. Rops*.
Annoté en bas au crayon de couleur : *IN LUMBIS DIABOLI VIRTUS (St Augustin)*.
Historique
Mme Demolder Rops (fille de l'artiste); don en 1921. Inventaire RF 5265.
Bibliographie
Hoffmann, 1981, fig. 34; Bruno Fornari, in cat. exp. Paris, 1991, p. 44.
Expositions
Bruxelles, 1893; Paris, 1985, n° 193; Paris, 1986, n° 111; Paris, 1997, n° 248.

Paris, musée du Louvre,
département des Arts graphiques.

«Vue de dos, le crâne couronné de roses, la Mort lève les ailes qui palpitent sur le dos vide; un corset de soie noire serre sa taille extravagamment mince, puis s'évase sur d'énormes fesses de chairs vives; d'une main elle tient l'arc de l'ancien Eros dont le carquois lui bat les jambes, de l'autre elle élève comme le chef sanglant du Précurseur la tête décapitée d'Hamlet.» Dans ce projet de frontispice pour *L'Initiation sentimentale* du Sâr Péladan (1887), Félicien Rops, dont la muse est volontiers macabre, exhibe tous les fantasmes d'une société bourgeoise adepte de messes noires et hantée, fascination connexe, par une sexualité morbide et nécrophile. Cette *vanité* décadente, qui reprend le thème baudelairien de l'alliance fatale de la femme et du démon, réunit tous les ingrédients de la danse macabre, décrits par Huysmans (*Certains*), apologiste attitré de l'artiste. Mais Rops renouvelle entièrement le répertoire allégorique médiéval par la confrontation brutale du désir charnel et de la mort, incarnée par cette «Salomé de sépulcre». Ici le papillon, symbole classique de la résurrection de l'âme, semble plutôt la placer sous des auspices funestes, tandis que le carquois d'Eros et le serpent originel condamnent l'amour profane. Inspiré par la mystique chrétienne, le duo énigmatique Salomé/Hamlet confirme le goût de l'artiste pour l'usage à rebours d'images conventionnelles. *La Tentation de Saint-Antoine* (Flaubert ; 1878, Bruxelles, Bibliothèque royale) et, plus tard, les illustrations de Rops pour *Les Diaboliques* de Barbey d'Aurevilly (1886) renforceront l'idée, chère au peintre comme à son ami Baudelaire, que la femme, avec l'aide du démon, finit par triompher de l'homme et du monde viril.

Emmanuelle Gueneau

51
La grande lyre
Mine de plomb, papier préparé, pierre noire, rehauts de blanc. H. 0,420 ; L. 0,185.
Historique
Mme Demolder-Rops (fille de l'artiste) ; don en 1921. Inventaire RF 5266.
Bibliographie
C. Camboulives, 1995.
Expositions
Bruxelles, 1893 ; Paris, 1985, n° 196 ; Paris, 1997, n° 249.

Paris, musée du Louvre,
département des Arts graphiques.

C'est en 1887 que parut le premier recueil de *Poésies* de Stéphane Mallarmé, publication luxueuse produite par la *Revue indépendante* selon le procédé de l'autographie, et limitée à quarante exemplaires. Cette édition rapidement épuisée, il fut question dès 1891 pour le poète de renouveler l'expérience : un nouveau recueil, posthume, des *Poésies*, parut finalement chez Deman à Bruxelles en 1899, réutilisant le frontispice de Rops déjà intégré à la première édition, *La grande lyre*. La feuille du Louvre, dessin préparatoire à la gravure, reprend le motif classique de la muse de la Poésie, détourné par le crayon sarcastique de Rops. Dénudée, la déesse antique foule les crânes laurés des académiciens qui s'amoncellent au pied de son siège. Le soubassement du trône, sorte d'autel où sont offerts les masques grimaçants des grands hommes, est animé d'un bas-relief où un Pégase squelettique semble chevauché par la Mort ailée. L'animal mythologique, issu d'un tronc de Méduse dont Persée trancha la tête, symbolise l'inspiration poétique affranchie des contingences terrestres. Ironie grinçante de Rops envers l'institution moribonde, les cordes de la lyre tendues par la muse sont pincées par des mains charnues – celles de Mallarmé ? – tandis que d'autres, diaphanes, surgies de nulle part – l'au-delà de l'immortalité où règnent désormais les académiciens – se tendent vers l'instrument sans jamais parvenir à l'atteindre.

Emmanuelle Gueneau

Giovanni Mauro Della ROVERE,
dit le Fiamminghino
(Milan, vers 1575 – Milan, 1640)

9
Sainte Véronique montrant la Sainte Face
Plume et encre brune, sur traces de pierre noire, lavis gris, rehauts de gouache blanche sur papier bleu. H. 0,307 ; L. 0,195. Doublé.
Historique
P.-F. Marcou ; J. et V. Trouvelot (L. 1918c) ; don en 1980 ; marque du Louvre (L. 1886). Inventaire RF 38437.
Bibliographie
Barelli, 1959 ; Coppa, 1972, p. 14-54.
Exposition
Paris, Louvre, 1981, n° 35.

Paris, musée du Louvre,
département des Arts graphiques.

Dans *La Légende dorée* de Jacques de Voragine, Véronique est la femme qui tend au Christ, sur la voie du Calvaire, un linge secourable où s'imprime la face du supplicié : « vraie image » *(vera icôn)*, d'où le nom de Véronique. Œuvre caractéristique de l'artiste, par sa technique et par son style, cette *Sainte Véronique* est hiératique et monumentale. Giovanni Della Rovere, qui s'était formé dans le milieu milanais du maniérisme tardif (Lomazzo, Figino), utilise le jeu des draperies pour construire son personnage et les forts contrastes de lumière qui caractérisent la tradition milanaise de Bramantino, Morazzone et Gaudenzio Ferrari. L'usage fréquent, parmi ces artistes, de rehauts denses de gouache sur du papier foncé permettait un meilleur rendu de la scène, qui renforce la narrativité de l'image, conformément aux idéaux artistiques et culturels de la Contre-Réforme. L'aspect populaire de la sainte, qui arbore le pesant tissu de l'*imago Christi*, dont la facture est sommaire, atteste le réalisme de l'artiste, proche du peuple. Cette esthétique atteint à son meilleur dans les cycles de fresques, strictement dévotionnels (cycle de saint Charles pour le Duomo de Milan, 1602-1604 ; fresques de Santa Maria presso San Celso ; cycle pour le Sacro Monte d'Orta, 1608-1616), et les toiles d'ample envergure (pour une liste des peintures du Fiamminghino, Coppa, 1972). Cette étude manifeste la pesanteur propre au style tardif de l'artiste, d'une structure habile, que l'on retrouve dans d'autres dessins de la même époque, comme le *Couronnement de la Vierge* de la Biblioteca Ambrosiana de Milan, daté de 1636 (Barelli, 1959, n° 77).

Ornella Matarrese

Johan Tobias SERGEL
(Stockholm, 1740 – Stockholm, 1814)

27
Samson et Dalila
Plume et lavis brun, traits de sanguine. H. 0,210 ; L. 0,246. Signé et daté à la plume en bas à gauche : *Sergell f. Roma 1776*.
Historique
J. H. Füssli (selon P. Bjurström) ; acquis en 1972. Inventaire RF 35699.

Bibliographie
Josephson, 1956, p. 237-238, n° 329 ; Sérullaz, 1973, p. 375-376, fig. 2.
Exposition
Paris, 1989, p. 41-42, n° 21.

Paris, musée du Louvre,
département des Arts graphiques.

Elève du sculpteur français Pierre-Hubert Larchevêque, le jeune Sergel fut initié au néoclassicisme par le grand Bouchardon et le comte de Caylus qu'il put fréquenter à Paris avec son maître en 1758. Dix ans plus tard (1767), Sergel entreprit le « voyage de Rome » : « C'est de ce jour que je peux dire avoir commencé mes études, ouvrant les yeux sur mon ignorance » (Bjurström, 1975, *Autobiographie*, 12 janvier 1797). Sacrifiant à la tradition, le sculpteur se résolut dès lors à « copier l'Antique pour acquérir la capacité de juger les beautés de la nature, d'éviter la défectuosité et imiter ce que la Nature a de parfait ; et apprendre que l'Antique n'a pas ce que communément on appelle manière, mais que l'Antique est le choix de la plus parfaite Nature, qui porte le nom de style ». Mais, en marge de l'hellénisme irénique prôné par Winckelmann, se constitue à Rome un cercle d'artistes nordiques – Füssli, Abildgaard, Romney – auquel Sergel adhéra bientôt : ils offraient une vision plus complexe et plus explosive de l'Antiquité. Ralliant les théories du *Sturm und Drang*, qui prônaient un art orageux, ils produisent au lavis une œuvre graphique qui n'est que ténèbres, violence et sensualité. Les dessins romains de Sergel, en sus des projets de sculptures, explorent inlassablement, jusqu'à la hantise, le jeu des relations amoureuses qui met en scène des femmes séductrices ou soumises. Le couple biblique de Samson et Dalila, que l'artiste dessine en 1776, montre au contraire une femme fatale, c'est-à-dire castratrice. Chargée par les Philistins d'enjôler Samson pour découvrir le secret de sa force, Dalila, l'ayant fait parler, tranche ses tresses dans son sommeil, puis le livre à ses bourreaux qui lui crèvent les yeux. Du livre des Juges, Sergel ne conserve que le motif du couple enlacé. Oubliant la barbarie philistine, l'action se concentre sur l'ablation de la chevelure, qui est le siège de la virilité du héros, dit « nazir de Dieu » (consacré à Dieu). Les tournures lascives et les gestes maniérés des personnages, encore marqués par les fastes rococo, n'empêchent pas la noirceur du lavis, où le peintre, assombri par la maladie et le deuil, projette sa *mélancolie* profonde. A la même époque, Sergel traduit ses états d'âme dans une série de feuilles antiquisantes qui sont autant de variations sur le thème du désespoir, où l'on pressent déjà la suite de lavis qui narrent, sous le titre d'*Hypocondrie*, la crise aiguë de 1795, exercice introspectif aux vertus cathartiques.

Emmanuelle Gueneau

Georges SEURAT
(Paris, 1859 – Paris, 1891)

64
La voilette
Crayon noir sur papier Ingres. Au verso :

silhouette d'un cheval de profil à droite et annotation au crayon rouge : *113 Seurat. G.* H. 0,315 ; L. 0,242.

Historique

Coll. Mme Camille Platteel ; Mme Susanne Léo Verger ; M. Jacques Dubourg ; acquis par dation en 1982. Inventaire RF 38977, recto.

Bibliographie

Cousturier, 1914, repr. 99 ; Kahn, 1928, repr. 56 ; Nebesky, 1934, repr. 159 ; De Hauke, II, 1961, n° 568 ; Minervino, 1973, p. 112-115 ; Lacambre et Thiébaut, 1983, n° 215.

Expositions

Paris, 1908-1909, n° 149 ; Paris, 1926, n° 71 ; Paris, 1957, n° 54 ; Paris, 1991-1992, n° 41.

Paris, musée du Louvre, département des Arts graphiques, fonds du musée d'Orsay.

En quête de variations subtiles sur le clair-obscur, Seurat, toujours soucieux des théories modernes de la vision (Chevreul, Dove, Humbert de Superville et l'Américain Rood…) et rompant avec l'esthétique académique de l'Ecole des Beaux-Arts, se consacre presque exclusivement, entre 1882 et 1883, à la pratique du dessin dit *indépendant* (Herbert, 1991). Il y fait preuve d'une rare maîtrise, qui délaisse le tracé linéaire de la tradition ingresque. Ainsi, dans *La voilette* de 1883, la morsure du crayon gras sur la granuleuse texture du papier produit des masses noires profondes et veloutées qui suggèrent, comme le titre l'indique, une image à l'estompe, c'est-à-dire voilée. Les détails s'effacent et le profil du torse n'apparaît qu'en volume. La puissance de l'effigie tient à la seule réserve de la feuille, qui correspond au bas du visage. D'où la dimension visionnaire du dessin, qui évoque Redon, voire Rembrandt. Cette étrange silhouette, inclinée vers l'arrière, distille un sentiment d'instabilité dans un monde immobile et silencieux. L'identité de l'héroïne reste inconnue, contrairement à la *Femme voilée* (coll. Signac), que l'artiste a dessinée un an plus tôt, et dont le modèle est sans doute sa mère. Avec d'autres anonymes déambulant dans les artères parisiennes, tels le *Clochard* (1883, Budapest, Szépmüvészeti Múseum), l'*Elégante* (1882, coll. Garibaldi) ou la *Fillette au chapeau* (1883, coll. Seligman), cette dame à la *Voilette* illustre la « vie moderne », chère à Baudelaire. Ce sont, en tout cas d'après Signac, « les plus beaux dessins de peintre qui soient » et, quoique exécutés en noir et blanc, ils sont « plus lumineux et colorés que maintes peintures » (*D'Eugène Delacroix au néo-impressionnisme*, 1899).

Hsiao-Shao Yeh

Andrea SOLARIO
(Milan, vers 1470-75 – Milan ou Pavie ? 1524)

15

Etude pour la tête de saint Jean-Baptiste

Pierre noire, pinceau et encre brune, lavis brun. H. 0,195 ; L. 0,263. Annotation en haut à droite à la plume et encre brune : *Raphael d'Vrbin (…?)*. Collé en plein.

Historique

E. Jabach (L. 2961), inv. ms. II, n° 626 (Perino del Vaga) ; entré dans le Cabinet du Roi en 1671 ;

marques du Louvre (L. 1899 et 2207). Inventaire 2570.

Bibliographie

Suida, 1931, p. 34 fig. 23/2 ; Cogliati Arano, 1966, p. 76-77, fig. 44 ; Brown, 1987, n° 39 ; Cogliati Arano, 1993, p. 41.

Exposition

Paris, 1985, n° 13.

Paris, musée du Louvre, département des Arts graphiques.

18

Tête de saint Jean-Baptiste

Huile sur toile collée sur panneau de bois. H. 0,460 ; L. 0,433. Signé et daté dans le coin inférieur droit : *Andreas de Solario fat 1507*.

Historique

Comte de Pourtalès-Gorgier, Paris, 1841 ; vente Pourtalès, 27 mars 1865, n° 116 ; Eugène Lecomte le donna au musée Napoléon-III en 1868. Inventaire MI 735.

Bibliographie

Badt, 1914, p. 40-41, 210-212, pl. XII ; Cogliati Arano, 1966, p. 28, n° 33, p. 76-77, fig. 36 ; Brown, 1987, n° 38 ; Mancinelli, 1987, p. 842 ; Arasse, 1992, p. 195-196, ill. 184 ; Cogliati Arano, 1993, p. 40.

Expositions

Paris, 1960, n° 182 ; Paris, 1985, n° 12.

Paris, musée du Louvre, département des Peintures.

Andrea Solario eut son premier contact avec la peinture flamande à Milan, où il commença sa formation, avant de la poursuivre à Venise. C'est là qu'il exécuta cette *Tête de saint Jean Baptiste*, juste avant son séjour en France de 1507, où l'artiste fut appelé par le cardinal mécène Georges Ier d'Amboise, pour décorer la chapelle du château de Gaillon, qu'il faisait reconstruire. La peinture est un présent qui répond à la dévotion particulière que le cardinal avait pour saint Jean-Baptiste, dont l'image apparaît sur son sceau officiel. La décapitation de saint Jean-Baptiste, thème du *Caput Sancti Johannis in disco* qui préfigure la Passion du Christ, connut une très grande diffusion à partir des XVe et XVIe siècles : en Europe du Nord avec Rogier van der Weyden et Memling, en Italie avec Gentile Bellini et Léonard de Vinci. Les nombreuses copies qui se trouvent en France (Brown, 1987, p. 206), en Italie (Milan, Pinacoteca Ambrosiana) et en Angleterre (Londres, National Gallery) témoignent du grand succès de la composition. La fortune durable du thème est attestée par la *Salomé* de Delaroche au Wallraf-Richartz Museum de Cologne (Andree, 1964, p. 37) et par les diverses copies exécutées par Redon (*Tête de Jean-Baptiste*, coll. particulière ; Fegdal, 1929, repr. pl. XXV). Dans le dessin du Louvre, la tête du martyr, ayant perdu son côté macabre, devient objet précieux, posé sur une large coupe, les lèvres et les yeux entrouverts, les cheveux étalés sur la surface luisante du plat. L'artiste traduit le « léonardisme dans un nouveau naturel lombard » (Castelfranchi Vegas, 1983, p 67) en transformant le motif central de la scène perverse en image de dévotion. Le dessin prépara-

toire, étude très soignée avec une forte composante lombardo-flamande, fut considéré d'abord comme une copie par L. Cogliati Arano (1966, p. 28-29, 77, 102), suivi par I. Combs-Stuebe (1969, p. 10 note 61) ; toutes deux y voyaient un certain maniérisme et une facture médiocre qui ne correspondent pas à l'écriture graphique de Solario. Mais, depuis 1993, il est promu au rang d'original par la même L. Cogliati Arano (1993, p. 40). Et le dessin présente une finesse de modelé qui le rapproche d'autres études du même artiste (*Tête du Christ*, Louvre, Inv. 2574 ; *Tête d'homme barbu*, New York, The Metropolitan Museum of Art, Inv. 06.1051.9). Les repentirs du profil militent pour une œuvre autographe qui présente peu de différences avec la peinture, notamment dans le traitement des cheveux. Le réalisme du saint, d'allure cadavérique, devait susciter chez les contemporains des sentiments de pitié ou de remords plutôt que d'horreur, « à une époque où les membres des martyrs font encore l'objet d'un culte des reliques » (Brown, 1987, p. 165).

Ornella Matarrese

Bartholomeus SPRANGER
(Anvers, 1546 – Prague, 1611)

23

Judith et Holopherne

Plume et encre brune, lavis brun avec rehauts de blanc sur papier préparé. H. 0,321 ; L. 0,214. Annoté à la plume, en bas à droite : *Spranger 1/12 f.*

Historique

Lambert Krake ; conquête révolutionnaire à Cologne en 1795 ; marque du Louvre (L. 1955) ; Inventaire 20474.

Bibliographie

Niederstein, 1931, p. 16-17, n° 20, repr. ; Benesch, 1947, p.152 et 182, n° 21, Oberhuber, 1958, p. 196, cat. n° 243 ; Lugt, 1968, n° 642, repr.

Expositions

Paris, 1965, n° 172, repr ; Paris, 1971, n° 91 ; Rennes, 1978, n° 127 ; Vienne, 1988, n° 647, repr. ; Prague, 1997, fig. I.19.

Paris, musée du Louvre, département des Arts graphiques.

Ce dessin est caractéristique du maniérisme de Spranger à la fin de sa vie. L'artiste étudia ce style tout d'abord à Fontainebleau, puis en Italie auprès de Corrège et de Parmesan. En 1581, nommé peintre à la cour de Rodolphe II, à Prague, sa présence contribue à l'éclosion d'un important foyer maniériste. Si A. Niederstein a d'abord daté ce dessin des années 1590, y décelant le *Teigstils* (style nouille) caractéristique des années 1590-1598, qui fait suite au *Knollenstils* (style bulbeux des débuts), sous l'influence de Parmesan), K. Oberhuber le situe plutôt en plein maniérisme tardif, dans les années 1606-1607, et considère qu'il aurait pu faire partie d'une série de dessins aujourd'hui perdus, sur le thème de la puissance féminine. Par les textes et par les images, Judith, à l'instar de Salomé, montre que, dans l'imaginaire masculin, la femme peut être perçue comme un être dangereux. Spranger fit plusieurs versions de l'héroïne, reconnaissable à ses attributs, l'épée et la tête d'Holopherne, consacrés par une iconographie ancienne. Le thème lui permet de jouer sur le contraste entre la féminité de l'héroïne, exaltée par l'art maniériste, et sa virilité guerrière, symbolisée par le sabre. L'héroïne, légère et gracieuse, apparaît comme une danseuse brandissant son trophée. Judith, au centre, partage la feuille entre le corps désormais inoffensif d'Holopherne, dont le bras monstrueux pend inerte, et la tête du général, qu'elle tend à sa servante. Les rideaux du baldaquin encadrent la scène comme celle d'un théâtre dont les actrices semblent participer à un ballet. Sprang efface l'aspect tragique de la scène par l'élégance des silhouettes et le jeu des drapés. Mais si l'hypothèse chronologique de K. Oberhuber se révèle exacte, cet art est déjà dépassé par la production picturale du début du siècle, qui se développe sous l'influence d'artistes comme Caravage ou Carrache.

Anna Sermonti et Clara Pujos

STATUAIRE GAULOISE
Fin du IIe siècle av. J.-C.

4

Tête coupée
Calcaire. H. conservée 0,270. Raccord matériel sur genoux droit d'un guerrier assis en 1987. H. reconstituée 0,300; L. 0,150; P. 0,160.
Historique
Tête isolée sous main droite découverte en 1946 (Entremont I, Bouches-du-Rhône : parcelle 3407); Dépôt archéologique du musée Granet, Aix-en-Provence; Inv. 7-1946.
Bibliographie
Benoit, 1947, p. 90, fig. 17, repr.; Coutagne, 1993, 2e éd., p. 201-202, fig. 23.
Exposition
Aix-en-Provence, 1993, 2e éd., p. 201-202, fig. 23, repr.

Aix-en-Provence, musée Granet.

Cette sculpture appartient à un ensemble de têtes coupées que l'on associe aux effigies de guerriers gaulois accroupis dans la « pose bouddhique », découvertes à proximité du sanctuaire de l'*oppidum* d'Entremont. Le site, qui est, avec celui de Roquepertuse, le plus important pour la connaissance de la statuaire gauloise de la fin du IIe siècle avant J.-C., est une référence chronologique précieuse pour l'histoire ancienne de la Gaule méridionale. La destruction de la place forte est datée par les textes anciens : Diodore de Sicile la situe en 124 avant J.-C. (*Bibl. hist.* XXXIV, 23). Elle ne fut l'objet d'aucune occupation postérieure : capitale des Salyens, peuple d'origine ligure (Italie du Nord-Ouest) mêlé à une population celte installée deux siècles plus tôt dans la vallée du Rhône, Entremont fut détruite par les troupes romaines venues appuyer l'expansion de Marseille *(Massilia)* « contre les Salyens qui ravageaient [son] territoire » (Tite-Live, *Epit.*, LX). La tête présentée, défigurée par le temps (nez, pommettes, menton), trahit un réalisme macabre : la schématisation du visage conduit à une dramatisation de l'expression (Benoit, 1949, p. 59). Les yeux, peut-être

clos, sont ovales, bordés d'une ciselure; la bouche est un sillon sans lèvres; les cheveux sont une simple calotte. Le cou est remplacé par un tenon cylindrique devant prendre place dans une mortaise circulaire. L'origine de cet art étrange est à la confluence de deux mondes. La culture hellénistique, dont témoigne la présence sur le site de céramiques importées de Grèce et d'Italie du Nord, a sans doute dicté le choix du matériau – qui est un calcaire local, là où la Gaule privilégie la sculpture sur bois. En attestent les ex-voto du musée de Dijon, découverts aux sources de la Seine au Ier siècle de notre ère. Mais cet art demeure fidèle à l'esprit celte : le trait incisé dans la matière relève d'une plastique indigène (Salviat, 1989, p. 498). Le motif des têtes coupées est récurrent dans l'art celte. On en récuse aujourd'hui la vocation « funéraire » qui associerait l'image du mort à celle de la mort, dans la tradition hellénistique où le défunt pose la main sur la tête d'Hermès psychopompe, dieu qui achemine les âmes jusqu'au Styx (Benoit, 1949, p. 53). On admet, depuis F. Salviat, que ces groupes statuaires sont le « miroir d'une société » : le terrifiant trophée d'une aristocratie guerrière qui conservait et exposait avec orgueil les têtes prises à l'ennemi, comme des talismans.

Carole Tardivon

Edward STEICHEN
(Luxembourg, 1879 – West Redding, 1973)

55

Gloria Swanson
Photographie. H. 0,243; L. 0,193.
Historique
Don du photographe en 1961; n° ML/S 1977/810
Bibliographie
Steichen, 1963, repr. n° 128.

Paris, Bibliothèque nationale de France, département des Estampes et de la Photographie.

Edward Steichen, photographe américain, commença sa carrière avec le groupe « Photo-Session », avant de participer au mouvement pictorialiste. L'artiste conserva toujours dans son art la nuance émotionnelle de ces recherches formalistes. En 1923 Condé Nast l'engagea comme chef photographe. Pendant les années vingt et trente, Steichen se mit à explorer les applications commerciales de la photographie, et sa technique fut vite tenue pour habile et novatrice. Steichen en conclut de fait que l'art et le commerce ne doivent pas forcément s'opposer, mais qu'ils peuvent au contraire s'épauler fort bien. Chez Condé Nast, le photographe travailla pour les magazines *Vanity Fair* et *Vogue*. Spécialisé dans les portraits d'acteurs du grand écran et la photographie de mode, il développa un style moderne qui devint plus inventif au contact des stars d'Hollywood. Aussi demandait-il à ses clients de participer à de petites mises en scène, agrémentées d'accessoires et d'effets de lumière artificielle. C'est ainsi qu'il les faisait réagir selon leur humeur, non sans réussite, les modèles laissant transparaître leur propre personnalité. Ce portrait est sans doute

le plus fameux de Gloria Swanson (1897-1983). En 1924, à l'âge de vingt-sept ans, l'actrice est à l'apogée de sa carrière. Elle vient de tourner avec Cecil B. De Mille et, la même année, joue dans *The Humming Bird* de Sidney Olcott et dans *A Society Scandal (Scandale)*, *Manhandled (Tricheuse)*, *Her Love Story (L'âme de reine)* et *Wages of Virtue (Le prix de la vertu)*, réalisés par Allan Dwan. Par la suite, elle élargit son répertoire en travaillant avec Raoul Walsh et Eric von Stroheim, mais sa carrière s'arrête net en 1931 avec l'arrivée des films parlants. Le *Sunset Boulevard* de Billy Wilder (1950) est entre autres le constat de cette brisure tragique. Steichen réalisa ce portrait, qui fit sensation à l'époque (Hudson et Lee, 1970, p. 51), pour *Vanity Fair*; et aujourd'hui encore le style et la technique demeurent impressionnants. C'est à propos de ce cliché que le photographe remarqua : « Gloria Swanson et moi avons eu une séance photographique très longue avec beaucoup de changements de costumes et d'effets de lumière différents. A la fin de la séance j'ai pris un voile de tulle noir et l'ai mis devant son visage. Elle a compris mon idée tout de suite. Ses yeux se sont dilatés, et son regard était celui d'un léopard femelle se cachant derrière des plantes en regardant sa proie. » Le voile de tulle noir donne du mystère et de l'exotisme à la personnalité de l'actrice, laquelle n'en abusa jamais. Les portraits de *Greta Garbo* (1928) et d'*Anna May Wong* (1930) reflètent la même élégance que cette effigie de star aux allures de sphynge.

Elizabeth Lawrence

Bibliographie

ANONYME, *Notes prises au jour le jour par un reporter,* Paris, 1887.

AINAUD DE LASARTE, Jean, voir cat. exp. Castres, musée Goya, 1974.

ALEXANDRE, Arsène, voir cat. exp. Paris, Exposition Universelle, Pavillon de l'Alma, 1900.

ALLINNE, Maurice, *Le sculpteur Paul Mosselman à Rouen,* Rouen, 1919.

Almanach du musée Grévin, Catalogue illustré du musée Grévin, Paris, 1890.

ALPERS, Svetlana, *L'atelier de Rembrandt. La liberté, la peinture et l'argent*, Paris, 1991 (1988).

ANDREE, Rolf, *Katalog der Gemälde des 19. Jahrhunderts im Wallraf-Richartz Museum*, Cologne, 1964.

ARASSE, Daniel, voir cat. exp. Vizille, musée de la Révolution Française, 1987.

ARASSE, Daniel, *Le Détail. Pour une histoire rapprochée de la peinture,* Paris, 1992.

Archives de la préfecture de police de Paris. Dossier Pranzini, 1987.

ARQUIE-BRULEY, Françoise, LABBE, Jacqueline, BICART-SEE, Lise, *La collection Saint-Morys au Cabinet des Dessins du musée du Louvre*, 2 vol., Paris, 1987.

ARTAUD, Antonin, cat. exp. Paris, galerie Pierre Loeb, 1947.

ARTAUD, Antonin, *Œuvres complètes*, Paris, 1956-1994.

ARTAUD, Antonin, *Le Théâtre et son double*, Paris, 1958.

AUBERT, Marcel, ROUX, Marcel, *Un siècle d'histoire de France par l'estampe 1770-1871, Collection de Vinck*, Paris, 1921.

BACON, Francis, *L'art de l'impossible. Entretiens avec David Sylvester*, Genève, 1976.

BACOU, Roseline, voir cat. exp. Paris, musée du Louvre, 1952.

BACOU, Roseline, *Odilon Redon*, Genève, 1956.

BACOU, Roseline, voir cat. exp. Paris, Orangerie des Tuileries, 1956-1957.

BACOU, Roseline, « De Van Eyck à Spranger, dessins des maîtres des anciens Pays-Bas », *Revue du Louvre et des Musées de France*, 1971, 1, p. 45-49.

BACOU Roseline, « Musée Delacroix, Delacroix et le fantastique », *Revue du Louvre et des Musées de France*, 1972, 3, p. 229-236.

BACOU, Roseline, voir cat. exp. Paris, musée du Louvre, 1978, 1983.

BACOU, Roseline, voir cat. exp. Paris, Palais de Tokyo, 1984.

BACOU, Roseline, *The Famous Italian Drawings from the Mariette Collection at the Louvre in Paris*, Milan, 1981.

BACOU, Roseline, BEAN, Jacob, voir cat. exp. Paris, musée du Louvre, 1958.

BACOU, Roseline, GLOT, Monique, SÉRULLAZ, Maurice, voir cat. exp. Paris, musée du Louvre, 1962.

BACOU, Roseline, CALVET, Arlette, *Dessins du Louvre. Ecoles allemande, flamande, hollandaise,* Paris, 1968.

BACOU, Roseline, CALVET, Arlette, COULANGES-ROSENBERG, Françoise, voir cat. exp. Paris, musée du Louvre, 1965.

BACOU, Roseline, VIATTE, Françoise, voir cat. exp. Paris, musée du Louvre, 1967.

BACOU, Roseline, VIATTE, Françoise, *Dessins du Louvre. Ecole italienne*, Paris, 1968.

BACOU, Roseline, VIATTE, Françoise, « Michel-Ange au Louvre », *Le Petit Journal des Grandes Expositions*, Paris, musée du Louvre, 1975.

BACOU, Roseline, VIATTE, Françoise, voir cat. exp. Paris, musée du Louvre, 1981-1982.

BADT, Kurt, *Andrea Solario. Sein Leben und seine Werke. Ein Beitrag zur Kunstgeschichte der Lombardei*, Leipzig, 1914.

BAL, Mieke, *Reading Rembrandt. Beyond the Word-Image Opposition*, Cambridge, 1991.

BAL, Mieke, « Head Hunting : Judith on the Cutting Edge of Knowledge », *The feminist companion to the Bible*, Sheffield, 1995, p. 253-285.

BALDASS, Ludwig von, « Hans Baldungs Frühwerke », *Pantheon*, 1928, vol. 2, p. 398-404.

BARBER, Stephen, « A Foundry of the Figure : Antonin Artaud », *Art Forum*, sept. 1987, p. 88-95.

BARELLI, Emma Spina, *Disegni di maestri lombardi del primo Seicento*, Milan, 1959.

BAROCCHI, Paola, *Michelangelo e la sua scuola : i disegni di Casa Buonarroti e degli Uffizi*, Florence, 1962.

BARON, Françoise, *Rapport pour acquisition du RF 3004, département des Sculptures*, Paris, 1972.

BARON, Françoise, JANKOWIAK, Corinne, VIVET, Christine, *Nouvelles acquisitions du département des Sculptures, 1988-1991*, Paris, 1992.

BARON, Françoise, JANKOWIAK, Corinne, VIVET, Christine, *Sculpture française. Moyen Age,* Paris, 1996.

BASCHET, Roger, *Le monde fantastique du musée Grévin*, Paris, 1982.

BAUCH, Kurt, *Der frühe Rembrandt und seine Zeit*, Berlin, 1960.

BAUMGART, Fritz, *Grünewald, Tutti i disegni*, Florence, 1974.

BÉGUIN, Sylvie, voir cat. exp. Paris, musée du Louvre, 1985.

BEHLING, Lottlisa, *Die Handzeichnungen des Mathis Gothart Nithart genannt Grünewald*, Weimar, 1955.

BENEDITE, Léonce, « Les dessins de Puvis de Chavannes au musée du Luxembourg », *Revue de l'Art ancien et moderne,* vol. 7, janvier 1900, p. 15-28.

BENESCH, Otto, *The Art of the Renaissance in Northern Europe*, Cambridge, 1947.

BENESCH, Otto, *The Drawings of Rembrandt*, Londres, 1954-57.

BENJAMIN, Walter, « Petite histoire de la photographie », *Die literarische Welt*, Berlin, 1931.

BENOIT, Fernand, « Recherches archéologiques dans la région d'Aix-en-Provence », *Gallia*, t. V, 1947, fasc. I, p. 81-97.

BENOIT, Fernand, « Le geste d'imposition de la main à Entremont », *Mélanges Picard*, t. I, Paris, 1949, p. 48-60.

BENOIT, Fernand, « Résultats historiques des fouilles d'Entremont », *Gallia*, t. XXVI, 1968, fasc. I, p. 1 *sq.*

BENOIT Jérémy, voir cat. exp. Paris, Grand Palais, 1989.

BERALDI, Henri, *La gravure au XIXᵉ siècle, guide de l'amateur d'estampes*, Paris, 1891.

BERENSON, Bernard, *The drawings of the Florentine Painters classified criticised and studied as documents in the history and appreciation of Tuscan Art*, 2 vol., Londres, 1903.

BERENSON, Bernard, *Italian Pictures of the Renaissance*, Oxford, 1932.

BERENSON, Bernard, *The Drawings of the Florentine Painters,* 3 vol., Chicago, 1938.

BERENSON, Bernard, *I disegni dei pittori fiorentini*, 3 vol., Milan, 1961.

BERGOT, François, *Le dossier d'un tableau, « Saint Luc peignant la Vierge » de Martin Van Heemskerck*, Rennes, 1974.

BERGOT, François, voir cat. exp. Rennes, musée des Beaux-Arts, 1978.

BERNHARD, Marianne, *Hans Baldung Grien. Zeichnungen, Druckgraphik*, Munich, 1978.

BERNSTEIN HOWELL, Joyce, « Delacroix's lithographs of antique coins », *Gazette des Beaux-Arts,* juillet-août 1994, p. 15-24.

BERTI, Luciano, « I designi », *Michelangelo, Artista, Pensatore, Scrittore* (ouvrage collectif), 2 vol., Novare, 1965, p. 389-541.

BESNARD-BERNADAC, Marie-Laure, RICHET Michèle, SECKEL Hélène, *Musée Picasso. Catalogue sommaire des collections,* t. I, Paris, 1985.

BESSARD, Bella, « Three Berry Mourners », *Metropolitan Museum Journal,* t. I, 1968.

BJURSTRÖM, Per, *Sergel, dessins,* Paris, 1975.

BLANKERT, Albert, RIKE, Ina, *Ferdinand Bol, c. 1616-1680, Rembrandt's pupil,* Doornspijk, 1982.

BOMFORD, David, BROWN, Christopher, ROY Ashok, voir cat. exp. Londres, The National Gallery, 1988, p. 58-65.

BONFAND, Alain, *L'œil en trop,* 2 vol., Paris, 1988.

BOON, Karel, VAN HASSELT, Carlos, voir cat. exp. Florence, Paris, 1980-1981.

BOREL, France, KUNDERA, Milan, *Bacon, portraits et autoportraits,* Paris, 1996.

BOTH DE TAUZIA, Vicomte L., *Notice des tableaux appartenant à la collection du Louvre exposés dans les salles du Palais de Compiègne,* Paris, 1881.

BOUBLI, Lizzie, « " Magnifico mastre Alonso Berruguete " : introduction à l'étude de son œuvre graphique », *Revue de l'Art,* 103, 1994, p. 11-32.

BOUCHER, Marie-Christine, voir cat. exp. Paris, Ottawa, 1976-1977.

BOUCHER, Marie-Christine, *Catalogue des dessins et peintures de Puvis de Chavannes,* Paris, 1979.

BOUDAILLE, Georges, MOULIN, Raoul Jean, *Pablo Picasso,* Paris, 1971.

BOUDIN, Bernard, SÉBIRE, Martin, *Grandes énigmes criminelles. Innocent ou coupable ?,* Genève, 1978.

BROWN, David Alan, *Andrea Solario,* Milan, 1987.

BRUCKNER, Wolfgang, *Portrait et coutume. Etude de la fonction picturale des effigies,* Berlin, 1966.

BURESI, Monique, *Dessins de Raffet conservés au Cabinet des dessins du musée du Louvre,* mémoire de maîtrise, Paris, 1986.

BURTY, Philippe, « Vente Raffet », *Gazette des Beaux-Arts,* VI, 1860, p. 313-316.

CABANNE, Pierre, *Jean Fautrier,* Paris, 1988.

CACHIN-NORA, Françoise, *Klee au Musée national d'Art moderne,* Paris, 1972.

CAFFORT, Michael, *Seicento. La peinture italienne du XVII* siècle et la France,* Paris, 1990.

CAMBOULIVES Catherine, « La lyre et le squelette, Félicien Rops ou les vrais frontispices, », *Cahiers Stéphane Mallarmé,* 1995.

CAMON AZNAR, José, voir cat. exp. Madrid, Museo Español de Arte Contemporaneo, 1972.

CAMON AZNAR, José, « Fortuny, pintor mudéjar », *Goya,* 123, nov.-déc. 1974, p. 136-143.

CAMUS, Michel, *Antonin Artaud. Une autre langue du corps,* Paris, 1996.

CANTELLI, Giuseppe, voir cat. exp. Florence, Palazzo Strozzi, 1974.

CARLSON, Victor, CAMPBELL, Richard J., voir cat. exp. Los Angeles, County Museum of art, 1993-1994.

CARPANETO, Maria Grazia, « Raffaellino del Garbo, I. parte », *Antichità viva,* 4, juillet-août 1970, p. 3-23.

CASSANI, Silvia, voir cat. exp. Naples, Museo di Capodimonte, 1984.

CASSOU, Jean, *Odilon Redon,* Paris, 1972.

CASTELFRANCHI VEGAS, Liana, *Italie et Flandres dans la peinture du XV* siècle,* Milan, 1983.

CAUBET, Jean-Marie, *Souvenirs 1860-1889,* Paris, 1893.

CAZALIS, H., *Henri Regnault, sa vie et son œuvre,* Paris, 1872.

CAZAUMAYOU Henri, *Dessins de Victor Hugo,* Paris, 1985.

CHAPPELL, Miles L., voir cat. exp. Florence, Palazzo Pitti, 1984.

CHEVILLOT, Christian, *Peintures et sculptures du XIX* siècle, la collection du musée de Grenoble,* Paris, 1995.

CLADEL, Judith, *Rodin, sa vie glorieuse, sa vie inconnue,* Paris, 1936.

COGLIATI ARANO, Luisa, *Andrea Solario,* Milan, 1966, 2* éd.

COGLIATI ARANO, Luisa, « I disegni di Andrea Solario. Dal secondo lustro del Cinquecento al riento dalla Francia », *Fimantiquari,* 2, 1993, p. 37-45.

Collection Deloynes, collection de pièces sur les Beaux-Arts (1673-1808)

COMBS-STUEBE, Isabel, « The Johannisschüssel : From Narrative to Reliquary to Andachtsbild », *Marsyas,* XIV, 1969, p. 1-16.

COMPIN, Isabelle, ROQUEBERT, Anne, *Catalogue sommaire illustré des peintures du musée du Louvre et du musée d'Orsay. Ecole française,* Paris, 1986.

COPPA, Simonetta, « Schede per il Fiammenghino », *Arte Lombarda,* 37, XVII, 1972, p. 14-54.

CORDELLIER, Dominique et PY, Bernadette, voir cat. exp. Rome, Académie de France, Villa Médicis, 1992.

CORDELLIER, Dominique et PY, Bernadette, *Inventaire général des dessins italiens, Raphaël, son atelier, ses copistes, musée du Louvre, département des Arts Graphiques,* Paris, 1992.

COURAJOD, Louis, « Observations sur deux bustes du Musée de Sculpture de la Renaissance au Louvre », *La Gazette des Beaux-Arts,* Paris, juillet 1883, p. 24-42.

COUSTET, Robert, *L'Univers d'Odilon Redon, Les carnets de dessins,* Paris, 1984.

COUSTURIER L., « Les dessins de Seurat », *L'art décoratif,* 201, mars 1914.

COUTAGNE, Denis, voir cat. exp. Avignon, Petit Palais, 1981.

COUTAGNE, Denis, *Archéologie d'Entremont au musée Granet,* Aix-en-Provence, 1993, 2* éd.

DACOS, Nicole, « Jan Cornelisz Vermeyen, Martin van Heemskerck, Herman Posthumus. A propos de deux livres récents », *Revue belge d'archéologie et d'histoire de l'art,* LX, 1991, p. 99-113.

DAIX, Pierre, *La vie de peintre de Pablo Picasso,* Paris, 1977.

DAIX, Pierre, *Picasso,* Paris, 1990.

DAIX, Pierre, *Dictionnaire Picasso,* Paris, 1995.

D'ANGERS, Pierre-Jean David, *Roland et ses ouvrages,* Paris, 1847.

DAVILLIER, Baron de, *Fortuny, sa vie, son œuvre, sa correspondance,* Paris, 1875.

DE GRAZIA, Diane, *Bertoia, Mirola and the Farnese Court,* Parme, 1991.

DELEUZE, Gilles, « The Schizophrenic and Language : Surface and Depth in Lewis Carroll and Antonin Artaud », *Textual Strategies : Perspectives in Post-Structuralist Criticism,* Ithaca, 1979, p. 286-87.

DELEUZE, Gilles, *Francis Bacon. Logique de la sensation,* Paris, 1984.

DELEVOY, Robert L., voir cat. exp. Paris, musée des Arts décoratifs, 1985.

DEMONTS, Louis, *Musée du Louvre. Inventaire général des dessins des Ecoles du Nord. Ecoles Allemande et Suisse,* 2 vol., Paris, 1937-1938.

DEQUEKER, Jean, *La Tour de Feu,* 63-64, déc. 1959.

DERRIDA, Jacques, voir cat. exp. Paris, musée du Louvre, 1990-1991.

DESTREE, Jules, *L'œuvre lithographique d'Odilon Redon. Catalogue descriptif,* Bruxelles, 1891.

DICKEY, Stephanie S., « School of Rembrandt : n° 73 Beheading of Prisoners » voir cat. exp. New York, The Metropolitan Museum of Art, t. II, 1995, p. 180-182.

DOIN, Jeanne, « Odilon Redon », *Le Mercure de France,* 409, 1914, p. 5-22.

DRAPER, James David, « Philippe-Laurent Roland in the Metropolitan Museum of Art », *Metropolitan Museum Journal,* 27, New York, 1992.

DUPARC, Arthur, *Correspondances de Henri Regnault,* Paris, 1872.

DURAND, Ariane, « Odilon Redon et Armand Clavaud ou les étroits contacts entre la botanique, l'art et la philosophie », *Revue Historique de Bordeaux et du département de la Gironde,* XXIV, 1975, p. 150-182.

DUSSLER, Luitpold, *Die Zeichnungen des Michelangelo : Kritischer Katalog,* Berlin, 1959.

DUVERGER, Jacques, *De Brusselsche Steen bickeleren,* Gand, 1933.

ELSEN Albert E., *Origins of modern sculpture : pionniers and premises,* Londres, 1974.

ENGELBERTS, Edwin, *Jean Fautrier, œuvre gravé, œuvre sculpté. Essai d'un catalogue raisonné,* Genève, 1969.

EPHRUSSI, Charles, *Albert Dürer et ses dessins,* Paris, 1882.

FAHY, Everett, « The earliest Work of Fra Bartolomeo », *The Art Bulletin,* vol. 51, 1969, p. 142-154.

FAHY, Everett, « A Holy Family by Fra Bartolomeo », *Los Angeles County Museum of Art Bulletin,* vol. 20, 2, 1974, p. 9-17.

FALK, Tilman, HIRTHE, Thomas, voir cat. exp. Munich, Staatliche Graphische Sammlung, 1991.

FEGDAL, Charles, *Odilon Redon,* Paris, 1929.

FILIPPI, Elena, *Maarten van Heemskerck. Inventario Urbis,* Milan, 1990.

FISCHER, Chris, voir cat. exp. Florence, Galleria degli Uffizi, 1986.

FISCHER, Chris, voir cat. exp. Rotterdam, Museum Boymans-Van Beuningen, 1990.

FISCHER, Chris, voir cat. exp. Paris, musée du Louvre, 1994-1995.

FLECHSIG, Eduard, *Albert Dürer. Sein Leben und seine künstlerische Entwickelung*, Berlin, 1931.

FORNARI, Bruno, voir cat. exp. Paris, Centre Wallonie-Bruxelles, 1991.

FORNARI, Bruno et PINGEOT, Anne, voir cat. exp. Paris, Grand Palais, 1997.

FORTUNY Y MADRAZO, Mariano, *Mariano Fortuny*, Milano, 1931.

FOUCAULT, Michel, *Histoire de la Folie à l'âge classique. Folie et déraison*, Paris, 1961.

FRANCIS, Richard, voir cat. exp. Liverpool, Tate Gallery, 1990.

FRANZ, Erich, GROWE, Bernd, *Georges Seurat, dessins*, Paris, 1984.

FREEMAN, Judi, *Picasso and the weeping women*, Los Angeles, 1994.

FREUD, Sigmund, «La tête de Méduse», *Résultats, Idées, Problèmes*, II, *1921-1938*, Paris, 1992, 3e éd.

FREY, Karl, *Die Handzeichnungen Michelagniolos Buonarroti*, 3 vol., Berlin, 1909-1911.

FRIEDLÄNDER, Max J., *Die Zeichnungen von Matthias Grünewald*, Berlin, 1927.

FRIEDLÄNDER, Max J., *Die altniederländische Malerei*, t. XIII, Leyde, 1936.

FROEHNER, Wilhelm, *La colonne Trajane décrite par…*, Paris, 1865.

FROEHNER, Wilhelm, *La colonne Trajane d'après les surmoulages exécutés à Rome en 1861-1862*, 4 vol., Paris, 1871-1874.

GABELENTZ, Hans-Conon von der, *Fra Bartolomeo und die florentiner Renaissance*, Leipzig, 1922.

GABORIT, Jean-René, *Nouvelles acquisitions du département des Sculptures, musée du Louvre, 1984-1987*, Paris, 1988.

GAUTIER, Théophile, *Œuvres de Henri Regnault exposées à l'Ecole des Beaux-Arts*, Paris, 1870.

GEDRIM, Ronald J., *Edward Steichen*, Oxford, 1996.

GEELHAAR, Christian, *Paul Klee et le Bauhaus*, Neufchâtel, 1972.

GELDZAHLER, Henry, «Edward Steichen : the influence of a camera», *Art News*, vol. 60, 3, 1961, p. 26-29.

GENOUX, Denise, «Travaux de sculpture exécutés par Roland pour Lhuillier, Rousseau l'Aîné et Molinos et Legrand», *Bulletin de la Société de l'histoire de l'art français*, 1967, p. 189-198.

GEORGEL, Pierre, voir cat. exp., Londres, Victoria and Albert Museum, 1974.

GERE, John A., TURNER, Nicholas, *Drawings by Raphael : from the Royal Library, the Ashmolean, the British Museum, Chatsworth and other English collections*, Londres, 1983.

GERVIS, Daniel, GAUDON, Jean, voir cat. exp. Tokyo, 1993.

GILTAIJ, Jeroen, «The Function of Rembrandt Drawings», *Master Drawings*, 27, 1989, p. 111-17.

GIRARD, René, *Mensonge romantique et vérité romanesque*, Paris, 1961.

GIRODET DE ROUCY-TRIOSON Anne-Louis, *Œuvres posthumes, suivies de sa correspondance, précédées d'une notice historique, mises en ordre par P. A. Coupin*, 2 vol., Paris, 1829.

GOLDSCHEIDER, Ludwig, *Michelangelo Drawings*, Londres, 1951.

GOLDSCHEIDER, Cécile, *Rodin, catalogue raisonné de l'œuvre sculpté*, Paris, 1989.

GOTT, Ted, voir cat. exp. Melbourne, National Gallery of Victoria, 1990.

GRABAR, André, *La Sainte Face de Laon : le Mandylion dans l'art orthodoxe*, Prague, 1931.

GRAZIA, Diane de, *Bertoia, Mirola and the Farnese Court*, Parme, 1991.

GROTE, Ludwig, *Dürer, étude biographique et critique*, Genève, 1965.

GRUNFELD, Frederic V., *Rodin*, Paris, 1988.

GUIFFREY, Jules, MARCEL, Pierre, ROUCHES, Gabriel, *Inventaire général des dessins du musée du Louvre et du musée de Versailles, Ecole française*, Paris, 1927.

HAAK, Bob, *Rembrandt. Dessins*, Paris, 1975 (1974).

HAGEN, Oskar, *Matthias Grünewald*, Munich, 1920, 2e éd.

HARTT, Frederick, *The Drawings of Michelangelo*, Londres, 1971.

HEINRICH, Theodore Allen, voir cat. exp., New York, The Metropolitan Museum of Art, 1955.

HERDING, Klaus, voir cat. exp. Paris, musée Picasso, 1991-1992.

HIRSCH, Jean-François, «Voiles et moiteurs», *La recherche photographique*, 5, novembre 1988, p. 57-63.

HIRST, Michael, voir cat. exp. Paris, musée du Louvre, 1989.

HOETINK, Hans, *L'univers de Dürer*, Paris, 1971.

HOFMANN, Werner, *Une époque en rupture 1750-1830*, Paris, 1995.

HOFFMANN, Edith, «Notes on the iconography of Félicien Rops», *Burlington Magazine*, avril 1981, 123, p. 206-218.

HOFSTEDE DE GROOT, Cornelis., *Die Handzeichnungen Rembrandt's*, Haarlem, 1906.

HONEGGER, Marc, *Dictionnaire de la musique : les hommes et leurs œuvres*, Paris, 1986.

HUCHARD, Vivianne, *La peinture du XXe siècle au musée de Picardie* (ouvrage collectif), Amiens, 1992.

HUDSON, Richard M., LEE, Raymond, *Gloria Swanson*, New York, 1970.

JARASSE, Daniel, *La passion du mouvement*, Paris, 1993.

JOANNIDES, Paul, *The Drawings of Raphael*, Oxford, 1983.

JOANNIDES, Paul, voir cat. exp. Washington, National Gallery of Art, 1997.

JOANNIDES, Paul, *Inventaire des dessins de Michel-Ange au Louvre* (titre provisoire), à paraître.

JOHNSON, Lee, «The formal sources of Delacroix's *Barque de Dante* », *Burlington Magazine*, 1958, 100, p. 228-234.

JOSEPHSON, Ragnar, *Sergels fantasi*, Stockholm, 1956.

KAHN, Gustave, *Les dessins de Georges Seurat*, Paris, 1928.

KAUFFMANN, Hans, «Zur Kritik der Rembrandtzeichnungen», in *Repertorium für Kunstwissenschaft*, vol. 47, Berlin, 1926, p. 157-178.

KIRBY, Jo, ROY, Ashok, *Paul Delaroche, a case study of academic painting. Historical painting techniques, materials, and studio practise : preprints of a symposium*, Université de Leyde, Leyde, 1995, p. 166-175.

KLEE, Paul, *Théorie sur l'art moderne*, Genève, 1968.

KNAPPE, Karl Adolf, «Baldung als Entwerfer der Glasgemälde in Großgründlach», *Zeitschrift für Kunstwissenschaft*, Band XV, Berlin, 1961.

KNAPPE, Karl Adolf, OETTINGER, Karl, *Hans Baldung Grien und Albrecht Dürer in Nürnberg*, Nuremberg, 1963.

KOCH, Carl, *Die Zeichnungen Hans Baldung Griens*, Berlin, 1941.

KOCH, Carl, «Beiträge zur Kenntnis von Baldungs Zeichenkunst», *Pantheon*, t. XXVII, 1941, p. 186-194.

KRAHMER, Catherine, «Rodin Revu», *Revue de l'art*, 74, Paris, 1986, p. 64-72.

KRUFT, Hanno-Walter, *Francesco Laurana, ein Bildhauer der Frührenaissance*, Munich, 1995.

KRUFT, Hanno-Walter, MALMANGER, Magne, «Francesco Laurana : Beginnings in Naples», *Burlington Magazine*, 116, 1974, p. 9-12.

KURZ, Otto, «Giorgio Vasari's Libro dei Disegni», *Old Master Drawings*, t. II, 1937, p. 1-15, p. 32-44.

LACAMBRE, Geneviève, «Lucien Lévy-Dhurmer (1865-1963)», *Revue du Louvre et des Musées de France*, 1, 1973, p. 27-34.

LACAMBRE, Geneviève, THIÉBAUT, Philippe, *Catalogue sommaire illustré des nouvelles acquisitions du musée d'Orsay, 1980-1983*, Paris, 1983

LACAMBRE, Jean, «Un style international en 1850 : à propos de l'exposition Delaroche», *Revue du Louvre et des Musées de France*, 5 / 6, p. 337-340.

LACAMBRE, Jean et SÉRULLAZ, Arlette, voir cat. exp. Paris, Grand Palais, 1974-1975.

LAMI, Stanislas, *Dictionnaire des sculpteurs de l'école française du XVIIIe siècle*, Paris, 1911.

LEAL, Brigitte, voir cat. exp. Paris, musée Picasso, 1987-1988.

LEAL, Brigitte, voir cat. exp. Paris, musée Picasso, 1991-1992.

LECOMTE, Florent, *Cabinet des singularitez d'architecture, peinture, sculpture et gravure…*, Bruxelles, 1702.

LE FOLLIC, Stéphanie, voir cat. exp. Avignon, Palais des Papes, 1996.

LEGRAND Catherine coord., FORCIONE Varena, GOARIN Véronique, SCHECK Catherine, *Inventaire général des dessins, Ecole française, de Pagnest à Puvis de Chavannes, musée du Louvre, musée d'Orsay, département des Arts graphiques*, Paris, 1997.

LEHRS Max, *Geschichte und kritischer Katalog der deutschen, niederländischen und französischen Kupferstichs im 15. Jahrhundert*, Vienne, 1925.

LEIRIS, Michel, *Francis Bacon*, Paris, 1987.

LEMIRE, Michel, *Artistes et Mortels*, Paris, 1995.

LEVEQUE, Jean-Jacques, *L'art et la Révolution française,* Neufchâtel, 1987.

LEVINE, Amy-Jill, « Sacrifice and salvation : Otherness and Domestication in the Book of Judith », *The feminist companion to the Bible*, Sheffield, 1995, p. 208-223.

LIPPMANN Friedrich, *Zeichnungen von Albrecht Dürer*, 7 vol., Berlin, 1894-1929.

LOESER, Carlo, « I quadri italiani nella galleria di Strasburgo », *Archivio Storico dell'Arte*, II, Rome, 1896, p. 277-287.

LONGHI, Roberto, *Officina Ferrarese e dai nuovi ampiamenti*, Florence, 1956.

LORENZ Paul, *L'affaire Pranzini*, Paris, 1971.

LUGT, Frits, « Rembrandt, ses élèves, ses imitateurs, ses copistes », *Musée du Louvre. Inventaire Général des Dessins des Ecoles du Nord. Ecole hollandaise*, t. III, Paris, 1933.

LUGT, Frits, VALLERY-RADOT, Jean, *Inventaire général des dessins des écoles du Nord*, Paris, 1936.

LUGT, Frits, *Musée du Louvre. Inventaire Général des Dessins des Ecoles du Nord. Maîtres des Anciens Pays-Bas nés avant 1550,* Paris, 1968.

MAEDER, Thomas, *Antonin Artaud*, Paris, 1978.

MANCINELLI, Fabrizio, « Solario, Andrea », in *La Pittura in Italia. Il Cinquecento*, 2 vol., Venise, 1987.

MANNING, Suida, « A Panorama of Italian Painting », *Apollo,* mars 1980, p. 184.

MARIN, Louis, « Ruptures ou le parcours d'une tête coupée : Jean et Salomé à Prato », *Cahiers de psychologie de l'art et de la culture*, 15, 1989, p. 9-28.

MARX, Roger, *Les artistes célèbres. Henri Regnault,* Paris, 1890.

MASON, Rainer Michael, voir cat. exp. Genève, musée d'Art et d'Histoire, 1975, p. 55-60.

MASSIN Jean, *Œuvres complètes*, Paris, 1967.

MAVRAKIS, Annie, « Où commence le Diable : Judith à la rencontre de Salomé », *Storia dell'Arte*, 71, 1991, p. 120-135.

McALLISTER JOHNSON, William, « From Favereau's *Tableaux des Vertus et des Vices* to Marolles'*Tableaux du Temple des Muses* », *Gazette des Beaux-Arts*, 1968, 2, p. 171-190.

MEJANES, Jean-François, voir cat. exp. Paris, musée du Louvre, 1983.

MELLERIO, André, *Odilon Redon*, Paris, 1913.

MELLERIO, André, « Odilon Redon, 1840-1916 », *Gazette des Beaux-Arts*, t. II, août-septembre 1920, p. 137-156.

MEREDIEU, Florence de, *Portraits et gris-gris*, Paris, 1984.

MEZIERES, Alfred-Jean-François, « Michel-Ange, Poète », *Gazette des Beaux-Arts*, t. XIII, 1876, p. 204-221.

MICHEA, R., « Quelques détails inédits sur le voyage en Italie de Greuze et de Gougenot », *Etudes italiennes*, avril-juin 1934, p. 136-154.

MICHEL, Régis, voir cat. exp. Paris, musée du Louvre, 1989.

MIDDELDORF, Ulrich, « Letters to the editor », *The Art Bulletin*, 1945, t. XXVII, p. 218-219.

MINERVINO, Fiorella, CHASTEL, André, *Tout l'œuvre peint de Seurat*, Paris, 1973.

MONBEIG GOGUEL, Catherine et VITZTHUM, Walter, *Le dessin à Naples du XVIe siècle au XVIIIe siècle*, Paris, 1967.

MONBEIG GOGUEL, Catherine, voir cat. exp. Paris, musée du Louvre, 1981-1982.

MONTAIGLON, Anatole de (éd.), *Procès-verbaux de l'Académie Royale de Peinture et de Sculpture 1648-1793*, Paris, 1889.

MORAND, Kathleen, *Claus Sluter, artist at the court of Burgundy,* Londres, 1991.

MOREL D'ARLEUX, Lucien, *Inventaire manuscrit des dessins du Louvre établi par Morel d'Arleux, Conservateur du Cabinet des Dessins du Louvre, de 1797 à 1827*, 11 vol.

MOUREYRE-GAVOTY, Françoise de la, *Sculpture italienne, musée Jacquemart-André,* Paris, 1975.

MUNHALL, Edgar, « Les dessins de Greuze pour le Septime Sévère », *L'Œil*, 124, avril 1965, p. 22-29 et p. 59.

NEBESKY, Vaclav, « Kolem Seurata », *Zivot*, août 1934.

NIEDERSTEIN, Albrecht, « Das graphische Werk des Bartholomeus Spranger », *Repertorium für Kunstwissenschaft*, Berlin et Leipzig, t. LII, 1931, p. 1-33.

NURIDSANY, Michel, *La commande publique, 1982-1990*, Paris, 1991.

OBERHUBER, Konrad, *Raphaels Zeichnungen*, Berlin.

OBERHUBER, Konrad, *Die Stilistische Entwicklung im Werk Bartolomaeus Spranger*, Vienne, 1958.

OSTEN, Gert von der, *Hans Baldung Grien. Gemälde und Dokumente,* Berlin, 1983.

PALAU I FABRE, Josep, *Picasso vivant (1881-1907),* Paris, 1990.

PANOFSKY, Erwin, *La vie et l'art d'Albert Dürer*, Paris, 1987 (1943).

PAPETTI, Yolande et TISSERON, Serge, *La passion des étoffes chez un neuro-psychiatre, G.G. de Clérambault*, Paris, 1981.

PARKER, Karl Theodor, « Quelques dessins de Hans Baldung Grien à Paris », *Archives alsaciennes d'histoire de l'art*, t. III, 1924.

PATERA, Benedetto, « Francesco Laurana a Sciacca », *Storia dell'arte,* 38-40, 1980, p. 167-184.

PATERA, Benedetto, *Francesco Laurana in Sicilia,* Palerme, 1992.

PAULSON, Ronald, voir cat. exp. Los Angeles, Whight Art Gallery, 1988.

PERRIG, Alexander, *Michelangelo's Drawings, The Science of Attribution*, New Haven et Londres, 1991.

PEYRE, Yves, *Fautrier*, Paris, 1990.

PICON, Gaétan, FOCILLON, Henri, PICON, Geneviève, BARGIEL, Réjane, voir cat. exp. Paris, Bibliothèque nationale de France et Ville de Paris, 1985.

PINGEOT, Anne, voir cat. exp. Paris, musée d'Orsay, 1990.

PIOT, Eugène, « La sculpture à l'exposition rétrospective du Trocadéro », *La Gazette des Beaux-Arts*, 1878, 2, p. 811-840.

PIZZORUSSO, Claudio, « Un documento e alcune considerazioni su Cristofano Allori », *Paragone*, 337, 1978, p. 60-75.

POLLEROSS, Friedrich, « Between typology and psychology : the role of the identification portrait in updating Old Testament representations », *Artibus et historiae*, t. XII, 24, 1991, p. 75-117.

POPE-HENNESSY, John, *The Frick Collection, an illustrated catalogue,* vol. III, *Italian sculpture,* New York, 1970.

POPE-HENNESSY, John, *Italian Renaissance sculpture,* Londres et New York, 1971.

POPHAM, A. E., WILDE, Johannes, *The Italian Drawings of the XV and XVI Centuries in the Collection of His Majesty the King at Windsor Castle*, Londres, 1949.

POUNCEY, Philip, « Raccolta di Scritti », *Master Drawings*, t. II, 3, p. 279-294, 1964.

PRADEL, Pierre, *Nouveaux documents sur le tombeau de Jean de Berry, frère de Charles V*, Monuments et Mémoires, Fondation Eugène Piot, 1957.

PREAUD, Maxime, voir cat. exp. Paris, Bibliothèque nationale de France, 1971.

PREIBISZ, Léon, *Martin van Heemskerck*, Leipzig, 1911.

PRICE, Aimée Brown, « Puvis de Chavannes's caricatures : manifestoes, commentary, expressions », *The Art Bulletin,* vol. LXXIII, mars 1991, p. 119-140.

PROSPERI VALENTI RODINÒ, Simonetta, voir cat. exp. Rome, Villa della Farnesina alla Lungara, 1977.

QUARRÉ, Pierre, voir cat. exp. Dijon, musée des Beaux-Arts, 1971.

QUARRÉ, Pierre, « Les pleurants dans la sculpture du Moyen-Age en Bourgogne », *Bulletin de la Société des amis du musée de Dijon*,1970-1972, p. 39-45.

QUATREMERE DE QUINCY, Antoine-Chrysostome, « Notice historique sur la vie et les ouvrages de M. Roland Sculpteur. Lue à la séance publique de l'Académie royale des beaux-arts du 2 octobre 1819 », *Recueil des notices historiques*, Paris, 1834, p. 101-120.

RAGGHIANTI COLLOBI, Licia, *Il Libro de'Disegni del Vasari,* Florence, 1974.

RAINER Arnulf, [sans titre], Vienne, 1978.

RAINER, Arnulf, voir cat. exp. Vienne, galerie Ulysses, 1981.

REAU, Louis, *Iconographie de l'art chrétien*, 3 vol., Paris, 1959.

REDON, Odilon, *A Soi-Même. Journal (1867-1915). Notes sur la vie, l'art et les artistes*, Paris, 1961 (1922).

REDON, Odilon, *Œuvre graphique d'Odilon Redon*, 2 vol., La Haye, 1913.

REDON, Odilon, *Lettres d'Odilon Redon (1878-1916) publiées par sa famille*, Paris, Bruxelles, 1923.

REINACH, Salomon, *La colonne Trajane au Musée de Saint-Germain*, Paris, 1886.

REISET, Frédéric, *Notice des Dessins, Cartons, Pastels, Miniatures et Emaux exposés dans les salles du 1er étage au Musée Impérial du Louvre, Première Partie Ecoles d'Italie, Ecoles Allemande, Flamande, et Hollandaise, précédée d'une introduction historique et du résumé de l'inventaire général des Dessins*, Paris, 1866.

RENARD, Elizabeth, *Le docteur Gaëtan Gatian de Clérambault, sa vie et son œuvre*, thèse de doctorat de médecine, Paris, 1942.

RENGER, Konrad, BURMESTER, Andreas, « The Munich Rembrandt Forgeries Reconsidered : A New Technical Approach to the Investigation of Drawings », *Master Drawings*, 23-24, 1986, p. 526-37.

REOUVEN, René, *Dictionnaire des assassins*, Paris, 1986.

REYERO, Carlos, « Los orígenes del fortunysmo en París y la obra de Luis Ruipérez », *Camón Aznar*, XL, 1990, p. 5-9.

RICHARDSON, John, *Vie de Picasso*, Paris, 1992.

RICHET, Michèle, *Musée Picasso. Catalogue sommaire des collections*, t. II., Paris, 1987.

RIECKENBERG, H. J., *Matthias Grünewald*, Pawkak, 1976.

ROBAUT, Alfred, *L'œuvre complet d'Eugène Delacroix, peintures, dessins, gravures, litho graphies*, Paris, 1885.

ROGER-MARX Claude, *Les artistes célèbres, Henri Regnault*, Paris, 1890.

ROGER-MARX, Claude, *Odilon Redon*, Paris, 1925.

ROGER-MARX, Claude, *Rembrandt*, Paris, 1960.

ROYALTON KISCH, Martin, « Rembrandt's Drawings for his prints : some observations », *Rembrandt and his pupils. Papers given at a symposium in Nationalmuseum Stockholm*, 2-3 octobre 1992, Stockholm, 1993, p. 173-192.

ROSENBERG, Jakob, « Compte rendu des vol. 1 et 2 de Benesch », *The Art Bulletin*, mars 1956, p. 63-70.

ROUAN, François, *Tord Boyaux*, Paris, 1997.

ROWELL, Margit, *Antonin Artaud, Works on Paper*, New York, 1996.

RUBIN, William, voir cat. exp. New York, The Museum of Modern Art, 1980.

RUTSCHKOWSKY, Michel, voir cat. exp. Paris, musée du Louvre, 1992.

SABARTÉS, Jaime, *Picasso. Portraits et souvenirs*, Paris, 1946.

SACHS, Hannelore, BADSTÜBNER, Ernst, NEUMANN, Helga, *Christliche Ikonographie in Stichworten*, Berlin, 1994.

SADIE, Stanley, *The New Grove Dictionary of Music and Musicians*, Londres, 1980.

SALAS, Xavier de, « Los Dibujos en Fortuny », *Goya*, 123, nov.-déc. 1974, p. 145-149.

SALVIAT, François, *Entremont*, Aix-en-Provence, 1976.

SALVIAT, François, « Sculptures en pierre dans le Midi », *De Lascaux au Grand Louvre, Archéologie et histoire en France*, dir. Ch. Goudineau et J. Guilaine, Paris, 1989.

SALVIAT, François, « La sculpture d'Entremont », *Archéologie d'Entremont au musée Granet*, Aix-en-Provence, 1993, p. 165-166.

SALVIAT, François, « Statuaire et société », *Archéologie d'Entremont au musée Granet*, dir. par D. Coutagne, 1993, p. 238.

SANDSTRÖM, Sven, *Le monde imaginaire d'Odilon Redon. Etude iconologique*, Lund, 1955.

SCHAMA, Simon, *L'embarras des richesses. La culture hollandaise au Siècle d'Or*, Paris, 1991 (1987).

SCHATBORN, Peter, voir cat. exp. Berlin, Altes Museum, 1991-1992.

SCHAUB-KOCH, Emile, « Odilon Redon, peintre de la vie intérieure », *Revue bleue politique et littéraire*, n° 14, 18 juillet 1938.

SCHEFER, Jean Louis, *Antonin Artaud, Dessins*, Cahiers de l'Abbaye Sainte-Croix, Les Sables-d'Olonne, 1980.

SCHERF Guilhem, voir cat. exp. Paris, musée du Louvre, 1992

SCHMID, Heinrich Alfred, *Die Gemälde und Zeichnungen von Matthias Grünewald*, 2 vol., Strasbourg, 1907-1911.

SCHNEIDER, Laurie, « Donatello and Caravaggio ; the iconography of decapitation », *American Imago*, XXXIII/1, spring 1976, p. 76-91.

SCHULTZE, Jürgen, voir cat. exp. Brême, Kunstmuseum, 1983.

SCHÜTZE, Sebastian, WILLETTE, Thomas, *Massimo Stanzione, l'opera completa*, Naples, 1992.

SCHWARTZ, Herbert T., *Picasso and Marie-Thérèse Walter 1925-1927*, Québec, 1988.

SELZ, Jean, *Dessins et aquarelles XIXe siècle*, s.d.

SÉRULLAZ, Arlette, « Dessins suédois », *Revue du Louvre et des Musées de France*, 6, 1973.

SÉRULLAZ, Maurice, *Eugène Delacroix, dessins, aquarelles et lavis (1817-1827)*, Paris, 1952.

SÉRULLAZ, Maurice, *Eugène Delacroix, 1798-1863, Mémorial de l'exposition*, Paris, 1963.

SÉRULLAZ, Maurice, PRAT, Louis-Antoine, SERULLAZ, Arlette, *Dessins d'Eugène Delacroix, musée du Louvre, Cabinet des dessins*, Paris, 1984.

SHEARMAN, John, « Cristofano Allori's 'Judith' », *The Burlington Magazine*, 1979, 121, p. 2-10.

SIEGEL, Jeanne, « The image of the eye in surrealist art and its psychoanalytic sources, part one : the mythic eye », *Art Magazine*, 56, n° 56, 1982, p. 102-106.

SIMANE, Jan, voir cat. exp. Darmstadt, Landesmuseum, 1994.

SISI, Carlo, voir cat. exp. Florence, Galleria degli Uffizi, 1985.

SLIVE, Seymour, *Drawings of Rembrandt*, New York, 1965.

SOLLERS, Philippe, *Les Passions de Francis Bacon*, Paris, 1996.

SOMMER, Richard, *Picasso*, Londres, 1988.

SOPRANI, Raffaelo, *Vite de'pittori, scultori ed architetti genovesi e de'forastieri che in Genova operarono*, Gênes, 1674.

SOUCHAL, François, « La collection de Girardon », *La Gazette des Beaux-Arts*, 1973, p. 43.

SPINA-BARELLI E., *Disegni di maestri lombardi del primo Seicento*, Milan, 1959.

SPITZMULLER, Anna, « Un dessin de Wolf Huber au Musée du Louvre », *Gazette des Beaux-Arts*, VII, 1932, p. 133-135.

STARCKY, Emmanuel, voir cat. exp. Paris, musée du Louvre, 1988-1989.

STARCKY, Emmanuel, voir cat. exp. Dijon, musée Magnin, 1994.

STEICHEN, Edward, *Life in Photography*, New York, 1963.

STERCKX, Pierre, « Le mouvement virtuel en sculpture, de Rodin à Woodrow », *Artstudio*, automne 1991.

STERLING, Charles, voir cat. exp., Paris, Petit Palais, 1935.

STRAUSS, Walter L., *Albert Dürer, the human figures*, New York, 1972.

STRAUSS, Walter L., *The complete drawings of A. Dürer*, 2 vol., New York, 1974.

SUIDA, William, « Eine Zeichnung des Andrea Solario in der Albertina », *Belvedere*, X, 7-8, 1931, p. 34-35.

SUIDA-MANNING, Bertina, SUIDA, William, *Luca Cambiaso, la vita e le opere*, Milan, 1958.

SUMOWSKI, Werner, « Bemerkungen zu Otto Benesch Corpus der Rembrandt-Zeichnungen I », *Wissenschaftliche Zeitschrift der Humboldt-Universität zu Berlin*, 6, 1956-57, p. 255-281.

SUTHERLAND, Ann B., « A new Michelangelo Drawing in the Louvre ? », *The Burlington Magazine*, déc. 1964, 106, p. 572-575.

THAUSING, Moritz, *Albert Dürer, sa vie, son œuvre*, Paris, 1878.

THÉVENIN, Paule, DERRIDA, Jacques, *Artaud, Dessins et Portraits*, Paris, 1986.

THIEM, Christel, *Florentiner Zeichner des Barock*, Munich, 1977.

THODE, Henry, *Michelangelo : Kritische Untersuchungen über seine Werke*, 3 vol., Berlin, 1908-1913.

THORNTON, Lynne, *The Orientalist Painter-Travellers*, Paris, 1994.

THUILLIER, Jacques, « Brébiette », *L'Œil*, 77, 1961, p. 48-56.

THUILLIER, Jacques, « Pierre Brébiette dessinateur », *Hommage au dessin, Mélanges offerts à Roseline Bacou*, Rimini, 1996, p. 275-323.

THWAITES, John A., *Paul Klee and the object*, 2 vol., New York, 1937.

TIETZE, Hans, TIETZE-CONRAT, Erika, *Kritisches Verzeichnis der Werk Albrecht Dürers, Band I : Der junge Dürer. Verzeichnis der Werke bis zur venezianischen Reise im Jahre 1505*, Augsbourg, 1928 ; Band II : *Der reife Dürer* (2 parties), Bâle-Leipzig, 1937-1938.

TISSERON, Serge, « L'ethnographe », *Préfaces*, février-mars 1988, p. 116-118.

TOLNAY, Charles de, « Die Handzeichnungen Michelangelos im Archivio Buonarroti », *Münchner Jahrbuch der bildenden Kunst*, 5, 1928, p. 455.

TOLNAY, Charles de, *Michelangelo*, 5 vol., Princeton, 1943-1960.

TOLNAY, Charles de, « Alcune recenti scoperte e risultati negli studi Michelangioleschi », *Quaderno dell'Accademia Nazionale dei Lincei*, 1971.

TOLNAY, Charles de, *Corpus dei disegni di Michelangelo*, 4 vol., Novare, 1975-1978.

TÜMPEL, Christian, *Rembrandt*, Amsterdam, 1986.

ULLMANN, Ludwing, *Der Krieg im Werk Picassos, Reaktionen auf Krieg und Verfolgung*, Osnbrück, 1986.

VAISSE, Pierre, BIANCONI, Piero, *Tout l'œuvre peint de Grünewald*, Paris, 1974.

VAISSE, Pierre, OTTINO DELLA CHIESA, Angela, *Tout l'œuvre peint de Dürer*, Paris, 1969.

VALENTINER, Wilhelm R., « Rembrandt. Des Meisters Handzeichnungen », *Klassiker der Kunst*, vol. 31-32, Stuttgart, Berlin, 1925-34.

VALENTINER, Wilhelm R., « Laurana's portrait busts of women », *Art Quarterly, V*, 1942.

VAN DYKE, John C., *The Rembrandt Drawings and Etchings*, New York, 1927.

VAN HENTEN, Jan Willem, « Judith as Alternative Leader : A Rereading of Judith 7-13 », *The feminist companion to the Bible*, Sheffield, 1995, p. 224-252.

VASARI, Giorgio, *Le Vite de'più eccellenti pittori, Scultori ed Architettori scritte da Giorgio Vasari pittore aretino* (1568), Florence, 1981 (1906).

VASARI, Giorgio, *Les vies des meilleurs peintres, sculpteurs et architectes*, traduction et édition commentée sous la direction d'André Chastel, Paris, 1981, 1983 et 1989.

VELDAM, Ilja Maria, HOLLSTEIN, Friedrich Wilhem Heinrich, *The new Hollstein Dutch & Flemish etchings, engravings and woodcuts, 1450-1700*, Amsterdam,1993.

VERNANT, Jean-Pierre, *La mort dans les yeux*, Paris, 1985.

VIATTE, Françoise, « Les deux voies », *Connaissance des Arts*, 471, 1991, p. 34-41.

VITZTHUM, Walter, *Il Barocco a Napoli e nell'Italia Meridionale,* Milan, 1971.

VITZTHUM, Walter et CAUSA, Raffaello, *Disegni napoletani del Sei e del Settecento*, Rome, 1969.

VIVES Y PIQUÉ, Rosa, *Fortuny, gravador : estudi crític i catàleg raonat*, Reús, 1991.

VIVES Y PIQUÉ, Rosa, *Mariano Fortuny Marsal, Mariano Fortuny Madrazo : grabados y dibujos*, Madrid, 1994.

WALDBERG, Patrick, « Odilon Redon, la logique du visible au service de l'invisible », *Gallerie des Arts*, 8, 1963, p. 9-11.

WARNCKE, Carl-Peter, WALTER, Ingo, *Pablo Picasso, 1881-1973*, Cologne, 1991.

WEINBERGER, Martin, *Michelangelo the Sculptor*, Londres et New York, 1967.

WEITZMANN, Kurt, « The Mandylion and Constantine Porphyrogenitos », *Cahiers archéologiques, fin de l'Antiquité et Moyen Age*, XI, Paris, 1960, p. 163-184.

WEIXLGARTNER, Arpad, *Grünewald*, Munich, 1962.

WERNER, Alfred, *The graphic works of Odilon Redon. 209 lithographs, etchings and engravings*, New York, 1969.

WERNER, Alfred, « Odilon Redon », *Art and Artists*, VI, 4, 1971, p. 14-19.

WILDENSTEIN, Alec, *Odilon Redon. Catalogue raisonné de l'œuvre peint et dessiné*, 2 vol., Paris, 1992-94.

WINCKELMANN, Jean-Joachim, « Réflexions sur le sentiment du beau dans les ouvrages de l'art », *Recueil de différentes pièces sur les arts*, Genève, 1786 (1973), p. 235-295.

WINKLER, Friedrich, *Albrecht Dürer, Leben und Werke*, Berlin, 1957.

WÖLFFLIN, Heinrich, *Die Kunst Albrechts Dürer*, Munich, 1905.

ZIFF, Norman D., « Dessins de Paul Delaroche au Cabinet des Dessins du musée du Louvre », *Revue du Louvre et des Musées de France*, 1975, p. 163-168.

ZIFF, Norman D., *Paul Delaroche and nineteenth century french history painting,* New York, 1975.

ZIMMERMANN, Michael F., *Les mondes de Seurat : son œuvre et le débat artistique de son temps*, Paris, 1994.

ZWEITE, Armin, voir cat. exp. Paris, Centre Georges-Pompidou, 1984.

Expositions

Avignon, 1981
Le roi René et son temps. Francesco Laurana, sculpteur du roi René en Provence, Avignon, Petit Palais, 1981.

Avignon, 1996
Auguste Rodin, Avignon, Palais des Papes (sculptures), musée du Petit Palais (dessins), 1996.

Bâle, 1978
Hans Baldung Grien, Bâle, Kunstmuseum, 1978.

Berlin, 1968
Le salon imaginaire, Berlin, Akademie der Kunste, 1968.

Berlin, 1991-1992
Rembrandt : The Master and his Workshop, 2 vol., Berlin, Altes Museum, 1991 ; Amsterdam, Rijksmuseum, 1991 ; Londres, The National Gallery, 1992.

Berne, 1984
Der Junge Picasso, Berne, Kunstmuseum, 1984.

Bielefeld, 1984
Picasso. Todesthemen, Bielefeld, Kunsthalle Bielefeld, 1984.

Bielefeld, 1988
Picasso Klassizismus, Bielefeld, Kunsthalle Bielefeld, 1988.

Bielefeld, 1991
Picasso Surrealismus, Bielefeld, Kunsthalle Bielefeld, 1991.

Bordeaux, 1985
Odilon Redon 1840-1916, Bordeaux, galerie des Beaux-Arts, 1985.

Brême, 1983
Redon der Graphiker, Brême, Kunstmuseum, Winterthur, Kunsthalle, 1983.

Bruxelles, 1893
Xe Exposition Internationale des XX, Bruxelles, musée de Peinture moderne, 1893.

Cambridge, 1985
Italian Old Masters Drawings, Cambridge, Fitzwilliam Museum, 1985.

Castres, 1974
Mariano Fortuny et ses amis français, Castres, musée Goya, 1974.

Colmar, 1991
Le beau Martin. Gravures et dessins de Martin Schongauer (vers 1450 - 1491), Colmar, musée d'Unterlinden, 1991.

Darmstadt, 1994
Neapolitanische Barockzeichnungen in der graphischen Sammlung des Hessischen Landesmuseums Darmstadt, Darmstadt, Hessisches Landesmuseums, 1994.

Dijon, 1971
Les pleurants dans l'art du Moyen Age en Europe, Dijon, musée des Beaux-Arts, 1971.

Dijon, 1976
Jean-Baptiste Greuze 1725-1805, Dijon, musée des Beaux-Arts, 1976.

Dijon, 1994
Dessins de sculpteurs 1850-1950, Dijon, musée Magnin, 1994.

Düsseldorf, 1930
Paul Klee, Aquarelle, Zeichnungen, und graphik aus 25. Jahren, Düsseldorf, galerie Alfred Flechtheim, 1930.

Düsseldorf, 1931
Kunstverein für die Rheinlande und Westfalen Ausstellung, Düsseldorf, galerie Alfred Flechtheim, 1931.

Eindhoven, 1984
Gunter Brus, Augensternstunden, Eindhoven, Van Abbemuseum, 1984.

Florence, 1974
Disegni e bozzetti di Cristofano Allori, Florence, Palazzo Strozzi, 1974.

Florence, 1980-1981
L'Epoque de Lucas de Leyde et Pierre Bruegel. Dessins des Pays-Bas, Collection Frits Lugt, Florence, Institut universitaire hollandais d'histoire de l'art, 1980 ; Paris, Institut néerlandais, 1981.

Florence, 1984
Cristofano Allori 1577-1621, Florence, Palazzo Pitti, 1984.

Florence, 1985
Michelangelo e i maestri del Quattrocento, Florence, Galleria degli Uffizi, 1985.

Florence, 1986
Disegni di Fra Bartolomeo e della sua scuola, Florence, Galleria degli Uffizi, 1986.

Francfort, 1928
Kunsthandlung Ludwig Schames, Francfort, 1928

Gênes, 1956
Luca Cambiaso e la sua fortuna, Gênes, Palazzo dell'Academia, 1956.

Genève, 1975
Odilon Redon, Lithographies, Genève, musée d'Art et d'Histoire, 1975.

Houston, 1974
The Genoese Renaissance, Grace and Geometry : Paintings ans Drawings by Luca Cambiaso from the Suida-Manning Collection, Houston, the Museum of Fine Arts, 1974.

Karlsruhe, 1959
Hans Baldung Grien, Karlsruhe, Staatliche Kunsthalle, 1959.

Les Sables-d'Olonne, 1980
Antonin Artaud. Dessins, Les Sables-d'Olonne, musée de l'Abbaye Sainte-Croix, 1980.

Liverpool, 1990
Francis Bacon, Liverpool, Tate Gallery, 1990.

Londres, 1972
French symbolist painters, Londres, Hayward Gallery, 1972.

Londres, 1974
Drawings by Victor Hugo, Londres, Victoria and Albert Museum, 1974.

Londres, 1980-1981
Günter Brus. Bild-Dichtungen, Londres, Whitechapel Art Gallery, 1980 ; Hambourg, Kunstverein, 1980 ; Lucerne, Kunstmuseum, 1980 ; Graz, Kulturhaus, 1981.

Londres, 1988
Art in the Making Rembrandt, Londres, The National Gallery, 1988.

Los Angeles, 1988
La caricature française et la Révolution 1789-1799, Los Angeles, Wight Art Gallery, 1988.

Los Angeles, 1993-1994
Visions of Antiquity, neoclassical figure drawings, Los Angeles, County Museum of Art, 1993 ; Philadelphie, Philadelphia Museum of Art, 1993-1994 ; Minneapolis, The Minneapolis Institute of Art, 1994.

Lugano, 1996
Odilon Redon. La natura dell'invisibile / La nature de l'invisible, Lugano, musée cantonal d'Art, 1996.

Lyon, 1984-1985
Dessins du XVIe au XIXe siècle de la collection du musée des Arts décoratifs de Lyon, Lyon, musée des Arts décoratifs, 1984-1985.

Madrid, 1972
El Simbolismo en la Pintura Francesa, Madrid, Museo Español de Arte Contemporaneo ; Barcelone, Museo de Arte moderno, 1972.

Marseille, 1983-1984
L'art celtique en Gaule. Collections des musées de province, Marseille, Musées archéologiques ; Paris, Réunion des musées nationaux ; Bordeaux, Musées d'Aquitaine ; Dijon, Musée archéologique, 1983-1984.

Marseille, 1995
Antonin Artaud. Œuvres sur papier, Marseille, musée Cantini, 1995.

Melbourne, 1990
The Enchanted Stone : The Graphic Worlds of Odilon Redon, Melbourne, National Gallery of Victoria, 1990.

Mönchengladbach, 1984.
Face Farces, 1969-1975, Mönchengladbach, Städtisches Museum Abteiberg, 1984.

Munich, 1991
Martin Schongauer. Das Kupferstichwerk, Munich, Staatliche Graphische Sammlung, 1991.

Nantes, 1995-1996
Les années romantiques, Nantes, musée des Beaux-Arts, 1995-1996; Paris, Grand Palais, 1996; Plaisance, Palazzo Gotico, 1996.

Naples, 1984
Civiltà del Seicento a Napoli, Naples, Museo di Capodimonte, 1984.

New Haven, 1981
Hans Baldung Grien. Prints & Drawings, New Haven, Yale University Art Gallery, 1981.

New York, 1955
Albrecht Dürer, watercolors and drawings, New York, The Metropolitan Museum of Art, 1955.

New York, 1980
Pablo Picasso. A retrospective, New York, The Museum of Modern Art, 1980.

New York, 1989
Arnulf Rainer, New York, Solomon R. Guggenheim Museum, 1989.

New York, 1990-1991
High and Low. Modern Art and Popular Culture, New York, Museum of Modern Art, 1990-1991.

New York, 1995
Rembrandt / Not Rembrandt, New York, The Metropolitan Museum of Art, 2 vol., 1995.

Nice, 1992
Le portrait dans l'art contemporain, Nice, musée d'Art moderne et d'Art contemporain, 1992.

Paris, 1885
Exposition de tableaux, statues et objets d'art au profit des orphelins d'Alsace-Lorraine, Paris, musée du Louvre, 1885.

Paris, 1888,
Expositions des dessins et manuscrits de Victor Hugo, Paris, galerie Georges Petit, 1888.

Paris, 1897
Société de pastellistes français, Paris, 1897

Paris, 1900
Catalogue de l'exposition Rodin de 1900, Paris, Exposition Universelle, Pavillon de l'Alma, 1900.

Paris, 1908-1909
Rétrospective Georges Seurat, Paris, galerie Bernheim-Jeune, 1908-1909.

Paris, 1926
Les dessins de Seurat, Paris, galerie Bernheim-Jeune, 1926.

Paris, 1930
Centenaire du romantisme, exposition Eugène Delacroix, 1798-1863, Paris, musée du Louvre, 1930.

Paris, 1930
Victor Hugo raconté par l'image, Paris, Maison de Victor Hugo, 1930.

Paris, 1935
Exposition de l'Art italien. De Cimabue à Tiepolo, Paris, Petit Palais, 1935.

Paris, 1937
Rembrandt, Paris, musée de l'Orangerie, 1937.

Paris, 1947
Portraits et dessins, Paris, galerie Pierre Loeb, 1947.

Paris, 1952
Dessins florentins du XIIIe et XIVe siècle, Paris, musée du Louvre, 1952.

Paris, 1955
Choix de dessins de maîtres florentins et siennois. Première moitié du XVIe siècle, Paris, musée du Louvre, 1955.

Paris, 1956
De Giotto à Bellini : les primitifs italiens dans les musées de France, Paris, Orangerie des Tuileries, 1956.

Paris, 1956-1957
Odilon Redon, Paris, Orangerie des Tuileries, 1956-1957.

Paris, 1957
Seurat, musée Jacquemart-André, 1957.

Paris, 1958
Dessins florentins de la collection de Filippo Baldinucci (1625-1696), Paris, musée du Louvre, 1958.

Paris, 1960
Exposition de sept cents tableaux de toutes les écoles, antérieures à 1800, tirés des réserves du département des Peintures, Paris, musée du Louvre, 1960.

Paris, 1962
Première exposition des plus beaux dessins du Louvre et de quelques pièces célèbres des collections de Paris, Paris, musée du Louvre, 1962.

Paris, 1963
Centenaire d'Eugène Delacroix 1798-1863, Paris, musée du Louvre, 1963.

Paris, 1965
Giorgio Vasari, Paris, musée du Louvre, 1965.

Paris, 1967
Le Cabinet d'un grand amateur, P. J. Mariette, Paris, musée du Louvre, 1967.

Paris, 1970
Rembrandt et son temps : Dessins des collections publiques et privées conservées en France, Paris, musée du Louvre, 1970.

Paris, 1971
L'Art en Yougoslavie de la préhistoire à nos jours, Paris, Grand Palais, 1971.

Paris, 1971
Dürer, Paris, Bibliothèque nationale de France, 1971.

Paris, 1971-1972
Dessins de Victor Hugo, Paris, Maison de Victor Hugo 1971-1972.

Paris, 1973
Autour de Lévy-Dhurmer. Visionnaires et intimistes en 1900, Paris, Grand Palais, 1973.

Paris, 1974-1975
Le néo-classicisme français : Dessins des musées de province, Paris, Grand Palais, 1974-1975.

Paris, 1975
Michel-Ange au Louvre. Les Dessins. Le Petit Journal des grandes expositions, Paris, musée du Louvre, 1975.

Paris, 1976
Portraits et masques, Paris, musée national d'Art moderne, Centre Georges-Pompidou, 1976.

Paris, 1976-1977
Puvis de Chavannes, Paris, Grand Palais, 1976; Ottawa, Galeries nationales du Canada, 1977.

Paris, 1977
Acquisitions du cabinet d'Art graphique, 1971-1976, Paris, musée national d'Art moderne, Centre Georges-Pompidou, 1976-1977.

Paris, 1977-78
Collections de Louis XIV, dessins, albums, manuscrits, Paris, Orangerie des Tuileries, 1977-1978.

Paris, 1978
Cabinet des Dessins, Nouvelles attributions, Dessins du XIVe au XVIIIe siècle, Paris, musée du Louvre, 1978.

Paris, 1981
Paris-Paris 1937-1957, Paris, Centre Georges-Pompidou, 1981.

Paris, 1981
L'Epoque de Lucas de Leyde et Pierre Bruegel, Dessins des Pays-Bas, Collection Frits Lugt, Paris, Institut néerlandais, 1981.

Paris, 1981
Donation Paul-Frantz Marcou - Jean et Valentine Trouvelot, Paris, musée du Louvre, 1981.

Paris, 1981-1982
Dessins baroques florentins du musée du Louvre, Paris, musée du Louvre, 1981-1982.

Paris, 1982
Eugène Delacroix, Paris, musée du Louvre, 1982.

Paris, 1982-1983
Le fait divers, Paris, musée des Arts et Traditions populaires, 1982-1983

Paris, 1983
Les collections du comte d'Orsay : dessins du musée du Louvre, Paris, musée du Louvre, 1983.

Paris, 1983-1984
Autour de Raphaël. Dessins et peintures du musée du Louvre, Paris, musée du Louvre, 1983-1984.

Paris, 1984
Acquisitions du Cabinet des dessins 1973-1983, Paris, musée du Louvre, 1984.

Paris, 1984
Arnulf Rainer, Mort et Sacrifice, Paris, Centre Georges-Pompidou, 1984.

Paris, 1984
La donation Arï et Suzanne Redon au musée du Louvre, Paris, Palais de Tokyo, 1984.

Paris, 1984-1985
Dessins français du XVIIe siècle, Paris, musée du Louvre, 1984-1985.

Paris, 1985
Andrea Solario en France, Les dossiers du Département des Peintures, n° 31, Paris, musée du Louvre, 1985.

Paris, 1985
Félicien Rops 1833-1898, Paris, musée des Arts décoratifs, 1985.

Paris, 1985
La Renaissance et le maniérisme dans le Nord, Paris, Ecole nationale supérieure des Beaux-Arts, 1985.

Paris, 1985-1986
Victor Hugo, Dessins, Le Soleil d'Encre, Paris, musée du Petit Palais, 1985-1986.

Paris, 1986
Les mots dans le dessin, Paris, musée du Louvre, 1986.

Paris, 1986
Le symbolisme et la femme, Paris, Toulon, Pau, 1986.

Paris, 1986
Pastels du XIXe siècle, Paris, musée du Louvre, 1986.

Paris, 1987
Antonin Artaud. Dessins, Paris, Centre Georges-Pompidou, 1987.

Paris, 1987
Les dessins autrichiens, Paris, Centre-Georges-Pompidou, 1987.

Paris, 1987-1988
Picasso dessinateur, Paris, musée Picasso, 1987-1988.

Paris, 1988
Millénaire du baptême de la Russie, Paris, Fondation Mona Bismarck, 1988.

Paris, 1988-1989
Rembrandt et son école, Paris, musée du Louvre, 1988-1989.

Paris, 1989
Jean Fautrier, Paris, musée d'Art moderne de la Ville de Paris, 1989.

Paris, 1989
La Révolution française et l'Europe 1789-1799, Paris, Grand Palais, 1989.

Paris, 1989
Le Beau idéal ou l'art du concept, Paris, musée du Louvre, 1989.

Paris, 1989
Michel-Ange dessinateur, Paris, musée du Louvre, 1989.

Paris, 1990
Le corps en morceaux, Paris, musée d'Orsay.

Paris, 1990-1991
Mémoires d'aveugle, Paris, musée du Louvre, 1990-1991.

Paris, 1991
De Corot aux Impressionnistes, donation Moreau-Nélaton, Paris, Grand Palais, 1991.

Paris, 1991-1992
Georges Seurat, Paris, Grand Palais, 1991; New York, Metropolitan Museum, 1992.

Paris, 1991
Repentirs, Paris, musée du Louvre, 1991.

Paris, 1991
Rops et la modernité, Paris, Centre Wallonie-Bruxelles, 1991.

Paris, 1991-1992
Dessins de Dürer et de la Renaissance germanique, Paris, musée du Louvre, 1991-1992.

Paris, 1991-1992
Picasso, jeunesse et genèse. Dessins 1893-1905, Paris, musée Picasso, 1991; Nantes, musée des Beaux-Arts, 1992.

Paris, 1992
Nouvelles acquisitions du département des Sculptures, Paris, musée du Louvre, 1992.

Paris, 1992
L'œil du connaisseur. Hommage à Philip Pouncey. Dessins italiens du Louvre, Paris, musée du Louvre, 1992.

Paris, 1992-1993
Byzance : l'art byzantin dans les collections françaises, Paris, musée du Louvre, 1992-1993.

Paris, 1993
Limite du visible, Paris, Centre Georges-Pompidou, 1993.

Paris, 1994-1995
Fra Bartolomeo et son atelier. Dessins et peintures des collections françaises, Paris, musée du Louvre, 1994-1995.

Paris, 1996
Francis Bacon, Paris, Centre Georges-Pompidou, 1996.

Paris, 1997
Paris-Bruxelles, Paris, Grand Palais, 1997.

Prague 1997
Rudolph II et Prague, Prague, Castle, 1997.

Rennes, 1978
L'art maniériste, formes et symboles, 1520-1620, Rennes, musée des Beaux-Arts, 1978.

Rome, 1959
Disegni fiorentini del Museo del Louvre dalla collezione di Filippo Baldinucci, Rome, Palazzo della Farnesina, 1959.

Rome, 1977
Disegni Fiorentini 1560 1640 dalle collezioni del Gabinetto Nazionale delle Stampe, Rome, Villa della Farnesina alla Lungara, 1977.

Rome, 1988
La Colonna Traiana, Rome, Académie de France, Villa Médicis, 1988.

Rome, 1992
Raphaël : autour des dessins du Louvre, Rome, Académie de France, Villa Médicis, 1992.

Rotterdam, 1990
Fra Bartolomeo. Master draughtsman of the High Renaissance. A selection from The Rotterdam Album and Landscape Drawings from various Collections, Rotterdam, Museum Boymans-Van Beuningen, 1990.

Saint-Cloud, 1991
Henri Regnault (1843-1871), Saint-Cloud, Musée municipal, 1991.

Saint-Etienne, 1990
L'écriture griffée, Saint-Etienne, musée d'Art moderne, 1990.

Sarrebruck, 1930
Paul Klee, Aquarelle aus 25 Jahren, 1905 bis 1930, Sarrebruck, Staatliche Museum, 1930.

Stockholm, 1932
Paris 1932, 10 Nationer, 24 Konstarer : Utstallning av Postkubistisk och Surrealistisk konst, Stockholm, Nationalmuseum, 1932.

Tokyo, 1980
Centre Georges-Pompidou, l'art du XXe siècle, Tokyo, National Museum of Modern Art, 1980.

Tokyo, 1993
Le siècle de Victor Hugo, Tokyo, Osaka, Koriyama, Hiroshima, 1993.

Tübingen, 1989
Paul Klee : die SammlungBerggruen, Tübingen, Kunsthalle, 1989.

Vienne, 1981
Tod-Death, Vienne, galerie Ulysses, 1981.

Vienne, 1988-1989
Prague vers 1600, l'art et la culture à la cour de Rodolphe II, Vienne, Kunsthistorisches Museum, 1988-1989.

Vizille, 1987
La guillotine dans la Révolution française, Vizille, musée de la Révolution Française, 1987.

Washington, 1981
Hans Baldung Grien. Prints & Drawings, Washington, National Gallery of Art, 1981.

Washington, 1997
Michelangelo and his Influence. Drawings from Windsor Castle, Washington, National Gallery of Art, 1997.

Index

des principaux noms propres cités

Abgar : p. 45, 46, 48, 57.
Abraham : p. 137.
Acéphale : p. 150, 151, 152.
Achab : p. 93.
Adam : p. 65.
Agostini : p. 137.
Agrippa Ier : p. 53.
Albertine : p. 98.
Alice : p. 146, 147.
Allori : p. 53, 86, 96.
Amboise (d') : p. 78.
Amman : p. 20.
Andromède : p. 35, 36.
Antipas : p. 129.
Aphrodite : p. 18.
Aragon : p. 128.
Arendt : p. 111.
Argus : p. 81.
Aristote : p. 58.
Artaud : p. 122, 141.
Athalie : p. 93.
Athéna : p. 36.
Auerbach : p. 64, 65, 66, 68.
Aufhebung : p. 65.
Augustin : p. 64.
Aulagnier : p. 137.
Baal : p. 93.
Bach : p. 72.
Bachofen : p. 26.
Backovo : p. 45.
Bacon : p. 126,127.
Baldung Grien : p. 15.
Balthazar : p. 103.
Bandinelli : p. 41.
Barrès : p. 127.
Barry (du) : p. 105.
Barthes : p. 129.
Bataille : p. 28, 111, 150, 151.
Baubô : p. 37.
Baubon : p. 37.
Bauhaus : p. 114.
Beardsley : p. 127.
Béatrice : p. 95.
Beaumont 18.
Beethoven : p. 143.
Bellini, Gentile : p. 74.
Bellini, Giovanni : p. 15.
Benoît : p. 30,33.
Bérénice : p. 48, 53.
Bernanos : p. 137.
Berry (de) : p. 147.
Bethléem : p. 72.
Bojana : p. 45.
Boleyn : p. 93.
Bonnat : p. 79.
Born (de) : p. 114.
Bossuet : p. 66.
Bourges : p. 147.

Brassempouy : p. 25, 26, 93.
Breton : p. 128.
Bruegel : p. 114.
Brus : p. 133.
Buonarroti : p. 53, 75.
Burke : p. 67.
Byzance : p. 57, 119.
Cabanis : p. 102.
Caillois : p. 150.
Calandrucci : p. 37.
Callimaque : p. 53.
Callot : p. 114.
Cambiaso : p. 81.
Camuliana : p. 46, 52.
Camus : p. 109.
Capet : p. 103.
Cappadoce : p. 46, 52, 80.
Caracalla : p. 67.
Caravage : p. 98, 99, 100.
Cavallino : p. 90.
Cazes le Fils : p. 79.
Céline : p. 146.
Cellini : p. 41.
Cervantès : p. 66.
Césarée : p. 48, 80.
Cézanne : p. 147, 150.
Charcot : p. 131.
Charlus (de) : p. 98.
Chat du Cheshire : p. 146, 147.
Chateaubriand : p. 106.
Chou Koutien : p. 21.
Christie : p. 137.
Chrysaor : p. 35.
Chypre : p. 21.
Cicéron : p. 64.
Clairvaux : p. 46.
Clarwill : p. 39.
Claudel : p. 150.
Cléopâtre : p. 53.
Clermont-Ganneau : p. 129.
Cloche (La) : p. 30.
Clouet : p. 145.
Cochin : p. 67.
Comnènes : p. 47.
Compostelle : p. 34.
Constantin V : p. 57.
Constantinople : p. 52, 57.
Corday : p. 104.
Coré : p. 35.
Cornaro : p. 106.
Cornwell : p. 37.
Corradini : p. 56, 144.
Corrège : p. 90.
Coutagne : p. 34.
Cranach : p. 75.
Crayer (de) : p. 75, 79, 80.
Cro-Magnon : p. 29.
Dagobert : p. 79.

Dalila : p. 90, 91, 92, 128.
Damas : p. 20.
Danaé : p. 35.
D'Annunzio : p. 127.
Dante : p. 114, 115, 117.
Darwin : p. 22.
Dassin : p. 137.
David : p. 82, 84, 99.
Degas : p. 147, 150.
Delacroix : p. 115.
Delaroche : p. 78, 142.
Della Bella : p. 114.
Déméter : p. 37.
Denon : p. 80, 95.
Derval : p. 128.
Descartes : p. 142, 151.
Despléchin : p. 137.
Devereux : p. 37.
Diderot : p. 66, 67, 68, 69.
Dioclétien : p. 80.
Diodore de Sicile : p. 33.
Dionée : p. 18.
Dolci : p. 80.
Donatello : p. 41.
Doré : p. 93.
Dostoïevski : p. 111.
Durand : p. 106.
Dürer : p. 15, 63, 75, 96.
Edesse : p. 45, 46, 47, 57.
Eikonion : p. 37.
Eleusis : p. 37.
Eleuthère : p. 79.
Elie : p. 72.
Elisabeth : p. 72.
Entremont : p. 30, 32, 33.
Ernst : p. 81, 152.
Eros : p. 14, 27, 28, 98 : p. .
Este : p. 56.
Euryalé : p. 35.
Eusèbe de Césarée : p. 48.
Eve : p. 127.
Fabien : p. 79.
Fautrier : p. 133.
Flaubert : p. 128, 129, 130, 131.
Flavius Josèphe : p. 71, 73, 129.
Fortuny : p. 143.
Flore : p. 41.
Fouquier-Tinville : p. 101.
Fra Bartolomeo : p. 53.
Frazer : p. 27.
Frédéric-Guillaume : p. 104.
Freud : p. 22, 24, 25, 27, 35, 84, 85, 93, 97, 98, 115, 131, 137, 138.
Frontisi-Ducroux : p. 37.
Füssli : p. 92.
Galilée : p. 72, 130.
Garand : p. 69.
Garbo (del) : p. 90.

Gargas : p. 29.
Gastaut : p. 20, 25.
Gaule : p. 79.
Gentileschi : p. 85, 98, 99, 100.
Géricault : p. 119, 122.
Giacometti : p. 43.
Girodet de Roucy-Trioson : p. 95.
Glanum : p. 30.
Goldenberg : p. 25.
Goliath : p. 82, 83.
Gorgô : p. 35, 37.
Gorgone : p. 35, 36, 37, 43, 47, 48, 53, 55, 84, 152.
Grabar : p. 46, 47, 57.
Grégoire : p. 102.
Grégoire de Nysse : p. 58, 59.
Greuze : p. 15, 67, 68.
Grünewald : p. 111, 114.
Guidon : p. 103.
Guillotin : p. 101, 103.
Hardouin : p. 46.
Hebbel : p. 84.
Heemskerck : p. 82.
Hegel : p. 30.
Heidegger : p. 111, 151.
Hékal : p. 71.
Hélène : p. 128.
Hémorrhissa : p. 48, 53, 61.
Héra : p. 81.
Hermès : p. 36, 81.
Hérode : p. 71, 73, 74, 97, 129, 130.
Hérode Ier : p. 53.
Hérode le Grand : p. 73.
Hérodiade : p. 73, 74, 75, 127, 128, 130, 131, 137, 147.
Hérodias : p. 129.
Hérodote : p. 21.
Herrera : p. 141.
Highsmith : p. 137.
Hilduin : p. 79.
Hitchcock : p. 137.
Holopherne : p. 84, 87, 90.
Homère : p. 35.
Hugo : p. 107, 109.
Huysmans : p. 127, 132.
Hypatia : p. 52, 53.
Iaokanann : p. 129, 130.
Innocent III : p. 53.
Io : p. 81.
Irène : p. 128.
Isaac : p. 99.
Jacquemin : p. 127.
Jacques de Voragine : p. 79.
Janus : p. 117.
Jean : p. 71, 72, 73, 74, 75, 79.
Jean / Jean-Baptiste : p. 48, 71, 72, 73, 74, 75, 78, 79, 81, 82, 86, 97, 98, 99, 100, 122, 126, 129, 130, 131, 142, 146, 147.
Jéhu : p. 93.
Jézabel : p. 93, 152.
Joram : p. 93.
Jourdain : p. 20.
Judée : p. 53.
Judith : p. 84, 85, 86, 87, 90, 92, 99, 100, 137, 152.
Juliette : p. 106.
Kalojan : p. 47.
Klee : p. 114.
Klein : p. 137.
La Ferrassie : p. 37.
La Mole (de) : p. 106.
La Rochefoucauld : p. 36.

La Tour : p. 30, 67.
Lacan : p. 110.
Lamartine : p. 109.
Laon : p. 45, 46, 47, 53, 63.
Lascaux : p. 25, 28, 29.
Laughton : p. 137.
Laurana : p. 55.
Leiris : p. 150.
Léon III l'Isaurien : p. 57.
Léon V l'Arménien : p. 57.
Léonard de Vinci : p. 74.
Lesage : p. 66.
Lespugue : p. 25, 26.
Lévi-Strauss : p. 27.
Lévy-Dhurmer : p. 132.
Llanos y Valdés (de) : p. 141.
Lobjoy : p. 46.
Lorrain : p. 127.
Louis : p. 101.
Louis XVI : p. 102, 103, 109.
Lucrèce : p. 64.
Mabillon : p. 46.
Mallarmé : p. 95, 128, 130, 131, 144.
Malraux : p. 19.
Manassé : p. 84.
Mann : p. 144.
Mannaeï : p. 130.
Marat : p. 102.
Marie-Antoinette : p. 93, 106.
Marie-Madeleine : p. 52, 53, 137.
Marigny : p. 67.
Masson : p. 151.
Mazarin : p. 41.
Mazzafirra : p. 87.
Médée : p. 81.
Médicis (de) : p. 41.
Méduse : p. 25, 30, 35, 36, 37, 39, 40, 41, 43, 47, 48, 56, 59, 63, 93, 98, 103, 132, 152.
Memling : p. 75.
Mercure : p. 81.
Mérimée : p. 30.
Michel-Ange : p. 41, 96.
Milner : p. 137.
Milton : p. 67.
Mirabeau : p. 103.
Miruoli : p. 117.
Miss Sacripant : p. 98.
Moïse : p. 58, 65.
Molière : p. 67.
Mondzain : p. 60, 61.
Monjourdain : p. 105.
Monroe : p. 111.
Montbazon (de) : p. 106.
Moreau : p. 127, 128.
Motta : p. 80.
Moutonnet : p. 127.
Mozart : p. 72, 151, 152.
Munch : p. 43.
Mussy-sur-Seine : p. 18.
Nabuchodonosor : p. 84.
Navarre (Marguerite de) : p. 106.
Nefertiti : p. 21.
Nicée : p. 58.
Nicéphore : p. 57, 58, 60, 62, 63.
Nietzsche : p. 150, 151.
Ninive : p. 84.
Ovide : p. 35, 40.
Paléologues : p. 47.
Panoptès le Lumineux : p. 81.
Papinien : p. 67, 68.

Parménide : p. 37.
Parthénon : p. 18.
Pauline : p. 138.
Pégase : p. 35, 40.
Péladan : p. 127.
Persée : p. 35, 36, 37, 40, 41.
Pherenice : p. 48.
Phidias : p. 18.
Philippe : p. 73.
Philistin : p. 82, 90, 91.
Philostrate : p. 35.
Picasso : p. 15, 69, 111, 114, 122, 126, 133, 146.
Pignatelli : p. 147.
Pilate : p. 48.
Pisano : p. 74.
Platon : p. 58, 68.
Pline : p. 35.
Pol Pot : p. 98.
Polydectès : p. 35.
Poséidon : p. 35.
Posidonios : p. 33.
Pourtalès : p. 87.
Poussin : p. 40, 67, 79.
Procaccini : p. 117.
Proust : p. 98.
Psyché : p. 129.
Puvis de Chavannes : p. 111, 114.
Quesnel : p. 145.
Quintilien : p. 64.
Racine : p. 93.
Raffet : p. 117, 118.
Rainer : p. 122.
Rancé : p. 106.
Redon · p. 119, 132, 144.
Regnault : p. 95, 96.
Rembrandt : p. 78, 86, 91, 96.
Renan : p. 129.
Richelieu : p. 41.
Robespierre : p. 101, 102, 106.
Rodin : p. 147, 150.
Roland : p. 92.
Rops : p. 127, 129, 131, 132.
Roquepertuse : p. 30, 117.
Rosenkranzbild : p. 15.
Rousseau : p. 66.
Rustique : p. 79.
Sadducéens : p. 129.
Sade (de) : p. 39, 106.
Saint Augustin : p. 58, 59, 64.
Saint Denis : p. 79.
Saint Denys l'Aréopagite : p. 79.
Saint Erasme : p. 41.
Saint Grégoire : p. 40.
Saint Jacques : p. 34.
Saint Jean Damascène : p. 60.
Saint-Just : p. 102.
Saint-Marc : p. 74, 98.
Saint-Pierre : p. 46.
Saint Vincent de Paul : p. 41.
Sainte Dorothée : p. 80.
Sainte-Marie (de) : p. 46.
Salomé : p. 53, 71, 73, 74, 75, 80, 83, 84, 92, 100, 126, 127, 128, 129, 130, 132, 137, 144, 147, 152.
Salomon : p. 65.
Salviat : p. 30, 32, 33.
Salyens : p. 30, 33.
Sammartino : p. 56.
Samson : p. 90, 91, 92.
San Severo : p. 56.
Sanson : p. 104, 105.

Sara : p. 65.
Saül : p. 59, 82.
Schmidt : p. 104.
Schönberg : p. 144.
Seignelay (de) : p. 18.
Septime Sévère : p. 67.
Sergel : p. 91, 92.
Seurat : p. 144,145.
Sévigné (de) : p. 67.
Sextus Calvinus : p. 30.
Sibylle : p. 46.
Sion : p. 84.
Smith : p. 24.
Socrate : p. 37.
Solange : p. 128.
Solario : p. 63, 71, 78, 96, 97, 142.
Sollers : p. 147.
Sorel : p. 107.
Spielrein : p. 137.
Spranger : p. 86.
Staël (de) : p. 102.

Stefan : p. 47.
Steichen : p. 133.
Stendhal : p. 106.
Sthéno : p. 35.
Stuart : p. 93, 145.
Swinburne : p. 80, 127.
Tao : p. 25.
Tassi : p. 99.
Tautavel : p. 20, 21, 28.
Tertulien : p. 64.
Thanatos : p. 14, 27, 28, 98.
Théodora : p. 57.
Théophile : p. 80.
Thévenin : p. 122.
Tiepolo : p. 75.
Tirnovo : p. 45, 47.
Tours (de) : p. 79.
Trétiakov : p. 46.
Troyes (Jacques Pantaléon de) : p. 46, 47.
Tursac : p. 25.
Tyr : p. 93.

Urbain IV : p. 46.
Varron : p. 64.
Vasari : p. 40, 41, 117.
Vatican : p. 47.
Vénus : p. 25, 26, 93.
Véronèse : p. 90.
Véronique : p. 52, 53.
Vestonce : p. 25.
Victoire de Samothrace : p. 18, 128, 141.
Vignon : p. 75.
Villiers : p. 127, 131.
Virgile : p. 65, 117.
Voltaire : p. 109.
Walter : p. 146.
Warhol : p. 111.
Wilde : p. 127, 137.
Willendorf : p. 26, 93.
Yehohanan : p. 72.
Zacharie : p. 71, 72.
Zucchi : p. 40.
Zurbarán : p. 80, 141.

Expositions du Cabinet des dessins

27. Dessins allemands de la fin du XVe siècle à 1550. 1961.

28. Dessins des Carrache. 1962.

29. Dessins de Corot. 1962.

30. Delacroix, dessins. 1963.

31. Pastels et miniatures des XVIIe et XVIIIe siècles. 1963.

32. Dessins de sculpteurs, de Pajou à Rodin. 1964.

33. Dessins de l'école de Parme. 1964.

34. Pastels et miniatures des XVIIe et XVIIIe siècles. 1964.

35. Boudin, aquarelles et pastels. 1965.

36. Giorgio Vasari, dessinateur et collectionneur. 1965.

37. Pastels et miniatures du XIXe siècles. 1966.

38. Amis et contemporains de P.-J. Mariette. 1967.

39. Le dessin à Naples du XVIe au XVIIIe siècle. 1967.

40. Dessins de Steinlen (1859-1923). 1968.

41. Maîtres du Blanc et Noir, de Prud'hon à Redon. 1968.

42. Dessins de Taddeo et de Federico Zuccaro. 1968.

43. Dessins de Raphaël à Picasso (Galerie nationale du Canada). 1970.

44. Dessins vénitiens du XVe au XVIIIe siècle. 1970.

45. Dessins du Nationalmuseum de Stockholm. 1970.

46. De Van Eyck à Spranger. Dessins des maîtres des anciens Pays-Bas. 1971.

47. Dessins du musée de Darmstadt. 1971.

48. Dessins de la collection du marquis de Robien, conservés au musée de Rennes. 1972.

49. Dessins d'architecture du XVe au XIXe siècle dans les collections du musée du Louvre. 1972.

50. Dessins français de 1750 à 1825. Le néoclassicisme. 1972.

51. Cent dessins du musée Teyler, Haarlem. 1972.

* 52. La Statue équestre de Bouchardon. 1973.

53. Le dessin italien sous la Contre-Réforme. 1973.

54. Dessins français du Metropolitan Museum de New York. De David à Picasso. 1973-1974.

55. Cartons d'artistes du XVe au XIXe siècle. 1974.

56. Dessins du musée Atger, Montpellier. 1974.

57. Dessins italiens de l'Albertina de Vienne. 1975.

58. Dessins italiens de la Renaissance. 1975

59. Michel-Ange au Louvre. Les dessins. 1975.

60. Voyageurs au XVIe siècle. 1975.

61. Dessins du musée des Beaux-Arts de Dijon. 1976.

62. Dessins français de l'Art Institute de Chicago. De Watteau à Picasso. 1976-1977.

63. De Burnes-Jones à Bonnard. Dessins provenant du Musée national d'Art moderne. 1977.

64. Le corps et son image. Anatomies, académies. 1977.

* 65. Rubens, ses maîtres, ses élèves. Dessins du musée du Louvre. 1978.

66. Nouvelles attributions. 1978.

67. Claude Lorrain. Dessins du British Museum. 1978-1979.

68. Le paysage en Italie au XVIIe siècle. Dessins du musée du Louvre. 1978-1979.

69. Dessins français du XIXe siècle du musée Bonnat à Bayonne. 1979.

70. Revoir Dürer. 1980.

71. Revoir Ingres (dessins du Cabinet des dessins). Paysages d'Ingres (dessins du musée Ingres, Montauban). Portraits contemporains d'Ingres (dessins, miniatures et pastels du Cabinet des dessins). 1980.

72. Donations Claude Roger-Marx. 1980-1981.

73. Revoir Chassériau. 1980-1981.

74. Donation P.-F. Marcou, J. et V. Trouvelot. 1981.

75. Dessins baroques florentins du musée du Louvre. 1981-1982.

76. Revoir Delacroix. 1982.

77. L'atelier de Desportes. Dessins et esquisses conservés par la Manufacture nationale de Sèvres. 1982-1983.

78. Les collections du comte d'Orsay : dessins du musée du Louvre. 1983.

79. L'aquarelle en France au XIXe siècle. 1983.

80. Autour de Raphaël. 1983-1984.

* 81. Acquisitions du Cabinet des dessins, 1973-1983. 1983.

* 82. Dessins et Sciences. 1984.

83. Dessins français du XVIIe siècle. 1984-1985.

* 84. Le dessin à Gênes du XVIe au XVIIIe siècle. 1985.

* 85. Le Brun à Versailles. 1985-1986.

86. Pastels du XIXe siècle. 1986.

* 87. Les mots dans le dessin. 1986.

88. Hommage à Andrea del Sarto. 1986.

* 89. Dessins français du XVIIIe siècle, de Watteau à Lemoyne. 1987.

90. Chefs-d'œuvre de la collection Saint-Morys au Cabinet des dessins. 1987-1988.

* 91. Le dessin à Rome au XVIIe siècle. 1988.

* 92. L'an V. Dessins des grands maîtres. 1988.

93. Rembrandt et son école, dessins du musée du Louvre. 1988-1989.

* 94. Le beau idéal ou l'art du concept. 1989.

* 95. Le paysage en Europe du XVIe au XVIIIe siècle. 1990.

* 96. Acquisitions 1984-1989. 1990.

* 97. La Rome baroque, de Maratti à Piranèse. 1990.

* 98. Dessins de Dürer et de la Renaissance germanique. 1991-1992.

* 99. Souvenirs de voyages. 1992.

* 100. L'œil du connaisseur. Hommage à Philip Pouncey. 1992.

* 101. Le dessin à Vérone aux XVIe et XVIIe siècles. 1993.

* 102. La réforme des trois Carracci : le dessin à Bologne, 1580-1620. 1994.

* 103. Fra Bartolommeo et son atelier. Dessins et peintures des collections françaises. 1994

Expositions de la collection Edmond de Rothschild

1. Chefs-d'œuvre du Cabinet Edmond de Rothschild. 1959-1960.

2. La gravure française au XVIIIe siècle. 1960.

3. La gravure italienne au Quattrocento, I, Florence. 1961.

4. La gravure française au XVIIe siècle. 1963.

5. L'Ancien Testament, gravures. 1964.

6. La gravure italienne au Quattrocento et au début du Cinquecento, II, Florence et le nord de l'Italie. 1965.

7. Le XVIe siècle européen. Gravures et dessins du Cabinet Edmond de Rothschild. 1965-1966.

8. Modes et costumes français. Gravures et dessins. 1966.

9. François Boucher. 1971.

10. Les incunables de la collection Edmond de Rothschild. La gravure en relief sur bois et sur métal. 1974.

11. Estampes « au ballon » de la collection Edmond de Rothschild. 1976.

12. Maîtres de l'eau-forte des XVIe et XVIIe siècles. 1980.*

* 13. Graveurs français de la seconde moitié du XVIIIe siècle. 1985.

* 14. Ornemanistes du XVe au XVIIe siècle. 1987.

* 15. Un collectionneur pendant la Révolution : Jean-Louis Soulavie (1752-1813).

* 16. Graveurs allemands du XVe siècle. 1991-1992.

* 17. Les effets du soleil. Almanachs du règne de Louis XIV. 1995.

* 18. Graveurs en taille douce des Anciens Pays-Bas. 1997.

Expositions organisées par la Réunion des musées nationaux et le département des Arts graphiques

* Dessins espagnols. Maîtres des XVIe et XVIIe siècles. 1991.

* Dessins de Liotard. 1992.

* Dessins français du XVIIe siècle. 1993.

* Le dessin français. Chefs-d'œuvre de la Pierpont Morgan Library. 1993.

* La Chimère de Monsieur Desprez. 1994.

Expositions présentées au Hall Napoléon

* Léonard de Vinci. Draperies. 1989-1990.

* Hoüel. Voyage en Sicile. 1990.

* Repentirs. 1991.

* Mémoires d'aveugle. L'autoportrait et autres ruines. 1991.

* Le bruit des nuages. 1992.

* Largesse. 1994.

* Traité du trait. 1995

* Dessins français de la collection Prat. XVIIe-XVIIIe-XIXe siècles. 1995.

* Charles-Louis Clérisseau. Dessins du musée de l'Ermitage. 1995.

* Réserves, les suspens du dessin. 1995.

* *Catalogues encore disponibles.*

Crédits photographiques

Aix-en-Provence, Centre Camille-Jullian (CNRS) : cat. 4, fig. 9, 10.

Amiens, Musée de Picardie (Didier Cry) : cat. 49.

Avallon, Musée de l'Avallonnais (G. Deroude) : cat. 29.

Bergame, Cappella Colleoni : fig. 27.

Bruges, Memlingmuseum : fig. 28.

Caen, Musée des Beaux-Arts (Seyve Cristofoli) : fig. 21, 35.

Damas, Musée national : fig. 3.

Darmstadt, Hessisches Landesmuseum (Werner Kumpf) : cat. 25.

Florence, Gabinetto Fotografico della Soprintendenza per i Beni Artistici e Storici : fig. 17, 24.

Laon, Conservation du Patrimoine : cat. 7.

Lisbonne, Edarte - Porto : fig. 25.

Lyon, Musée d'Histoire naturelle (Michel Pascal) : fig. 5.

Marseille,
    Collection H. Gastaut : fig. 2, 7.
    Musée des Beaux-Arts : fig. 11.

Naples, Laboratorio Fotografico della Soprintendenza Archeologica della Provincia di Napoli e Caserta : fig. 13, 33.

New York, Ian Woodner Family Collection : fig. 45.

Oslo, Munch Museet, Munch Ellingsen Group / ADAGP, Paris, 1998 : fig. 19.

Paris,
    Bibliothèque nationale de France : cat. 3, 31, 43, 53 ; fig. 47, 50.
    Collection Ch. Ratton : fig. 8.
    Ecole nationale supérieure des Beaux-Arts : fig. 29.
    Musée Bourdelle (Eric Emo) : cat. 66.
    Musée des Collections historiques de la Préfecture : cat. 34.
    Musée national d'Art moderne - Centre Georges-Pompidou (Philippe Migeat, Adam Rzepka) : cat. 38, 45, 46, 54.
    Photothèque du Musée de l'Homme : cat. 63, fig. 4, 6.
    Photothèque des Musées de la Ville de Paris : cat. 32, 33, 56.
    Réunion des musées nationaux (D. Arnaudet, M. Bellot, G. Blot, M. Coppola, B. Hatala, H. Lewandowski) :
cat. 1, 2, 5, 6, 8 à 24, 26 à 28, 30, 35 à 37, 39 à 42, 47, 48, 50 à 52, 57 à 62, 64, 65 ; fig. 1, 14, 22, 31, 32, 42 à 44, 46, 48, 49, 51.

Rome, Galleria Borghese : fig. 38.

Strasbourg, Musées de la Ville de Strasbourg : fig. 34.

Venise, Edizione Ardo : fig. 23 a.

Vienne, Kunsthistorisches Museum.

Wechmar, Lutz Ebhardt : fig. 12.

Windsor, Royal Library : fig. 16.

© Adagp, Paris, 1998 : cat. 45, 56, fig. 18, 41.

Publication du département de l'Edition
dirigé par Anne de Margerie

Coordination éditoriale
Laurence Posselle

Conception graphique et maquette
Atelier Rosier

Relecture des textes
Philippe Bernier

Fabrication
Jacques Venelli

Les textes ont été composés en Granjon
par Guillaume Rosier
et les illustrations gravées par Bussière

Cet ouvrage a été achevé d'imprimer
en avril 1998 sur papier couché mat 135 g
sur les presses de l'imprimerie S.I.O. à Paris

Façonnage : La Générale de Brochure Reliure

Dépôt légal : avril 1998
I.S.B.N. : 2-7118-3668-1